SFUMATO

www.lepassage-editions.fr

XAVIER DURRINGER

SFUMATO

roman

LEPASSAGE

Pour Ambre

Tout ce qui est couvert d'un voile sera dévoilé,
tout ce qui est caché sera connu.

I

J'avais noté dans mon carnet noir, avec son petit crayon vert :
« Il y a deux sortes d'écrivains, ceux qui chiadent la première
phrase et ceux qui s'en foutent complètement. »

Dans ce tohu-bohu, seule la lumière des phares découpait l'obscurité. Je conduisais une vieille Ford Granada 75,
une antiquité métal doré, sièges en tissu, tableau de bord en
bois, toit ouvrant. Il pleuvait des cordes argentées, un diable
martelait la carrosserie, l'impression de traverser les rouleaux
d'un lavage automatique. Je descendais dans le sud-ouest de
la France, par les petites routes de campagne, fouetté par des
rafales de vent terribles. Pas un village en vue sur des dizaines
de kilomètres, pas une voiture croisée, pas un panneau, rien.
« Il faut savoir se perdre, il y a des endroits où personne ne
va et c'est là que c'est intéressant, sortir des chemins bali-
sés, remonter les cours d'eau… » m'avait-il dit un jour. Et là,
j'étais bel et bien perdu. Un oiseau noir, sûrement un merle
ou un corbeau, s'était éclaté violemment sur le pare-brise et
par peur ou par réflexe, j'avais pilé comme un fou et glissé sur
une vingtaine de mètres. J'étais resté là une bonne minute à
l'arrêt, en travers de la route, le cœur sortant de ma poitrine,
le capot fumant. Et j'étais reparti au ralenti. J'y voyais rien

dans cette nuit sans lune, sous le déluge, le dos en sueur, tout collant, les mains crispées sur le volant en simili-cuir. Le tonnerre grondait et pétait, le bouquet final d'un feu d'artifice. Les éclairs déchiraient le ciel et flashaient le temps d'un clignement d'œil la campagne chahutée, découvrant des collines noires et des monts inquiétants. Je n'entendais même plus la radio d'époque qui me donnait un peu de courage. Elle s'était brouillée toute seule dans une cuvette. Les phares éclairaient un bout de route transpercée de hallebardes blanches, parfois des broussailles épaisses, des arbres fantomatiques, des mains de sorcières s'agitant dans les virages, des murets centenaires en pierre mousseuse. J'avançais dans le brouillard le plus complet sur une route floutée hypothétique, m'entortillant autour de la ligne comme un serpent sur le caducée. Et je repensais au roux sillon dont m'avait parlé Viktor. « Le trésor ou le passage ou le tombeau est sur cet axe, c'est la seule chose que vous devez retenir, 2° 20' 13" à l'est du méridien zéro de Greenwich et vous tournez autour de ça… Peut-être que ces trois choses sont un même endroit », m'avait-il dit. Je ne savais plus très bien où je descendais précisément, comme un apnéiste glissant le long de la ligne de vie au plus profond de l'océan, dans l'infiniment mat. Je descendais en coupant la campagne. Je devais être dans le Cantal, pas loin de Saint-Illide, dernier panneau aperçu. Sur le siège passager, plusieurs cartes d'état-major de la série bleue au 1 : 25 000 et une pochette en cuir que j'avais recouverte du journal *Aujourd'hui* de la veille : voir une photo de footballeurs joyeux s'étreignant en première page me rattachait tant bien que mal à la vie normale. À côté du journal, un Moleskine noir avec son petit crayon à papier vert coincé sous l'élastique, d'où dépassaient des cartes postales de tableaux. Je me suis dit que j'étais fou d'avoir gardé le 9 mm Parabellum de ce crétin de Simon que j'avais planqué dans la boîte à gants, enroulé dans un chiffon. On pouvait trouver dans tout ce fourbi un briquet plaqué or avec une feuille de chêne finement gravée, un paquet de Rizla croix et une grosse olive noire de charas afghan qui me tournait encore la tête. Je repensais à cette phrase : « Il arrivait à repérer une fourmi noire sur une pierre noire dans la nuit la plus noire... » Et moi, je ne voyais plus rien, perdu comme jamais, plissant les yeux, ne distinguant plus le vrai du faux derrière ce rideau de pluie zigzaguant tel un banc de poissons affolé par les squales. Seules mes Persol pliantes me laissaient l'espérance, un jour, de fouler à nouveau un bord de mer turquoise en short à fleurs, en sentant le sable glisser entre mes doigts. Sur la banquette arrière défoncée depuis des lustres s'entassaient mes trois sacs de voyage dont un rempli d'une collection de timbres d'avant ma naissance, un sac de couchage avec une couverture de survie argentée bien pliée, une grosse lampe torche et un petit réchaud à gaz. Une longue corde traînait enroulée par terre avec des mousquetons et posé dessus, un masque à gaz de l'armée israélienne que j'avais trouvé aux puces. « L'air peut être irrespirable et la notion du temps n'est pas la même, trois heures peuvent correspondre à trente ans. Et ceux qui vous ont vu partir ne vous verront pas revenir et pour tout le monde vous aurez disparu à jamais », disait-il. J'étais désespérément seul, m'attendant à croiser dans chaque virage glissant la dame blanche. Quand le ciel s'est allumé d'un coup, je n'ai même pas eu le temps de compter un que j'étais sous les bombes et ma Granada s'est transformée en cage de Faraday. Tout mon corps s'est mis à trembler. Je ne savais plus si je devais continuer de rouler ou m'arrêter sur le bas-côté. L'effroi venait de me prendre dans ses bras et me glaçait le sang. J'aurais rêvé apercevoir la lumière d'une maison, croiser les feux d'une voiture. Je me suis plaqué sur le bord de la route. J'ai pris le 9 mm dans la boîte à gants. J'ai ouvert la portière, j'ai marché un peu sous la pluie et j'ai hurlé tant que j'ai pu dans les phares. Je suis resté un bon moment sur la route, immobile, regardant le ciel arborescent, pensant : « Ne t'inquiète pas, c'est la nature, tout est naturel », et pourtant… La pluie fouettait mon visage et coulait salée sur mes lèvres. J'ai eu la vision de singes affolés, d'une tribu dispersée sous les éclairs.

J'ai regardé ma voiture, tout tremblant, deux gros yeux jaunes me fixaient dans la nuit, de la vapeur sortait d'une mâchoire métallique. Elle ronronnait, prête à bondir. J'ai regardé le flingue dans ma main en me demandant comment j'avais bien pu en arriver là. Et j'ai repensé à Viktor et à notre première rencontre au café. Et si tout cela n'avait été qu'une énorme farce, ou juste un jeu, un grand jeu où je m'étais définitivement perdu ?

2.

Au 1 passage de la Main d'Or, dans le 11ᵉ arrondissement de Paris, j'avais trouvé un petit studio au cinquième et dernier étage d'un immeuble vétuste qui donnait sur le square Trousseau. J'aimais bien le nom de ma possible nouvelle adresse, la « Main d'Or », et j'y avais vu comme un signe. Le troisième étage était complètement à l'abandon et avait accueilli des générations de pigeons, mais la vue du cinquième était dégagée, des arbres décharnés et tordus et le ciel sans vis-à-vis. Je m'étais dit que tout ça au printemps deviendrait bien vert. À l'agence immobilière, l'homme, une verrue marron sur la joue, m'avait expliqué, plans à l'appui, que le dernier étage, côté rue, était originellement un seul appartement qui avait été coupé en deux pour en faire deux studios. Et que sûrement l'autre partie serait en vente d'ici deux ou trois ans. Anciennement l'immeuble avait appartenu à des religieuses. Il y aurait eu là une sorte de cloître et avec le porche qui donnait sur le faubourg Saint-Antoine, l'immeuble était classé monument historique. J'avais appelé dans la foulée mon ami Simon et quand je lui avais dit que l'immeuble était classé, il m'avait répondu :

– Ah ça, c'est bien, il ne sera pas détruit.

– Tu me rassures !

— Écoute Raphaël, ne te pose pas trop de questions. T'as le coup de cœur ?

— Je ne sais pas. Peut-être. Il est pas mal.

— Reste un peu dedans et vois si tu t'y sens bien, c'est important la première impression… Mais pour le prix, dans le quartier, tu devrais le prendre, il est bien en dessous du marché.

— Il doit bien y avoir une raison. Tu ne crois pas ?

— Pas forcément.

En tout cas l'ancien propriétaire voulait s'en débarrasser au plus vite. J'étais resté seul dans le studio, j'avais essayé de respirer un peu l'ambiance, le papier peint fleuri, de me projeter dans mon salon chambre cuisine de deux mètres soixante sur dix mètres vingt-sept. Ma première impression c'était d'être dans un long couloir crasseux, mais bon. Je m'étais allumé un splif. Je ne m'y sentais pas trop mal. En fait, pour dire la vérité, je ne sentais rien de particulier sinon l'africaine légèrement poivrée. J'avais un peu d'argent d'un héritage qui s'était libéré sur un compte que je n'avais jamais pu toucher auparavant. D'ailleurs je n'étais même pas au courant. À la mort de ma mère, mon père avait acheté un trois pièces à Melun, « en prévision », avait-il dit. En prévision de quoi ? De mes années de galère ?

J'avais habité pendant un an avec Madeleine et quand elle m'avait jeté de chez elle dans des circonstances un peu particulières, je m'étais retrouvé à la rue et j'avais erré quelque temps comme une bulle d'eau entre les Halles et Étienne Marcel, mon baluchon sur l'épaule.

Je travaillais trois jours par semaine à vendre des bouquins sur les quais. J'en avais marre de squatter chez mes potes, de laisser mes affaires traîner un peu partout comme le Petit Poucet avec ses miettes de pain, et d'essayer de retrouver tant bien que mal où j'avais bien pu laisser ma brosse à dents. Parfois en me cachant dans la douche des loges, quand ils fermaient le rideau de fer, je dormais dans le théâtre Marie Stuart après les répétitions. Souvent je finissais au Fitzcarraldo en face ou au Baragouin, des bars de nuit, jusqu'à la fermeture, sans savoir où aller au petit matin ni qui appeler sans faire de problèmes. Il arrive un moment où l'on n'est plus capable d'appeler qui que ce soit, même un ami, sans le déranger. Alors l'argent du trois pièces de Melun était venu comme une délivrance et j'avais acheté le studio de la Main d'Or.

La Main d'Or me faisait penser à une petite main de Fatma en or, à une main de gitan, tout ce que tu touches devient de l'or, à une main chanceuse. En fait, rien à voir, le nom venait de l'enseigne d'une ancienne auberge. Je pensais souvent à ce film qui m'avait terrorisé étant môme, *La Main du diable* de Maurice Tourneur, l'histoire d'un peintre sans le sou qui passe un pacte et achète la main du diable. Cette main coupée se baladait après toute seule dans le quartier.

3.

J'ai passé un mois tous les jours avec Miguel à casser le plafond pour y trouver des poutres. Il m'avait dit qu'il s'y connaissait pas mal en plomberie et en électricité et je n'avais pas d'oseille pour le faire avec une entreprise. J'ai pris des tonnes de poussière et de lambris sur la tête. J'ai poncé les poutres, arraché les clous rouillés, traité le bois. J'ai mis la salle de bain à la place de la cuisine, ce qui s'est révélé être par la suite une grosse erreur. J'ai descendu des centaines de sacs de gravats. Je me suis cassé le dos. On a changé la plomberie nécrosée, remis l'électricité aux normes, détruit le conduit d'une cheminée obstruée pour créer une étagère, fait une petite cuisine à l'américaine avec des carreaux de plâtre, posé du carrelage blanc le moins cher possible dans la salle de bain, puis bouché les trous dans les murs, passé l'enduit, frotté au papier de verre tout fin et peint le tout, poutres et murs, dans une sorte de blanc cassé coquille d'œuf, nickel. Tout propre. On a collé une moquette rouge rase sur vingt mètres carrés, et j'ai posé mes trois gros sacs. Un sac de fringues, un sac d'objets divers et de bouquins et mon sac de sport avec la collection de timbres de mon grand-père inconnu, mort un mois après ma naissance.

J'ai rapporté un vieux matelas tout auréolé, des draps troués, une couette en plume, un tabouret de bar, deux assiettes, des couverts, deux verres et un tire-bouchon, mon ordinateur et de la musique, 2Pac, *Only God can judge me* en premier. Remonté, tel un sherpa, un petit frigo et deux petites plaques chauffantes usagées, une casserole et une poêle, ma vieille cafetière électrique, posé un poster de Jim Morrison torse nu qu'une amie m'avait offert et que je gardais comme une vieille relique, et le tour était joué. Plus une thune sur mon compte et j'en prenais tout de même pour quinze ans, mais j'avais mon petit chez moi.

Ah la magie du premier soir, la fenêtre grande ouverte sur le square Trousseau, à respirer la nuit jaune, à regarder les immeubles lointains et les sautes violettes des écrans télé, à sonder les bruits nouveaux, les canalisations, quelqu'un qui monte dans l'escalier au quatrième, une douce mélodie au piano, peut-être du Chopin, et la circulation du faubourg Saint-Antoine, rythmée par les bus et les motos…

Paris était couché et moi j'étais debout, torse nu et fier, face à la nuit. Ça puait la peinture pas chère, mais j'étais propriétaire. Et j'ai fumé ma sinsemilia, content du travail accompli.

Par une fenêtre jumelle, j'ai vu une tête apparaître, sûrement mon voisin. Il a fait semblant de ne pas me voir au début, regardant droit devant lui le square, puis il s'est retourné vers moi. C'était un homme brun, la quarantaine, les cheveux mal rasés sur les côtés, des coupures sur les tempes, de grands yeux bleus délavés comme passés à la Javel. Bizarre.

– Vous êtes le nouveau voisin ? il m'a demandé d'une voix mal aiguisée, râpeuse, mal placée.

– Oui, j'ai répondu en cachant mon splif dans la paume de ma main, mais de la fumée plein la bouche.

– C'est pas la peine de venir frapper chez nous, la journée on n'est pas là, ma femme et moi, la journée, on est en HP de jour.

– Ah oui, très bien, j'ai fait.

J'aurais aussi bien pu dire merci.

– On est là que la nuit. Je m'appelle Gilbert.

– Enchanté.

– Et vous ?

– Raphaël.

– On est là le week-end aussi.

– Ah, très bien.

– Mais la journée, c'est pas la peine de venir frapper. On n'est pas là.

– D'accord, j'ai fait en souriant.

Et il a refermé sa fenêtre en la claquant un peu fort et le mur s'est mis à trembler. J'avoue que d'entrée de jeu, je n'ai pas vraiment compris ce que c'était qu'un HP de jour. Et d'ailleurs sur le moment j'en avais rien à carrer. Je me suis allongé sur mon matelas et j'ai essayé de m'endormir en regardant un bout de ciel. J'avais un peu l'impression d'être seul dans un container avec une petite lucarne. « Mais non c'est sympa, c'est sympa, je me suis dit. Oui, oui, c'est très sympa. Je vois le ciel. Il est jaune électrique, on ne voit pas les étoiles, mais je vois le ciel. » Et j'ai pensé, le cœur pincé : « Voilà ce qui me reste de ma mère, ce petit chez moi. »

J'ai été réveillé vers 4 heures du matin, par trois petits coups secs tapés à ma porte.

– Ouais ? C'est qui ?

Je n'attendais personne. Il était trop tard pour Miguel. J'ai entendu une petite voix nasillarde.

– Excusez-moi de vous déranger. Je suis la voisine d'à côté.

La voix féminine semblait lointaine et un peu dans le brouillard, saccadée. J'ai entrebâillé ma porte. Et là, j'ai vu une petite femme, toute chétive, une sorte de réincarnation de la môme Piaf en fin de vie, tombée du nid. Elle portait des lunettes en culs-de-bouteille et avait des cheveux noirs dégarnis, au carré, tout collés, tout gras, et une bouche avec des dents toutes pourries, cassées, goudronnées, une bouche vraiment dégueulasse à cracher des mégots.

– Vous n'auriez pas une petite bière ?

Sa voix traînait, chevrotait, ralentie par les cachetons enroulés d'alcool comme les pierres dans un torrent. Elle articulait toutes les syllabes.

– Non, je suis désolé.

– Vous n'auriez pas une petite cigarette ?

– Si.

Et je suis parti chercher mes clopes.

– Je peux, deux ?

– Oui, allez-y.

Elle en a pris deux et m'a demandé du feu. J'ai fait craquer mon briquet Bic devant ses culs-de-bouteille où j'ai vu briller deux petites fentes. Elle a posé sa main sur la mienne, ses ongles étaient brûlés, et elle a aspiré très fort deux grosses taffes, comme sauvée d'une noyade, qu'elle m'a resoufflées dans la tête. Sympa comme tout, ma voisine.

– Merci Monsieur.

Elle portait une chemise de nuit transparente, deux gros bouts de seins noirs perçaient, et une ombre très épaisse dessinait un fourré sous son ventre, mais le truc vraiment choquant, c'étaient des plaques d'eczéma purulent un peu partout sur ses bras et sur ses mains et des ronds noir et rouge, des croûtes, comme si on lui avait écrasé des dizaines de cigarettes sur les avant-bras.

– Excusez-moi de vous avoir dérangé.

– C'est pas grave.

Pourquoi j'avais dit ça, moi ? « C'est pas grave », il était 4 heures du matin !

J'ai refermé la porte. Je suis allé me laver les mains dix-huit fois et je suis retourné me coucher.

5 heures du matin, rebelote. Une voix lancinante, une plainte.

– C'est qui ?

– Excusez-moi de vous déranger…

J'ai ouvert, légèrement énervé. Deux tétines en chocolat et des plaques d'eczéma. Pincez-moi que je me réveille.

– Excusez-moi de vous déranger…

– Ça va… que j'ai coupé sèchement.

– Vous auriez pas une petite bière ou deux euros ?

– Non j'ai rien, je n'ai pas de bières et j'ai besoin de dormir.

– Ah bon…

Il y avait comme un étonnement dans ce « ah bon »… Elle est repartie. Et c'est alors, en me recouchant, que j'ai entendu les premières notes de ce qui allait devenir rapidement mon enfer, les premières notes de *Que je t'aime* de Johnny Hallyday.

« Quand tes cheveux s'étalent
Comme un soleil d'été
Et que ton oreiller
Ressemble aux champs de blé… »

Belles paroles, belle mélodie, mais le problème, avec les anciens tourne-disques, c'est que le bras se remet automatiquement à la fin de la chanson sur le premier sillon. Et au bout de cinq « Quand tes cheveux s'étalent » de suite, j'ai commencé à me choper les nerfs. Je ne comprenais même pas comment on pouvait toujours avoir un tourne-disque! Cette musique devenait une véritable torture mentale. Ça agissait psychologiquement, nerveusement. On se serait cru à Guantanamo pour une séance de lavage de cerveau. Au bout du vingt-cinquième « Quand tes cheveux s'étalent », j'aurais pu monter sur un ring, partir à la guerre, livrer mes secrets les plus intimes pour que ça s'arrête et dire : « Oui oui, c'est moi qui ai posé la bombe… Oui c'est moi, mais arrêtez Johnny, s'il vous plaît, plus Johnny! » J'ai hurlé :
— Hooo, j'ai besoin de dormir, ça suffit, arrêtez la musique!
J'ai tapé violemment sur le mur qui s'est mis à trembler. Pendant deux secondes, j'ai même eu peur qu'il s'écroule et qu'on se retrouve tous les trois dans la même pièce. Tétines en chocolat chevauchant Gilbert d'un côté, moi de l'autre dans les gravats comme un pâtissier qui aurait éternué dans le sucre glace.
La séparation de l'appartement, pour en faire deux studios, était une simple cloison de placoplâtre. Je venais de me rappeler ce que la verrue marron m'avait dit. Je commençais doucement à comprendre. Un bon coup de pompe et on

pouvait faire un trou, c'est dire si l'acoustique était bonne. Je vivais littéralement avec mes voisins. Je ne les voyais pas, mais on partageait la même pièce originelle.

Le bras a glissé sur les sillons et Johnny s'est arrêté dans une sorte de déraillement hip hop. J'ai entendu des éclats de voix puis comme des murmures, un verre s'exploser par terre, un bruit sourd comme un gros sac de pommes de terre qui tombe, puis plus rien. Je me suis demandé si c'était elle ou lui qui s'était écrasé comme ça. J'ai tendu l'oreille. Silence. Peut-être que j'avais tué les deux canaris en criant un peu trop fort. Ils devaient se balancer sur leur perchoir et en étaient tombés raides par terre.

Le studio était bien en dessous du prix du marché. J'aurais dû m'en douter. Pourquoi j'avais écouté ce crétin de Simon ?

4.

Quelques heures plus tard, étonné et ravi de voir que le jour s'était quand même levé, j'ai écouté : les oiseaux gazouillaient et les voitures s'arrêtaient au feu rouge. Magnifique. Je suis descendu acheter le journal et me prendre un petit café au bar, ma vieille cafetière m'ayant lâché. Je l'avais branchée, mis le filtre, l'eau et le café moulu. Et j'étais allé prendre ma douche. Au retour, pas de café. Elle avait littéralement implosé sans aucune raison. Sûrement l'électricité aux normes que Miguel avait refaite.

J'ai remarqué, ce matin-là, un homme mince, très élégant, cheveux blancs lissés en arrière, moustache blanche finement taillée, costume en velours vert bouteille, chemise pâle, foulard parfumé, avec une canne à pommeau doré à ses côtés. Il devait avoir entre 75 et 80 ans. La classe des hommes des années 50, lunettes en écaille, ongles faits avec un vernis transparent et chaussures montantes demi-saison. Il tranchait dans ce rade parisien avec son lot de piliers de bar et de femmes revenant de l'école où elles avaient lâché par grappes leurs têtards respectifs. Il était assis sur un tabouret au comptoir, quatre journaux étendus devant lui. Je me suis un peu penché pour voir, l'un était en russe, la *Pravda*, l'autre en hébreu, *Haaretz*, puis *Le Monde* et le *New York Times*.

— Un double expresso avec une goutte de lait froid, s'il vous plaît, j'ai commandé au bar.

J'ai vu un homme venir le saluer en l'appelant monsieur le président. Curieux. Il était président de quoi ? J'aurais bien aimé le savoir. Président d'un pays, d'une association, d'une grande entreprise ou d'un club de bridge ? Il tournait les pages lentement, avec une sorte de gourmandise, passant d'un journal à l'autre, s'arrêtait, semblant picorer une friandise, et repartait butiner dans une autre langue, une tasse de thé délicatement posée devant lui.

En remontant chez moi, j'ai jeté ma cafetière dans la poubelle. Il y avait du bruit chez mes voisins. Au début, je n'ai pas vraiment compris ce qui se passait. Pourtant, pas besoin de tendre l'oreille. Toutes les cloches de Ledru-Rollin sonnaient pour prendre possession de l'appartement quand ils partaient en HP de jour. Et là, la procession et les engueulades commençaient. Ils répétaient à plusieurs ce qu'il fallait qu'ils disent dans le métro pour faire la manche. Une sorte d'Actors Studio du pauvre, où chacun pouvait juger de la performance de l'autre. Ils devaient bien être une petite dizaine là-dedans à se corriger. J'entendais chaque voix comme si j'étais dans le salon avec eux. L'impression curieuse de suivre une pièce radiophonique.

— Bonjour, je suis sans domicile fixe, je sors de prison, si vous aviez pas un ticket restaurant... avait commencé une voix douce.

— Si vous aviez pas, c'est pas français ça !

– Le ton n'est pas bon, on dirait que tu récites et que c'est pas vrai ce que tu racontes. Allez recommence et applique-toi ! a tonné une grosse voix avec un accent de l'Est.

J'étais complètement halluciné.

– Bonjour, je suis sans domicile fixe, je sors de prison, si vous aviez un ticket restaurant ou une petite pièce pour me dépanner.

– Ne dis pas que tu sors de prison, fils de pute ! a claqué une voix éraillée.

– Qu'est-ce que tu veux que je dise ? Je sors de prison, c'est la vérité.

L'ambiance est montée d'un cran.

– La vérité, on s'en fout ! Et les raisons qui t'ont amené là ne regardent personne ! Elle t'a aidé à quoi, la vérité ? La vérité, c'est que t'es un abruti !

« C'est vrai, j'ai pensé, quand t'es à la rue, la vérité, le vrai du faux, on s'en tamponne. T'es à la rue, point barre. » Il avait raison.

– Alors, qu'est-ce que je dis ?

La voix était désespérée.

– Ben j'en sais rien, mais ne parle pas de la prison putain, tu vas faire peur aux gens ! Le but c'est qu'ils te donnent du fric. Ne perds pas l'objectif des yeux. L'objectif c'est quoi ?

– C'est de les toucher au cœur, a répondu la pauvre voix.

– Très bien, allez vas-y ! On t'écoute !

– Bonjour, je suis sans domicile fixe et euh…

Un instant de silence. Un ange battait des ailes en faisant du surplace.

– Bon qu'est-ce tu fous ?

– Ben t'accouches ?

– Je suis sans domicile fixe, c'est-à-dire que je dors dans l'entrée d'un immeuble sous des cartons tout pourris qui prennent l'eau… Et souvent on me les choure…

– On s'en bat où tu dors! Tu nous fais chier avec tes cartons.

– Tu veux que je dise que ma tante m'a viré de chez elle parce que j'en branlais pas une!

– Si tu veux…

– Et que je dealais de l'héro, que j'ai chopé une hépatite et que je mettais des coups de pied dans son chat qu'avait la pelade?

– Nan c'est nul…

– N'attaque pas sur les animaux, espèce de salope! Les animaux c'est plus gentil que les hommes, a dit une grosse voix grave et cassée.

– Et surtout plus fidèle, a ajouté l'autre éraillée.

– Les chattes c'est pas fidèle, c'est la gamelle, y a que les chiens qui sont fidèles. Un chat quand tu crèves, y te bouffe, alors que le chien, lui, il se laisse crever à côté de toi! Tu vois la nuance?

Y en a un qui bégayait.

– Moi je peu-eux dire que ma fe-femme est morte dans un ac-accident de voi-voiture?

– C'est bien ça. Ça, ça touche!

– C'est vrai que ta femme est morte?

– Mais non pau-pauvre con, j'ai ja-jamais été ma-marié.

– Oh l'enfoiré!

– On a dit que la vérité, on s'en foutait! a tonné la grosse voix.

– Oh arrête, pourquoi tu pisses dans l'évier?

— Les chiottes sont prises, a répondu la voix éraillée.

— Mais t'es un porc, y a encore la vaisselle !

— Ta gueule…

La situation venait de tourner au vinaigre. Les voix grinçantes se sont mises à claquer de tous les côtés.

— Écoute-moi bien, et je ne plaisante pas espèce de raclure, tu recommences ça une fois et cette porte-là sera définitivement fermée pour toi ! Allez maintenant, casse-toi !

Quelques secondes plus tard, j'ai senti la porte claquer si fort que ma paroi s'est mise à trembler comme une vieille feuille. Et j'ai entendu une flopée de noms d'oiseaux, une véritable volière, tout y est passé. Ça s'est terminé par un « je vous encule tous », tonitruant, qui dévalait les escaliers quatre à quatre.

C'était la cour des miracles de la Main d'Or, le cours de théâtre, la leçon de comédie, l'endroit des répétitions, le siège social de tous les laissés pour compte, la meilleure adresse de tout le quartier pour les sans domicile fixe.

Que de la poésie avinée pendant des heures, et bien sûr Johnny en boucle. J'arrivais même à imaginer la pointe de diamant gratter la première note. Mais parfois, j'avais le droit à Goldman, parce qu'il y en avait un dans le groupe qui n'aimait plus Johnny ! Il avait dû finir une bouteille dans le placard à pharmacie. Il hurlait d'une voix éthérisée :

— Moi j'aime plus Johnny !

— Comment tu peux dire une chose pareille ?

— J'aime plus Johnny c'est tout, j'ai le droit, Johnny y me fait penser à ma femme qui l'aimait bien et ma femme c'est une pute. C'est tout, ça s'arrête là.

— Ouais je comprends. Moi je me suis fiancé sur *Gabrielle*.

— Ouah, c'est beau. Elle est belle, celle-là! J'ai failli le voir au Stade de France, à l'époque, j'avais du fric, tout en liquide. Mais j'ai tout bu mon fric.

— Allez refous-moi JJ, tu seras gentil.

— « Il suffira d'un signe, un matin, un matin tout tranquille… » qu'ils hurlaient tous ensemble.

Je l'avais oubliée celle-là.

— Moi je te le dis, Johnny, y me fout les poils!

— Ben moi, y me fout les boules, dès que je l'entends, je pense à ma femme…

— Et ta fe-femme c'est une pu-pute, on sait.

J'ai entendu comme un coup de poing sur la table, un verre tomber et exploser en mille morceaux. Et des bruits métalliques.

— T'amuses jamais à redire ça, toi! Tu vois cette fourchette, la prochaine fois, je te la fais avaler.

— Oh oh, du calme! Et toi, mets pas la musique trop fort, y a un nouveau voisin à côté, y paraît que c'est un con, m'a dit Gilbert.

— Si c'est un con, y fera pas long feu, y dégagera comme l'autre d'avant, a répondu la grosse voix éraillée.

J'étais prévenu.

Vers 19 h 30, c'était le retour d'HP des deux inséparables. Gilbert et pointes noires rapportaient les munitions, leur petit sachet de cachetons, les litres de rouge, le rhum agricole et les packs de bière, et une grosse nouba commençait jusqu'à plus soif. J'ai eu beau taper comme un sourd, ce soir-là, ça n'a rien changé. Et j'ai dû renfiler ma combinaison orange d'un barbu de Guantanamo. Alors j'ai fini ma nuit dans un bar à tapas rue de Lappe. Je suis rentré chez moi à reculons farci de tequila, me léchant encore le dos de la main. J'entendais déjà d'en bas les basses de ce cher Johnny résonner dans ma poitrine. Une de ces envies de gerber à chaque étage et de me mettre des claques.

Quinze ans de crédit sur le dos, ça allait être un petit peu long. Je me bouffais d'avoir acheté ce couloir. J'étais dans la spirale infernale.

Et je commençais à descendre sans pouvoir m'arrêter.

5.

Le lendemain matin, en sortant de chez moi, j'ai enjambé un gros barbu qui sentait vraiment très mauvais. Il semblait dormir profondément, ses ronflements s'entendaient jusqu'au rez-de-chaussée. « C'est peut-être la grosse voix », je me suis dit.

Je suis allé boire mon petit café et lire le journal, j'ai aperçu monsieur le président dans son coin comme un rayon de soleil, il tournait les pages élégamment et semblait rechercher quelque chose de précis dans les colonnes qu'il parcourait avec un petit crayon à papier vert. Un vert lumineux, un vert bizarre.

– Qu'est-ce que vous cherchez comme ça ? lui a demandé un gros pilier de comptoir, un peu curieux.

Le président a levé la tête et a regardé l'homme au-dessus de ses demi-lunes.

– Pardon ?

– Non parce que je vous vois tourner les pages… C'est un journal arabe, ça ?

– Non, hébreu. C'est un journal israélien.

– C'est pareil, non ?

– Si vous voulez. Les deux sont fils d'Abraham.

– Alors, qu'est-ce que vous cherchez là-dedans ?

Il a répondu d'une voix très douce :

– Je cherche uniquement des informations sur la Chine, l'Afghanistan et le Tibet ! Il faut toujours savoir pourquoi on donne l'information, qui donne l'information et à qui elle profite. Les bonnes infos, c'est dans les brèves que vous les trouvez. Les brèves, c'est de la pure information, sans filtres, sans orientations, le reste, ce n'est que de la propagande.

– Moi qui suis pêcheur à la truite, le plus dur c'est de trouver les vraies truites, pas les truites d'élevage qu'ont été lâchées trois mois plus tôt.

Il a continué au diapason :

– Je comprends. Pas de la truite formatée, facile à pêcher, qui fonce sur la première mouche.

– Oui, la truite sauvage, rusée, qui se cache dans les trous, qui a échappé à des centaines de mouches faites à la main. C'est pas facile de faire une bonne mouche vous savez… C'est compliqué d'imiter la nature, et une mouche la salope, elle a plein de poils au microscope…

– Oui, je vois ce que vous voulez dire, mes brèves sont comme vos truites sauvages, elles ne concernent que les initiés.

Il avait clos la discussion d'un seul coup, comme on ferre un poisson, diablement intelligent.

En marchant sur le trottoir, sa voix résonnait dans ma tête. J'avais enfin pu voir ses yeux. Des yeux bleus fatigués qui pétillaient d'intelligence. « Je cherche uniquement des informations sur la Chine, l'Afghanistan et le Tibet. » Curieux.

Quand je suis remonté, le dormeur avait disparu, mais à la place, juste devant mon paillasson, comme un petit cadeau de bienvenue, une énorme merde encore fumante.

J'ai eu une sorte de haut-le-cœur et j'ai frappé trois petits coups secs chez mes voisins. J'entendais du bruit derrière la porte, au bout d'une bonne minute Gilbert a ouvert en slip.

– Je suis désolé mais y a quelqu'un qu'a chié devant ma porte...

– Et alors? a éructé Gilbert.

– Et alors? Faudrait nettoyer, c'est sûrement un de vos amis, y a quelqu'un qui dormait là ce matin et il venait de chez vous...

– Vous l'avez vu?

– Pardon?

– Vous l'avez vu chier devant votre porte?

– Non.

– Alors, c'est pas bien d'accuser les gens comme ça, sans preuve! Qu'est-ce que vous en savez que c'est lui?

Et il a claqué sa porte violemment. Je suis resté là, hébété. Je savais plus quoi faire, quoi dire. C'est vrai, qu'est-ce que j'en savais que c'était lui, ça pouvait être directement mon voisin qu'avait déféqué juste devant mon paillasson, quelle différence?

J'ai appelé la verrue marron et je lui ai tout expliqué dans les moindres détails.

Aucune réaction.

– Vous êtes toujours là?

– Oui... Oui, je vous écoute.

Il avait répondu ça comme s'il faisait trois choses à la fois, trempant par petites touches son sachet dans l'eau chaude. Trop aimable pour être honnête.

Je lui ai dit qu'il aurait pu me parler de mes voisins. Et que pourtant pendant tous les travaux j'avais rien entendu, à croire

SFUMATO

qu'il m'avait tendu un piège. J'ai bien senti à sa voix que j'avais été le seul pigeon à se prendre dans ses filets.

– Je vous ai dit que c'était un bien qu'on avait coupé en deux et que d'ici deux, trois ans, il serait en vente. Vous serez le premier à en être informé. Avec toute la surface, ça peut faire un superbe appartement. Et à ce prix-là dans le quartier, avec vue sur le square Trousseau, c'est cadeau.

Il me prenait vraiment pour un imbécile.

– Pour vos problèmes, allez voir avec la voisine du dessous au quatrième, madame Labessie, elle est au syndic. Elle est très gentille.

C'était un petit appartement bourgeois de bon goût, le même que le mien mais en deux fois plus grand, évidemment. Cinq mètres vingt de large sur huit mètres, un vrai salon. C'est vrai que c'était pas mal. Une femme seule d'une bonne quarantaine d'années, genre prof, m'a ouvert la porte avec trois boutons ouverts sur un soutien-gorge noir. Elle m'a proposé un thé vert japonais qu'elle m'a servi dans une petite tasse en porcelaine. Le contraste était saisissant entre sa petite tasse finement décorée, le soutif en dentelle et ce que j'avais à dire.

– C'est pas possible, ils ont chié devant ma porte et ils ont foutu le bordel toute la nuit.

– Je sais, mais on ne peut rien y faire, on ne peut pas les virer, le père de votre voisine est propriétaire de l'appartement et ça fait des années que ça dure, on a beau changer le code de l'entrée pour les clochards, ça ne sert à rien ! Gilbert le leur redonne le jour même. Vous voulez un sucre ?

– Non merci.

– La journée, ils sont en hôpital psychiatrique et le soir, ils reviennent. Parfois, quand il y a de grosses crises, ils les gardent pendant plusieurs semaines mais en ce moment, ils sont là et relativement calmes. C'est sûrement parce qu'il fait beau. Je sais, c'est désolant, mais on n'y peut rien, ils sont chez eux. La seule chose que vous pouvez faire, c'est d'appeler les flics pour qu'ils viennent constater.

– Je ne vais pas appeler les flics tous les soirs !

– Oui, en plus ça ne sert à rien. Moi, au début, je les ai fait venir des dizaines de fois. À la fin, ils ne venaient plus.

– Je suis dans la panade…

– Et vous, juste à côté, je vous plains de tout mon cœur.

J'ai regardé son cœur lourd. Vraiment une belle poitrine.

– Normalement, je m'en fous du bruit, moi aussi j'en fais du bruit, mais là, c'est plus du bruit, c'est n'importe quoi.

– Je sais.

Elle semblait réellement désolée pour moi.

– Et comment je fais, moi, pour nettoyer ? C'est dégueulasse, y a pas une femme de ménage ?

– Si, il y a Laïla ! Je vous passe son numéro. Vous verrez, elle est très gentille.

– Merci.

– Je suis contente de vous connaître. Je me sentais un peu seule dans l'immeuble.

Pile à 14 heures, j'ai vu débarquer en bas des escaliers Laïla, une femme arabe d'une cinquantaine d'années en blouse rose pâle, des cheveux orange qui dépassaient d'un fichu, un seau, une serpillière et un balai-brosse à la main. Ma sauveuse ! Très gentille !

Je suis monté derrière elle jusqu'au cinquième. Là, elle s'est arrêtée avant les trois dernières marches. Et elle est restée plantée comme un lapin dans les phares, puis elle a commencé à balancer sa tête tout doucement.

– Ah non, c'est pas une crotte de chien, ça ! Moi je ne ramasse pas la merde des hommes. Ce sont des porcs, ceux qui ont fait ça ! Moi je ne suis pas payée pour ça. J'ai ma dignité, Monsieur.

Et elle a mis sa main devant sa bouche et son nez.

– Mais comment je fais, moi ?

– Achetez de la Javel et des serpillières, comme tout le monde.

J'ai bien cru qu'elle allait rendre. Et elle est redescendue à toute vitesse, en marmonnant des trucs en arabe, pas gentils du tout. J'ai cru comprendre « fils de pute », lointain souvenir de mes premiers cours d'arabe sur la dalle du Val d'Argenteuil.

Impossible de rentrer chez moi, avec ça devant ma porte et une odeur à faire vomir un âne. Alors n'en pouvant plus, je suis allé m'acheter un balai-brosse, trois serpillières, un seau, des gants Mapa, un gros bidon de Javel et des sacs-poubelles, et j'ai rapporté une pile de journaux. J'ai serré un foulard sur mon nez avec un demi-citron, vieux truc de manifs arrosées de lacrymogène. J'ai collé plusieurs doubles pages de *Libé* sur l'étron que j'ai attrapé du mieux que j'ai pu et je l'ai foutu dans la poubelle. Toucher mou, imagination dégueulasse, odeur répugnante : un cocktail vomitif détonnant. Le citron ne changeait pas grand-chose. Puis j'ai étendu la première serpillière mouillée, je l'ai inondée de Javel et j'ai frotté. J'ai tout balancé dans un autre sac-poubelle, puis j'ai raclé avec le balai-brosse et la deuxième serpillière. Là, j'ai failli vomir réellement, plusieurs spasmes à vide qui m'ont tordu les boyaux. C'était vraiment une odeur de chat mort en décomposition, un truc âcre et gras rance, aigre, qui m'a gonflé les poumons et tiré le cœur vers le haut. Après tout ce frottage, lavage, raclage, c'était incroyable, ça sentait toujours la merde derrière l'eau de Javel.

J'ai de nouveau frotté, jeté, lavé, refrotté et balancé le tout dans la poubelle du bas de l'immeuble avec le balai-brosse et tout ce qui avait approché de près ou de loin la déjection et je suis rentré chez moi. J'ai brûlé du papier d'Arménie, j'ai allumé des bougies odorantes, mis un bâton d'encens dans mon évier et vidé une bombe entière de fraîcheur marine sur le palier et dans les escaliers jusque devant chez madame Labessie.

Et comme je trouvais que ça sentait encore, je me suis dit que ça s'était sûrement incrusté dans mes fringues et dans mes cheveux. Je suis allé à la laverie automatique et j'ai tout lavé. J'ai pulvérisé une huile essentielle mentholée dans mes narines puis j'ai pris une douche chaude jusqu'à vider le ballon et je me suis rasé à blanc. Je me suis fait un énorme splif de ganja pure, j'ai mis *Magnificent Seven* et j'ai appelé Simon.

D'entrée de jeu, il m'a dit :

— Je ne peux pas te voir aujourd'hui, j'ai rencontré la femme de ma vie. Et ce soir, je la baise.

— Bon, ben super.

Que dire de plus ? J'ai tiré une taffe de naufragé.

— Et sinon, t'es bien installé ?

— Nickel.

— T'es content ?

— Super.

Trois petites taffes bien chaudes qui m'ont collé au plafond.

– J'entends un truc dans ta voix…

– Non, non, super. Que des problèmes de propriétaire et de fumeur de shit!

Je l'ai entendu se marrer.

– Eh oui, c'est ça mon pote, t'es passé de l'autre côté! T'es proprio! Je te laisse, c'est elle en double file. On se rappelle demain.

– Bisous, *man*.

– Bisous.

J'étais défoncé. La skunk avait fini par assommer le petit proprio d'une droite godillée en pleine tête. Je suis tombé les bras en croix face contre terre sur mon matelas pourri.

6.

Simon m'avait présenté sa promise dans un café, boulevard des Italiens. Une petite blonde aux yeux bleus, cheveux au carré, ongles longs, vernis rouge et bouche en cœur brillante. Un tanagra, une lampe de chevet, une poupée de boîte. Puis le soleil de Palavas-les-Flots était partie « faire des emplettes », comme elle avait dit.

On s'était déjà enfilé trois blanches depuis le départ de sa douce quand Simon m'a chopé pour que je lui donne ma bénédiction. C'était comme ça qu'on faisait à chaque fois, pour l'un comme pour l'autre, à chaque nouvelle fiancée. Une manière comme une autre de se rassurer. Généralement un seul regard suffisait, mais là j'ai baissé les yeux et j'ai commencé à tordre ma petite cuillère.

— Alors ?

— Alors quoi ?

— Ben dis-moi.

— Tu veux vraiment savoir ?

— Oui, comment tu la trouves ?

— Bien…

J'étais un peu emmerdé, à dire vrai. Il me souriait déjà, sûr de ma réponse.

– Bien… Bien… Elle a l'air très gentille. Mais…
– Mais quoi ?
– Ce n'est pas une fille pour toi.

Il m'a regardé avec des yeux tout ronds. Il s'attendait à tout sauf à ça. On aurait cru un lémurien découvrant un œuf de Pâques.

– C'est une fille pour qui, alors ?
– Ben pas pour toi.
– Tu déconnes ?
– Non, elle est super-mignonne, y a pas à dire, mais c'est pas pour toi, ce genre de fille.
– Je te remercie.

Je l'ai senti légèrement vexé et un peu paranoïaque. Il a tiré une cartouche à blanc :

– T'es jaloux ou quoi ? C'est ça ? T'es jaloux ?
– Moi jaloux ? Tu déconnes ! Tu me demandes ce que j'en pense, je te le dis, sinon ne me le demande pas, Simon !
– Tu me fais marcher ! T'as vu la bombe que c'est ?
– Non, je te jure. C'est une gonzesse pour footballeur, si tu vois ce que je veux dire… Comme les filles du Sherwood.
– Tu déconnes ?
– Pas du tout.
– Rien à voir avec les filles du Sherwood.

Et là, il a respiré un grand coup. Son regard est allé chercher un point à l'horizon derrière la vitre, sûrement une bagnole, puis il m'a fixé droit dans les yeux et le plus sérieusement du monde, il m'a dit :

– Raphaël, on va se marier.
– Très bien. Pas de problème.
– Pourquoi tu me regardes comme ça ?

– Depuis quand tu la connais?

– Le temps n'a rien à voir à l'affaire.

– Combien de temps?

– Une semaine…

Il a coupé court à toute intervention de ma part :

– Ouais stop, stop, je sais ce que tu vas me dire Raphaël.
Je te connais par cœur.

– Ah j'ai rien dit. J'ai rien dit!

– Je te vois sourire avec ton petit air con.

– Non Simon, je ne souris pas, je te jure. Et l'air con, c'est
moi au naturel quand j'entends que tu vas te marier. C'est
tout. C'est bizarre. La dernière fois que tu m'as fait ça, c'était
dans le train en Finlande entre Kuopio et Tampere. Je me
suis endormi et quand je me suis réveillé, Miguel m'a dit que
t'étais plus là, que t'avais rencontré une fille au bar et que
t'étais descendu sur le quai avec elle. Quand je t'ai eu au téléphone, tu m'as juste dit : « Je vais me marier. » Je t'ai revu
qu'un mois plus tard, malheureux comme les pierres, la queue
entre les jambes, ta Finlandaise t'avait anéanti à grands coups
de vodka, de vapeur et de bains glacés. Et tu t'es tapé une
petite dépression pendant trois mois. Vrai ou pas?

– Mais là, c'est pas pareil, ça n'a rien à voir, c'est différent,
c'est du sérieux. Tu ne peux pas comprendre.

– Non, c'est vrai. Je ne peux pas comprendre. Je suis con.

– Avec la Finlandaise, y avait un problème de langue.
« *Minä rakastan sinua* » : quand la fille, elle te dit je t'aime,
t'as l'impression qu'elle éternue.

– Ah d'accord…

– Avec Sandy, il y a plein de signes extraordinaires, c'est
karmique.

– C'est quoi ?

– Karmique.

– Tu te fous de moi ?

– C'est elle qui m'a expliqué… Tu veux que je te dise ce que ça veut dire ?

– Je sais très bien ce que ça veut dire karmique, mais dans ta bouche, ça sonne bizarre.

– Pourquoi ?

– Je ne sais pas, je te vois pas me parler de tes vies antérieures… Et je te vois mal dans un courant *new age*.

– Ben elle, elle y croit et moi j'ai tendance à croire ce qu'elle me dit… On est comme un même œuf qu'aurait été coupé en deux… Et qui se serait retrouvé.

– Ouah, t'es perché, gros ! Un œuf dur ?

– Oui un œuf dur ! Un œuf cru, tu peux pas le couper. Je te jure, c'est ce qu'elle m'a dit. Un même œuf coupé en deux ! C'est les Grecs qui disent ça…

– Elle n'a pas l'air comme ça, mais elle cogite à mort, ta *Barbie fashion queen* !

– Ne parle pas comme ça, s'il te plaît. Tu seras témoin au mariage et y a des chances que tu sois le parrain de notre premier enfant.

Simon a alors commencé à faire des moulinets avec ses mains comme s'il sortait des papillons d'un chapeau claque.

– Avec elle, je te jure, c'est pas pareil. J'ai ressenti des trucs que je n'avais jamais ressentis avant, c'est la femme de ma vie, et je pense qu'elle a déjà été ma femme dans une autre vie et là on s'est retrouvés, tu vois ? Je te jure, c'est dingue, son odeur, sa peau, tout, elle me rend fou…

– T'as fumé ?

– Non, j'ai pas fumé. Pourquoi?

– Pour rien. Qu'est-ce qu'elle fait?

– Comment ça, ce qu'elle fait?

– Elle bosse?

– On dirait mon père. Tu n'as pas d'autres questions de bâtard?

Il a eu un petit sourire satisfait et m'a lâché tout fier :

– Elle est patronne!

– Patronne de quoi?

– D'un salon de coiffure à Bois-Colombes, figure-toi…

– Ah très bien!

J'avais envie de le chambrer. Lui restait totalement stoïque.

– Oui Monsieur, c'est la patronne et je passe toutes mes journées là-bas, à bouquiner des magazines de ciné et à la regarder faire, j'adore. Comment elle bouge, comment elle coupe, comment elle coiffe, le doigté quand elle met des bigoudis…

– Le doigté quand elle met des bigoudis? Tu serais pas en train de te foutre de ma gueule?

– Ben oui, la technique, c'est magnifique! Et puis le son de sa voix, j'adore. Ceux qui bossent avec elle sont vraiment sympas, y a un grand type rigolo genre mannequin avec des cheveux longs, c'est génial. Et je suis un peu le boss vu que je suis le mec de la patronne.

– C'est super. T'as retrouvé ta moitié d'œuf! Oh Simon! Réveille-toi! T'entends ce que tu dis? Que tu trouves magnifique la technique avec laquelle elle pose des bigoudis!

– Ben quoi, je te dis ce que je pense, c'est tout! J'emménage chez elle.

– Quand?

– Mais tu veux tout savoir!

Le ravi de la crèche avait passé la main dans ses cheveux. C'était un vieux tic pourri qu'il avait quand il voulait dire un truc important. Au poker, c'est comme ça que je décelais quand il avait du jeu. Et quand il bluffait, il passait sa langue sur ses lèvres pour les humecter.

– Alors quand ?

– Là, ce soir maintenant, mais je veux lui faire un petit cadeau pour l'emménagement.

– Un petit cadeau ?

– Ben oui.

– C'est quoi ? Une paire de ciseaux magiques qui coupent les cheveux en quatre ? Un bigoudi en fils d'or ou un Ganesh en bronze ?

– C'est quoi un Ganesh ?

– C'est l'éléphant là, un des dieux qu'ils ont en Inde, protecteur de la famille et des artistes.

– Non, pas du tout… Elle a craqué pour un canapé d'angle en cuir blanc dans une boutique du Marais.

– Non ! Tu vas lui offrir un canapé en cuir blanc ?

– Elle en rêve. Chut la v'là ! Je veux lui faire la surprise. Tu dis rien ! Hein, tu dis rien ! Fais pas le con !

– Qu'est-ce que tu veux que je lui dise ?

– Nan, mais tu la fermes.

– J'ai envie de tout sauf de lui parler.

– Ta… bouche !

Et il s'est mis un grand sourire sur le visage.

Sandy est venue nous rejoindre, un grand sac Prada à la main. Elle jouait avec un petit trousseau de clefs.

– Mon amour, je dois retourner au salon, qu'elle a dit mollement.

— Qu'est-ce que t'as acheté mon amour ?

— Des chaussures.

— Super. Tu me les montres ?

— Ce soir.

Elle a embrassé Simon, m'a fait quatre bises en prenant soin de ne jamais poser ses lèvres grasses sur mes joues. Elle embrassait exagérément dans le vide, par peur que j'enlève la poudre de couleur sur ses ailes de papillon. Simon a murmuré :

— Je t'appelle, mon amour. Fais attention à toi. Je crève déjà de ton absence. Tu me manques.

Pauvre blaireau. Cinquante fois, je l'avais entendu dire ça, mais ça marchait à tous les coups. Ça agissait un peu comme une pâte molle directement sur le cerveau droit.

— Oh moi aussi tu vas me manquer, mon amour...

Et encore un petit patin rapide avant de se quitter.

« Ce que c'est ridicule un couple au début, je me suis dit, la danse nuptiale, les roucoulements, la parade de majorettes, les plumes de paon, le jeu de l'amour sans que personne ne se soit encore dévoilé d'un poil :

— Je me suis acheté une paire de chaussettes.

— Ouah super ! Montre voir !

— Ce soir !

— Ouah c'est génial ! Où tu les as trouvées ? Génial ! Une paire de chaussettes en fil d'Écosse ! Elles sont super-belles ! »

Partout où un couple s'affichait pour la première fois, je n'avais qu'une envie : sortir ma sarbacane et souffler les deux baudruches. Le mec et la fille qui se connaissent depuis vingt-quatre heures et qui donnent l'impression qu'ils sont ensemble depuis dix ans. C'est l'étalage d'un bonheur insupportable ! Ils ne sont pas encore un couple qu'ils surjouent déjà l'amour à mort.

Un vrai jeu de rôles, un vrai jeu de dupes. Simon était très touchant dans la comédie romantique, en habit décontracté d'homme d'affaires, jean et chemise ouverte, sans thune. Elle l'avait véritablement ensorcelé. En Thaïlande, les gogo ladies de Soi Cowboy achètent sur le marché un tout petit tube en verre, avec une sorte d'os à l'intérieur, rempli d'une huile très puissante que fabriquent les chamans. Avant l'acte sexuel, elles en mettent un peu sur le bout de la queue des mecs, les rendant complètement accro. La même chose existe en Afrique. Sandy avait dû faire les deux continents et avait copieusement huilé Simon en connaissance de cause, et lui avait dû tremper sa queue directement dans un bidon d'un litre. Je ne reconnaissais plus mon pote. On aurait dit un petit chien qui se tortille pour un morceau de sucre.

Ensuite, Simon, illuminé, imperturbable, a continué à me parler de Sandy pendant trois heures. Il a fait les annales de sa bombe platine, l'article de sa petite perle du Nord, d'une façon extraordinaire. Moi, quand on me parle d'une perle du Nord, je pense aux endives. Même ses propos les plus anodins lui paraissaient magiques, bénis des dieux ou tirés des *Mille et une nuits*. Ils s'étaient rencontrés pendant la pleine lune. Au premier regard brûlant, il avait su que c'était elle et elle que c'était lui. Il m'a reparlé de son œuf dur ! À l'entendre, leur rencontre ressemblait à une vraie pub de parfum chic dans un Paris désert. Puis l'approche en boîte de nuit boulevard de Clichy, au cours d'une salsa chaloupée et tout le chalala, suivie d'un slow antillais tout doux. Les deux premiers mojitos délicieux. Elle lui avait fait :

– Chiche que tu ne bouffes pas toute la menthe !

Et il avait bouffé la menthe, ce con.

Le premier baiser langoureux dans la bagnole. La première nuit chez elle et son string en dentelle rouge, sa petite chatte rose, son ticket de métro et comment ils s'étaient aimés toute la nuit, le prétentieux ! Et il m'a décrit la plus belle cambrure qu'il avait jamais vue, avec un petit duvet blond, et m'a parlé du coup de reins le plus incroyable depuis que Dieu a créé la femme. Elle ruisselait d'un miel à se damner. Il manquait plus que la manne, les cailles et les dattes et on se serait cru dans la Bible.

Et comment elle avait pleuré dans ses bras au petit matin. Et comment il avait léché ses larmes, pas séché, léché ! Et comment dès la deuxième nuit, elle lui avait parlé d'un enfant. Ils avaient même discuté des prénoms et n'étaient pas encore tombés d'accord. C'était sûrement dû à un problème de traduction sanskrite d'une vie antérieure. Et d'où elle venait, de Dreux, et ce que faisaient ses parents, une très grosse entreprise de plomberie, et sa date de naissance en août et son signe zodiacal, le lion, qui correspondait parfaitement au sien et leur envie à tous les deux d'aller habiter dans le Sud, au bord de la plage à Ramatuelle, tout simplement. Et qu'elle aimait nager le dos crawlé parce qu'elle avait dû porter une minerve après un grave accident de scooter et qu'elle ne mangeait pas beaucoup de viande, que le blanc de poulet grillé, et qu'elle était génialement douce et qu'elle croulait sous les dettes pour rembourser son salon de coiffure de Bois-Colombes et qu'il allait l'aider. Tout ça d'un coup.

— Avec quel argent ?

— T'inquiète, je vais trouver.

— Elle a sûrement dû te prendre pour un footballeur.

— Pourquoi tu dis ça ?

7.

Simon n'était pas footballeur mais glandeur professionnel avec un sens des affaires et de l'arnaque assez développé. Je ne dirais pas que c'était un escroc, mais limite. C'était un autodidacte de la carotte! Un pitbull qui respire les bonnes affaires où vous, vous ne sentiriez absolument rien. Enfin moi, je ne les sentais jamais, ses coups. Il avançait le nez contre le vent et pouvait flairer le moindre biffeton à cinquante mètres. Et comment transformer un objet banal en affaire juteuse.

Il avait même réussi à revendre une simple cave d'immeuble dans le quartier Opéra, en l'appelant pompeusement *souplex*. Il avait repeint la cave en blanc, mis de la moquette bleu pétrole, posé un petit bureau laqué, décoré avec un petit rideau le soupirail qui donnait sur les chevilles des passants, il avait collé un petit néon et il avait réussi à revendre le bail à un bon prix d'escroc à un homme d'affaires libanais, par petites annonces dans *Le Figaro*. Un tour de force. Une pure arnaque.

Après avoir été viré d'une école de commerce pourrie, où il avait quand même appris l'essentiel, que chiffre d'affaires et bénéfice ne sont pas la même chose – et il avait mis du temps à le comprendre –, Simon avait ouvert un snack-bar ambulant à Pierrelaye dans le Val d'Oise au lieu-dit

« Les petits sables », entre la forêt où les capotes poussaient comme des champignons et les casses des camps de gitans qui refusaient de le payer après avoir bouffé leurs steaks hachés œuf à cheval frites. Ça avait fini avec bergers allemands, battes de baseball et coups-de-poing américains. Simon ne lâchait jamais rien, plutôt crever. Il pouvait avoir trois dents de cassées, la gueule en sang, qu'il mordait encore. Il avait revendu son mobil-home à un jeune couple de Portugais qui étaient partis vendre des churros en Bretagne.

Ensuite il avait travaillé comme représentant de câble sous-marin et avait failli étrangler le gérant de sa boîte avec ledit câble, puis il avait trouvé l'affaire du siècle : la vente de néons pour les enseignes lumineuses. Il faisait la tournée des restos et cinémas et essayait de refourguer sa came. Il avait réussi à en vendre un à un cinéma du quartier Montparnasse et avait été pris dès lors par un enthousiasme démesuré. Il avait recherché combien il y avait de cinémas à Paris et en banlieue et avait commandé des centaines de néons dont il ne savait plus trop quoi faire, au bout d'un mois. Il avait trouvé sa cave à Opéra pour entreposer ses stocks et poser une ligne de téléphone. Après avoir passé des petites annonces et vagabondé sur le net, il attendait des journées entières que son téléphone sonne, soulevait le combiné des dizaines de fois par heure pour savoir s'il fonctionnait toujours. Mais personne n'appelait pour ses néons fluo de base. Il avait revendu son caveau au Libanais et ses tubes à des Chinois. Et la boucle avait été bouclée. Il avait pris trente-huit mille euros sans se mouiller. Le tout par correspondance.

Il avait fait tous les petits boulots, donné des cours de maintien et de sport à domicile chez un couple échangiste d'une cinquantaine d'années, par exemple. Simon terminait chacune de ses séances à démonter madame quand monsieur matait derrière un rideau. Une manière comme une autre de faire travailler cuisses et fessiers et monsieur, aux anges, le rappelait à chaque fois. Il avait même été chauffeur d'un riche homo sexagénaire qui le payait grassement pour rien. En journée, Simon se déplaçait seul en Mercedes décapotable, il allait le chercher à son bureau le soir, l'accompagnait de temps en temps dans les meilleurs gastros, et à l'occasion dans les bars gays, et partait un week-end par mois à Deauville pour jouer aux courses et manger des bulots. Bref, l'homme buvait ses paroles et bavait devant l'assurance de Simon qui parlait comme un voyou à une femme du monde, ou en tout cas comme une véritable petite frappe qu'il était.

Puis Simon, ayant glané une expérience certaine de glandeur professionnel et d'instable patenté, était rentré tout naturellement dans le monde merveilleux des intermittents du spectacle. Il était devenu un acteur autodidacte. Sa spécialité : lire *Le Film français* et éplucher les castings toutes les semaines. Et son dernier rôle : faire le beau dans le salon de coiffure de Sandy, sa nouvelle fiancée, sa dernière conquête, la nouvelle femme de sa vie.

Simon était d'origine espagnole, de la terre brûlée d'Andalousie, mais se faisait passer pour un Sicilien et en boîte pour un Romain, y a des trucs comme ça difficile à expliquer. Il disait : « Avec les femmes, être Italien, ça multiplie tes chances par deux et Portugais ça les divise par quatre, c'est mathématique, c'est comme ça, ce sont les statistiques. J'y suis pour rien, Français, Espagnol, t'es à zéro ! »

Plutôt costaud, Simon était de la race des bruns poilus au sang chaud, une fossette au menton à la Kirk, il oscillait entre deux anciennes gloires, Ben Gazzara et Gilbert Bécaud. Bagarreur, chambreur, déconneur, il était imitateur de chanteurs *seventees* à ses heures, de Mike Brant, « Rien qu'une larme », à Johnny, « Et je monte 1, 2, 3, 4 étages », surtout après 2 heures du matin quand il avait un petit coup dans le nez. Il avait le cœur sur la main en amitié, même si parfois son sens du partage c'était : « Te gêne pas, prends toute l'huile et la boîte, je prends les sardines. »

Simon était un insatiable tombeur. Il pouvait dans la même soirée emballer dix femmes en se faisant passer pour un Italien sans jamais se faire choper et partir avec la onzième ! Sa devise familiale : poignets fins, hanches larges et grosse poitrine. Le cocktail explosif !

Simon avait tendance à parler mariage sur le parking et à jouer le prince charmant avant de baiser le premier soir dans sa voiture, technique comme une autre qui lui avait ramené de belles aventures, quelques belles truites dans ses filets et pas mal de branlettes à l'espagnole.

Mais il n'arrivait jamais à tenir longtemps son rôle et au bout d'une semaine ou deux, le masque tombait. Il était capable, un peu bourré, de monter sur la table et de jouer de la guitare avec sa nouille en chantant *Blue Suede Shoes*. Le prince charmant se dégonflait alors comme une baudruche et la grenouille reprenait ses droits, en sautant d'une femme à l'autre.

Il y avait eu Rosanna, la fille d'un pizzaïolo qui nous avait permis de manger gratuitement pendant deux ans. Simon avait appris à faire les pizzas et la dernière *quattro formaggi* qu'il avait faite avait fini lancée en pleine tête de son ex-futur beau-père qui ne le trouvait pas suffisamment **rapide** aux fourneaux.

Puis une princesse libano-autrichienne qu'il avait rencontrée en Turquie au Club Aquarius où il avait été moniteur de sport. Elle ne lui avait rien rapporté du tout, mais très jolie sur les photos, elle servait d'alibi, même quelques années après, dans son portefeuille.

Virginie, une petite bourgeoise qu'il avait fini par rendre folle quand il lui avait expliqué qu'il n'avait plus d'argent et que le reste des vacances, ils dormiraient dans la voiture. Quand un matin il lui avait taxé un pauvre billet dans son portefeuille, elle était partie à pied chercher les flics. Et son histoire d'amour avait fini au commissariat.

Puis Laurence, une grande tige tout en lèvres avec de grands yeux de biche qui avait fait ses classes dans l'armée israélienne et qui ne lui avait ramené que des problèmes ! Un jour, je les avais vus se fracasser sur un capot de voiture à la sortie d'une pièce de théâtre à Montrouge. Bref, mon pote d'enfance, mon meilleur ami, mon frérot, avait quelques problèmes relationnels et jouait du poing comme d'autres offraient des fleurs. Un soir, Simon m'avait appelé en détresse, il voulait se taillader les veines avec un couteau à beurre, en écoutant *Ceremony* de Joy Division…

Ensuite ça avait été Esther, juive aussi – la fameuse loi des séries –, dont il avait élevé comme un parfait beau-père la fille légèrement obèse de 10 ans qu'il amenait à la patinoire tous les samedis après-midi. Les voir patiner tous les deux, main dans la main, valait son pesant de beurre de cacahuète. Esther faisait très bien la cuisine tunisienne et Simon en un an avait pris douze kilos. Ses couscous, ses tagines aux abricots et ses gâteaux au miel étaient une vraie tuerie. Pour plomber un homme et le garder à la maison, c'était nickel. Lui, le goy de base, était devenu un juif bourgeois de Belleville avec naissance de double menton.

Un soir, il m'avait appelé désespéré et m'avait dit dans un souffle :

– Faut que je me sauve. Elle me tient par le cul, elle me tient par la bouffe. Je vais crever. J'en peux plus. Viens me chercher. J'ai un plan à Avoriaz. J'ai rencontré deux petites bourges, elles nous attendent là-bas, y a une géante et une naine, toi tu prends la naine !

– On verra bien, je lui avais répondu.

Ma réponse instinctive l'avait un peu énervé.

– Non, on ne verra pas bien ! Tu prends la naine, je te dis, moi je prends la géante, j'ai un énorme ticket et je compte bien l'oblitérer. C'est moi qui amène le plan, alors arrête de négocier. T'es chiant.

– OK, je prends la naine.

– Merci.

Et on était partis tous les deux en vacances à la montagne.

Pour Esther, il avait acheté une BMW noire d'occasion dont il était très fier. C'était la prunelle de ses yeux, cette voiture. Il la bichonnait, la passait au chiffon doux, faisait les vitres au coca et passait l'aspirateur toutes les semaines, un vrai maniaque. J'avais osé poser mon sac de voyage sur son capot et ça avait déclenché une colère subite de sa part.

– Tu vas rayer la carrosserie ! Non mais regarde ! Fais attention merde ! Regarde ce que t'as fait !

Et il avait posé sa joue sur la tôle comme sur le ventre d'une femme enceinte et avait passé deux doigts à l'endroit du sac.

– Tu l'as rayée!

– Mais pas du tout, tu rigoles?

– Non, je ne rigole pas… Je te dis qu'y a une petite rayure là. Regarde la brillance, tu ne vois pas un petit trait?

– N'importe quoi!

– Non, pas n'importe quoi, je la vois, de la taille d'un cheveu! Toi t'en as rien à battre, tu conduis pas! T'as pas de voiture, t'es un piéton! Et les piétons, c'est comme les cyclistes, vous en avez rien à foutre de rien, à croire que vous n'avez pas de maison! Et je me comprends.

8.

Simon pour la montagne avait pensé à tout avant de partir, sauf à mettre des chaînes à ses pneus. J'ai dû pousser sa BM 3 litres 6 pendant les quarante derniers virages entre Morzine et Avoriaz de nuit. Un véritable entraînement de bobsleigh. Je descendais de la voiture, je poussais, ça patinait, je repoussais, remontais dans la voiture, puis je redescendais, repoussais.

– Pousse ! Mais pousse ! qu'il me disait en tirant sur sa cigarette et en mettant des grands coups de volant, tranquille comme Baptiste et bien au chaud !

Son allemande était devenue une savonnette mouillée sur une plaque de verre. Dix fois j'ai cru qu'on allait tomber dans le vide. Et j'ai regardé les sapins enneigés pouvant nous retenir. De grandes princesses enracinées portant des manteaux d'hermine.

On est arrivés sur les coups de 2 heures du matin chez la géante qu'était exagérément grande, genre pivot de basket, et la petite lillipute, qui visiblement ne nous attendaient pas. On les avait réveillées. L'angoisse. On a d'abord entendu une petite voix derrière la porte.

– C'est qui ?

– Simon.

– Qui ?

– Simon.

– Simon qui ?

– Simon Corda.

– Tu connais ? a murmuré une autre voix féminine.

– Oh merde, j'ai cru entendre dans un souffle.

Elles ont fini par ouvrir la porte. Sourires coincés de circonstance.

– Ah Simon, qu'est-ce que tu fais là ? a demandé la géante avec un enthousiasme mielleux qui ne collait pas.

– Ben je suis venu avec un ami. Comme tu m'as dit que si j'étais dans le coin, je pourrais passer te voir, alors voilà, je suis là, qu'il a répliqué d'une petite voix de fausset.

– Super ! Et vous êtes dans quel hôtel ?

Ça commençait bien.

On a dormi tous les deux dans le salon. On a tiré à pile ou face. Lui dans le canapé et moi dans le clic-clac pliant pour enfant. Une merveille de technologie militaire, le principe de la chenille, très difficile à déplier d'un seul coup. Il faut avoir fait des études d'ingénieur, l'école du cirque et un stage commando pour ne pas se casser la gueule et arriver à déplier la mécanique de chaque côté en même temps sans que ça remonte au milieu comme un chapiteau.

– Tu verras demain, ce sera vraiment une autre histoire, la géante je vais lui péter les échasses. Elle fera moins la pimbêche. Elle n'a pas arrêté de me draguer dans une soirée à Montparnasse. Elle m'a suivi à la trace et là elle me snobe, je vais la casser.

– Et moi la petite, je vais la laisser, elle a une tête de… rien. Elle ressemble à rien. J'ai cru voir une souris.

– Arrête! Où ça?

Simon venait de se métamorphoser en Zébulon et s'était retrouvé en deux secondes debout sur le canapé, transformé en trampoline. Vision de ses cuisses poilues très épaisses et de son slip moulant bleu marine, un must, une antiquité romaine.

– Mais non, j'ai pas vu de souris, je te parlais d'elle, de la petite, elle a une tête de souris.

– Putain t'es con, tu m'as fait peur.

– Relax. Redescends sur Terre. Je te sens un peu nerveux.

– Non, parce que j'aime pas les souris. Ça te bouffe tout, c'est dégueulasse. Un jour, j'en ai attrapé une avec une plaque de glue, ça a été un calvaire, j'ai dû lui éclater la gueule avec un bout de bois.

– Noon!

– Tu voulais que je la laisse crever de faim, sur sa plaque de glue?

– Nan, mais t'es dégueulasse.

– Le vendeur m'a dit: dès qu'elle se prend dans la glue, elle se fige et elle chope un arrêt cardiaque. Mais que dalle, le lendemain matin elle couinait toujours, c'est incroyable ce que ça couine une souris, pas plus grosse que ça, on dirait une truie miniature, alors j'ai pris un chiffon, je l'ai posé sur Jerry et avec un bâton, je lui ai explosé la tête.

– C'est ignoble.

– Non, j'ai vengé Tom, ce pauvre galérien qui a passé des années à essayer d'attraper cette putain de souris. Moi, je n'aime pas faire souffrir les bêtes… Mais il faut du courage pour faire ce que j'ai fait, parce que c'est vraiment dégueulasse une souris mais à y regarder de près c'est vachement mignon… Faut du courage!

Il avait dit ça presque satisfait.

— Tu te rappelles Vinz à Belleville, ça puait la mort dans son appartement et il n'arrivait pas à savoir d'où ça venait. Au bout de trois jours, il a tout mis sens dessus dessous. Et il a finalement trouvé : y avait un gros rat mort en décomposition sous son matelas. Il avait fait venir un dératiseur et le mec était descendu à la cave avec un trident, avait posé son oreille contre le mur et lui avait dit : je peux rien faire, ça grouille de partout. La seule solution pour vous, c'est de changer de quartier ou au moins de changer d'appartement. Vinz avait dormi une semaine entière sur un rat crevé.

— Tu me dégoûtes. Je vais faire des cauchemars.

— Déconne pas!

— Bon, on n'est pas là pour parler des rats et des souris, mais de nos deux petites chattes, alors là, ce soir, elles ont joué la distance, je pense qu'on les a un peu intimidées. Deux beaux gosses comme nous qui débarquent à 2 heures du matin sans prévenir, ça les a laissées pantoises. Elles n'ont pas vraiment eu le temps de se crémer. On les a prises au saut du lit.

— Tu crois que ça se dit, pantoises?

— On dit bien pantois, pourquoi on ne dirait pas pantoises?

— Pour dire la vérité, elles n'avaient pas l'air trop contentes de nous voir. T'es bien certain qu'elle t'avait invité, la grande?

— Ben oui.

Il avait passé sa langue sur ses lèvres. Une paire de 5 au maximum.

— J'ai entendu « merde », derrière la porte.

– Mais non… N'importe quoi!

– J'ai entendu « merde », je te dis! Un « merde » qui savait très bien qui y avait derrière la porte. C'est-à-dire toi, Simon, le gros lourdaud qui débarque à l'improviste.

– Bonne nuit.

– Oui, c'est ça… Bonne nuit.

9

Le lendemain matin, on a skié comme des manches. On a attaqué le Mur suisse, c'est simple, si tu rates le premier virage, tu tombes dans le vide. La piste était givrée et dès la troisième bosse, j'ai glissé, je me suis vautré et j'ai dévalé sur cent mètres, tête en avant dans le freezer. Et j'ai pensé aux flocons de neige qui ressemblaient aux étoiles de David. Simon est remonté me chercher en canard, en pestant. Les filles regardaient vers nous, immobiles. On aurait dit deux suricates.

– Je vais essayer de sauver la semaine au ski, mais avec toi c'est pas gagné mon pote. Il va falloir que je trouve des arguments en béton! Vas-y, relève-toi!

Simon a pété les échasses de la géante toute la nuit et moi, j'ai continué de dormir dans le clic-clac. La petite, éjectée d'office, était venue me rejoindre dans le salon et dormait dans le canapé. Je la sentais gênée par les gémissements de sa copine. Elle me regardait en faisant des moues et des grimaces, je ne comprenais pas bien où elle voulait en venir.

– Je n'arrive pas à dormir, elle a dit tout gentiment, un petit sourire aux lèvres.

– Ouais, moi non plus.

– Il te reste du truc ?

– Quel truc ?

– De l'herbe. Isabelle n'aime pas ça, elle n'en a jamais fumé, mais moi j'aime bien, c'est cool, ça me détend et ça me fait rire. Elle, c'est plutôt une sainte-nitouche de ce côté-là !

De l'autre côté du mur, la sainte-nitouche poussait des han han à faire pâlir un bûcheron. Simon comme d'habitude s'appliquait, y mettait tout son cœur, toute son âme et bien plus encore.

– Tu veux un coca ? elle m'a demandé pour détendre l'atmosphère.

– Avec plaisir.

Elle est partie ouvrir le frigo.

– Ah non c'est nul, y a plus de bulles… Je suis désolée. C'est bon pour le mal de ventre.

Elle s'appelait Nathalie. En fait, à bien y regarder, avec un froid polaire dehors et un pauvre chauffage électrique à l'intérieur, 3 heures du mat et une drôle de solitude, Nathalie n'était pas si moche que ça. Petite taille mais avec une grosse poitrine et des hanches bien dessinées, un petit cul tout rond et des jambes fines.

– Je me gèle. Ça te dirait pas de prendre un bain chaud ? que j'ai tenté, comme si je crachais en l'air.

– À 3 heures du matin ?

– Ben ouais, j'ai fait. Y a pas d'heure pour un bon bain chaud. Ça caille un peu ici, non ?

– D'accord ! elle a dit en souriant. Je vais faire couler l'eau et toi tu roules. On fumera dans le bain.

– Ça marche.

La baignoire était toute petite. L'eau très chaude. Entre ses seins bombés, une croix en or, et tatouée sur sa peau laiteuse, une rose magnifique. On a éteint la lumière, juste éclairés par une petite bougie et j'ai commencé à allonger mes jambes contre ses hanches. Elle avait glissé ses pieds sous mes fesses.

– Excuse-moi.

– C'est rien.

Elle a souri.

On a fumé notre joint sans se parler. Puis elle m'a dit les yeux brillants :

– Elle est un peu poivrée.

– Oui.

– Elle est douce.

– Ma peau ?

– Non, l'herbe.

On est restés au moins une demi-heure sans plus rien se dire, sans bouger, jusqu'à ce que l'eau devienne franchement froide. Je l'ai savonnée tout doucement. Partout. Ses pieds, entre les orteils, ses jambes, son dos, sa nuque, sous ses bras, son ventre, derrière les oreilles, ses seins, entre ses fesses, sa petite chatte. Et je l'ai rincée à l'eau bien chaude. Elle frissonnait debout dans la baignoire. C'était le genre de fille mille fois plus jolie nue qu'habillée. Et dans le scintillement de la bougie, elle était ruisselante. Puis elle s'est assise sur moi à l'envers, je laissais mon visage dans ses cheveux mouillés, parfumés jasmin. Quand dans la chambre d'à côté, les han han du bûcheron canadien se sont arrêtés et que l'arbre est tombé broyant la canopée, Nathalie et moi commencions doucement à faire l'amour.

10.

Cinq jours après, on a décidé de repartir à Paris. La grande pleurait derrière la vitre conducteur, trépignant dans la neige fondue.

– Ne pleure pas mon amour! On se revoit sur Paris, tu me manques déjà.

– Moi aussi, mon ange.

Et elle a passé un doigt sur la bouche de Simon. Voyant les larmes du crocodile, il a sorti d'un ton noble :

– Ne restez pas là, j'ai horreur des départs. Allez faites-moi plaisir, rentrez!

Les filles sont parties dans le hall et Simon le cœur d'artichaut a démarré la voiture.

– Elle me fait chier à pleurer comme ça! Les larmes ça fait fuir les mecs, c'est comme ça, c'est chimique, j'ai lu ça dans *Science et Vie*.

– Tu lis *Science et Vie*?

– Oui chez le dentiste! Allez on se casse!

On remontait sur l'autoroute, on était du côté de Mâcon, quand une Fiat 500 nous a doublés avec deux petits canons à l'intérieur. On écoutait *Have you ever been to Electric Ladyland* et on s'est senti pousser des ailes.

On s'est tiré un peu la bourre. Les filles nous envoyaient des petits bisous, soufflant sur leurs mains en rigolant. Simon et moi, on était deux piles chargées à bloc.

— Vas-y, suis-les !

— Ça sert à rien.

— Suis-les, on va se marrer.

Elles sont sorties de l'autoroute et on les a suivies. Au péage, on les a un peu perdues de vue. On les cherchait dans le premier bled, on regardait à droite à gauche, les rues, les jardins, les garages.

— C'est pas vrai, où elles sont ? qu'il m'a dit en tournant la tête de mon côté.

Simon n'a pas vu qu'il y avait un stop et qu'on croisait une nationale au ralenti, j'ai juste eu le temps de lever les yeux et de hurler :

— *Stop !*

Simon a pilé, une voiture arrivait côté gauche à pleine vitesse et nous a percutés violemment sur le devant. Pendant quelques secondes, on s'est crus dans les nuages, puis un vacarme de tôle froissée ahurissant. Et on est retombés comme un piano lâché du premier étage. Puis un silence de dingue. Un mouvement de la main, j'ai tourné la tête et j'ai vu Simon me dire :

— Oh putain…

Tout allait bien. On est ressortis sonnés, indemnes, mais la BMW noire, 3 litres 6, toute fumante, était foutue. Une femme dans l'autre voiture est sortie cinquante mètres plus loin et s'est tapé une crise de nerfs de la mort. Elle s'est accroupie sur la route comme si elle allait pisser. On est allés la voir. Et on l'a calmée dans nos bras.

– C'est rien. Tout va bien madame. Tout va bien.

– Ça va, Simon ?

– Oui, un peu choqué mais ça va ! Et toi ?

– Ça va.

On était tous les trois vivants. Un vrai miracle. À un quart de seconde près, on se la mangeait de côté sur la portière conducteur. Et au mieux, j'aurais poussé Simon pendant des années.

J'ai senti, ce jour-là, qu'on avait été protégés. J'ai regardé le ciel. De petits nuages blancs s'en allaient tranquillement au rythme de la Terre qui tourne. Et j'entendais encore Simon dire :

– Ça va madame ? Vous êtes sûre que ça va…

Il a sorti sa chaîne en or et a embrassé son médaillon de la Vierge.

On a cherché un garagiste qui nous a expliqué que la voiture était morte. J'ai dit à Simon pour déconner :

– Ce qui est bien, c'est qu'on ne voit plus la petite rayure que j'ai faite sur le capot.

C'était du grand n'importe quoi. La BM ressemblait à une gueule de requin explosée. Le radiateur à une sculpture de César. On s'est installés pour une nuit dans une sorte de Formule 1, Ibis ou dans le genre sur deux petits lits jumeaux. On est allés se faire un photomaton dans un centre commercial. J'ai toujours la petite photo sur moi comme un trèfle à quatre feuilles. Et on est allés se bouffer une barquette frites saucisses dans une fête foraine installée dans le centre-ville. Dans une brasserie, on a rencontré deux jeunes femmes, les sœurs Quelconque qui nous ont gentiment raccompagnés en voiture au Formule 1. Arrivés dans la chambre, Simon a allumé la télé.

Sur Canal plus, une hardeuse se mettait un gode en or dans le vagin.

– Eh gros, t'as vu le truc qu'elle se colle? a dit Simon.

Ce qui nous a fait marrer mais pas du tout les filles qui ont détalé comme deux lapines, et Simon de courir après elles sur le parking en zigzaguant.

– Revenez les filles! On va changer de chaîne!

On a pleuré de rire ce soir-là, dans nos deux petits lits, comme des gamins. On s'était rencontrés à 15 ans en banlieue nord. Virés tous les deux du même bahut, on s'était vite trouvé des points communs, assis la nuit, sur les bancs de la gare, à regarder passer les trains. Les filles, la boxe, les boîtes, nos origines espagnoles, la fumette, la haine des fachos qu'on allait débusquer à coups de marteau et de tournevis, et les virées entre potes, arabes, blacks, arméniens, italiens de toute la banlieue nord. On adorait gare Saint-Lazare, notre fief, courir après un mec en train de courir et crier derrière lui : « Au voleur! » Et le voir se faire cartonner. On adorait à Châtelet shooter dans la petite glace au pied des escalators et voir tout le monde se renverser comme un jeu de dominos. Puis courir comme des allumés dans les couloirs du métro poursuivis par des chiens policiers dans toutes les Halles. Faire des batailles rangées avec les rouleaux en carton à 3 heures du matin dans le Sentier et rejouer *La Guerre des étoiles* façon *bad boy*. Aller sur les quais derrière le port de Bastille, la nuit, et montrer nos culs aux bateaux-mouches, larguer un pote au bois de Boulogne chez les travelos, manger des kebabs sauce blanche à Étienne Marcel, mater les putes rue Saint-Denis, et se marrer avec les vieilles, rue de Budapest, jouer au bowling à Montparnasse, traîner à la Fontaine des Innocents, faire des fêtes sur les toits chez les bourges, descendre dans les catacombes de la petite couronne, faire dix tours de périph en écoutant de la bonne musique et en fumant de la bonne weed qu'on allait chercher Place des Fêtes. Essayer en vain de s'incruster en boîte et chasser les corbeaux.

Les corbeaux, c'étaient les gonzesses tout en noir, grande mèche, bas résille troués et rouge à lèvres noir qui écoutaient encore The Cure ou Marilyn Manson. Très difficiles à choper. C'est la vive, la rascasse du *dance floor*. Quand tu poses ta main dessus par hasard, elle te pique. Faut prendre des gants, couper l'arête dorsale et en faire une bonne soupe.

Mais la spéciale avec Simon, c'était le grillage de feux à 4 heures du matin quand il était triste et qu'on se tapait Place de l'Étoile-Nation aller-retour d'un seul coup. Preuve pour lui que la vie méritait encore d'être vécue.

Bref, c'est comme ça qu'on avait grandi. De la banlieue, on avait fait de Paris une grande salle de jeux interactive, avec ses boîtes et ses recoins fumeurs, ses labyrinthes et ses coins perdus.

On est remontés jusqu'à Paris derrière une dépanneuse. Simon faisait un peu la gueule pour sa BM, mais avait définitivement oublié Esther partie en fumée dans l'accident. Je lui ai dit :

— Être ami, c'est être la mémoire de l'autre. À chaque fois, tu crois que c'est la bonne et à chaque séparation tu veux mourir !

— N'importe quoi ! Et toi, tu penses toujours à Madeleine ?

— Rien à foutre de Madeleine, elle peut crever ou aller habiter sur la lune, je m'en tape.

II

On s'était rencontrés dans un avion.

Enfin un avion un peu spécial, à Bastille.

L'avion, ou chaîne, ou pyramide, est un système financier attractif, comme un jeu, en réalité une énorme arnaque qui attire les pigeons. Simon m'avait demandé, très sérieux :

– Tu veux gagner 72 000 euros en une fois ?

– Tu plaisantes ?

Simon m'avait expliqué que la mise initiale pour payer sa place dans l'avion n'était que de 1 000 euros. Ce qui était déjà une très belle somme. L'équivalent d'un aller-retour Paris-Bangkok, en gros.

Quel système financier, quel travail, quel jeu peut t'apporter ça à coup sûr ? Si tu n'es pas trop stupide et que tu as la tête sur les épaules, tu comprends vite qu'il ne faut absolument pas rentrer dans cet avion troué de l'Aeroflot. Mais Simon avait insisté :

– Écoute, on met 1 000 chacun et basta.

Le principe est très simple, c'est de trouver huit potes à toi, prêts à mettre 1 000 euros chacun et quand ces huit potes trouveront huit potes chacun à leur tour, t'as constitué ton avion, tu deviens le pilote et ton avion décolle lors d'une grande fête et tu touches en tant que pilote 72 000 euros moins ta mise, 72 000 euros cash en une fois!

Le mec qui avait branché Simon lui avait dit :

– Donc tu rentres? Tu fais partie de mes huit de départ et là c'est une grande chance pour toi, parce que moi, je ne lâche rien, je suis un chien, tu me connais, et toi tu rentres très tôt dans l'histoire! Tu peux venir vendredi soir avec 1 000 euros, y a une grosse fête d'organisée pour le prochain décollage! Je compte sur toi. Tu viens avec 1 000 euros en liquide! Et amène ton pote là…

– Raphaël?

– Oui c'est ça, Raphaël, ramène-le! Il connaît du monde, lui?

– Ouais, on connaît les mêmes personnes, c'est mon meilleur pote.

Et c'est là que la galère avait commencé! D'abord trouver 1 000 euros en liquide, pour moi, n'était pas une simple affaire. Mais c'est vrai que dans un deuxième temps Simon m'avait emmené dans une soirée décollage et j'avais vu devant moi trois ou quatre avions décoller, des hôtesses très mignonnes faire sauter au plafond des bouchons de liège et le champagne couler à flots. J'avais vu deux, trois pilotes palper la thune devant moi, Simon et moi étions tout excités, on avait vite fait de compter dans nos petites têtes ce qu'on pourrait faire avec 72 000 euros en cash. Mais l'histoire s'était compliquée assez rapidement quand on avait dû trouver autour de nous huit personnes chacun, prêtes à donner du fric, là ça avait commencé à se corser sévère! Et faire venir tes huit personnes qui devaient ramener huit personnes chacune soit soixante-douze personnes le même soir, au même moment, pour que ton avion décolle, ça c'était encore une autre paire de manches! On avait organisé une petite fête à l'arrière d'un café et on avait invité une quinzaine de potes et de connaissances, des shiteux, des foireux, des mecs du Sentier. On avait tout expliqué dans les moindres détails.

— C'est génial! Génial! avait fait Simon d'un enthousiasme un peu forcé.

— Qu'est-ce qu'est génial, tu veux me niquer? avait répondu Vinz, le vieux pote au rat crevé sous le matelas.

Et Simon de faire l'article comme un bonimenteur :

— L'argent, c'est un fluide qui doit circuler. Et là, ça commence à circuler autour de nous, ça vient vers nous, vous le sentez pas? C'est une chance incroyable, les mecs, de se faire un max de pognon à moindres frais.

Les réponses avaient fusé de partout.

— Je le sentirai quand le fric sera dans ma poche mais là, ce que je sens, c'est que tu veux me carotte de 1000 euros, avait continué Vinz.

Un autre avait fait :

— Tu sais ce que je fais avec 1000 euros? Je bouffe pendant trois mois. J'ai pas envie de te les donner, face de craie.

Salif était sénégalais.

— Tu ne me les donnes pas ces 1000 euros, tu les investis pauvre truffe, c'est comme une mise de départ, c'est comme de payer ta place dans l'avion, de faire partie d'un club très fermé.

— Ben justement, moi, je n'aimerais pas remonter dans un avion, les menottes dans le dos, si tu vois ce que je veux dire.

— Ouais, ton club très privé, c'est un club de pigeons, oui!

— Viens, viens tu verras, c'est super, j'avais fait.

— Écoute-moi, je te mets sur un super-coup parce que je t'aime bien et que j'ai envie que tu croques! C'est une chance. Mais si tu ne veux pas venir, ne viens pas, c'est plus simple, je ne vais pas me mettre à genoux pour vous faire gagner du fric, avait tenté Simon.

— Tu me prends pour un gland. Y a qui avec nous dans cet avion?

— Ben y a nous pour l'instant… Moi, Raphaël et Miguel.

— Bon, c'est quoi le souci? avait demandé Vinz.

— Y a pas de souci. Tout ce que t'as à faire, c'est de trouver huit personnes qui devront en trouver huit et basta, c'est pas compliqué, avait répliqué Simon du tac au tac.

— Tu crois que j'ai huit personnes sous la main qui peuvent investir 1 000 euros, mais d'où tu sors, toi, de la caverne d'Ali Bobo? J'ai pas de planche à billets moi! Ou alors je vais braquer toutes les épiceries du quartier. Mais c'est quand même alléchant ton truc! Tu dis combien?

— 72 000.

— Putain de sa race… 72 000!

— Il faut que tu sois solide, tu ne dois pas être le maillon faible sinon tout s'écroule! On doit tous se tenir les couilles, être soudés comme jamais. Et on va passer!

— Les coudes! je l'avais coupé.

— Quoi?

— C'est pas les couilles qu'on doit se tenir, c'est les coudes!

— C'est pareil! avait dit Simon.

— Ah ouais, touche-moi un peu les couilles pour voir! avait fait Vinz.

— Arrête tes salades, qu'est-ce tu veux à part mon fric? avait demandé Salif.

– Je veux rien, vas-y casse toi, retourne à M'Bour et va vendre du poisson sur le marché! Tu ne veux pas que je te taille une petite pipe non plus? Soit t'es solide et tu mènes l'histoire jusqu'au bout, soit t'es un branque et tu te casses tout de suite!

La moitié des mecs présents s'étaient levés d'un coup et étaient ressortis en rigolant avec Salif, le natif de M'Bour.

– C'est un ouf ce mec! il avait dit en poussant la porte.

Mon téléphone avait sonné. « 72 000 mille euros, t'es sûr? Moi ça m'intéresse », m'avait dit Farid. J'avais raccroché.

– Bon les gars, un de plus.

– C'est qui? avait demandé Simon.

– Farid, Pata Négra, mon dealer. Lui, t'inquiète, il connaît du monde. Il fournit tout le 18!

Le pilote avait rappelé Simon dix fois, super-énervé.

– Bon t'en es où de tes listes?

– Écoute euh… Laisse-moi encore un petit peu de temps…

– Tu les as rappelés? T'as tes huit pour vendredi? hurlait le pilote dans le téléphone.

– Pas encore complètement.

– Comment ça, t'as pas tes huit? Magne-toi le cul sinon l'avion y va pas pouvoir décoller. J'ai besoin de la *dream team*! Et toi t'es le pivot de mon jeu! T'as compris?

– Oui, oui, j'ai compris, je suis une pièce maîtresse, mais j'ai pas encore toute l'équipe au grand complet.

Bon, on avait réussi à en trouver six et on avait ramené toute notre petite équipe à un nouveau décollage dans une grosse fête place d'Italie, c'était plutôt Air China là-bas.

Y avait que des Chinois qui décollaient. Une nouvelle version de la tontine.

Farid m'avait regardé de travers. Farid était un de mes passagers et c'était mon dealer *number one* toujours bien achalandé. Son shit était noir et bien mou. Il dealait, c'était de famille, déjà son père avait ouvert la voie en ayant fait huit ans à Fleury. Une lignée de shiteux comme y a des lignées de footeux, et moi de faire vivre une famille de Marocains en économie parallèle, je trouvais ça plutôt cool par ces temps de vache maigre. Quand il faisait goûter, il disait :

— C'est bio ! Si tu sens bien, tu peux sentir l'odeur du parfum de ma petite cousine, c'est elle qui cueille et qui fait les boules de résine. Là c'est pas industriel coupé au henné, là c'est familial, tu vois les champs derrière la maison, c'est dans les montagnes, c'est magnifique, les plans font trois mètres, et ils font des têtes résineuses grosses comme le poing.

— T'as créé le marché équitable avant l'heure !

— Ouais, c'est équitable, tu me donnes du fric, je te donne du shit !

Farid avait un surnom : Pata Négra, un, parce qu'il était très mat de peau et deux, parce qu'il était fumé comme un jambon du matin au soir.

Pendant la soirée, il était venu vers moi la gueule enfarinée et les yeux comme une souris de laboratoire. Il avait regardé partout un peu inquiet.

— T'es bien sûr qu'il va décoller à son tour mon avion, je vois que des Tchongs là ?

— Si le mien décolle, pourquoi le tien y pourrait pas décoller ? Ça dépend que de toi ! Tu peux compter que sur toi, mec !

– Ouais je comprends. Mais quand même, sois gentil, explique-moi mieux le système parce que moi, j'ai pas tout compris !

– Je ne suis pas responsable de ton avion, tout commence à partir de toi… Chacun est responsable de son avion. C'est toi le commandant de ton propre avion et de tes passagers, tu comprends ?

– Oui je comprends, t'es responsable de rien ! Mais c'est qui qui m'a demandé de venir dans l'aéroport ?

Je pense qu'à ce moment précis, Farid était complètement défoncé, il n'était pas vraiment immunisé contre son propre shit, du double zéro qu'il fumait non-stop.

– Quel aéroport ?

Il commençait à s'énerver en faisant bouger ses oreilles, une sorte de tic.

– Dans ton aéroport avec tous tes avions, la seule chose que je te demande *nardinamouk*, c'est si mon avion va décoller !

– D'abord un, je suis pas *nardinamouk*, je suis Raphaël, et deux quand ce sera toi le pilote, ce sera toi qui sera responsable de ton avion et de son décollage.

– Il est comment c't'avion ? C'est Easy Jet ou quoi ?

– C'est pas un avion, c'est une image.

– Comment ça, c'est une image ? Tu vas me donner une image avec un avion dessus pour 1 000 boules ?

Les bras m'en tombaient.

– Non, c'est comme dans un avion. T'as des places dans un avion ! Eh bien toi, t'avances dans l'avion et quand t'arrives à la place du pilote, tous les gens dans l'avion, ils te payent et ton avion décolle.

– Y va vers où ?

– Mais tu comprends rien ! Oh, Farid ! Tu veux manger quelque chose ?

– Y a que de la charcuterie de *ralouf* et du vin rouge dans cet aéroport !

– Bon Farid, y faut que tu comprennes, concentre-toi s'il te plaît !

– Oui, oui, je comprends, arrête de me prendre pour une chèvre.

– Je ne te prends pas pour une chèvre.

– Donc y a un avion ou un truc qui ressemble à un avion qui décolle mais qui ne décolle pas en fait.

– C'est ça, Farid ! T'as tout compris.

– Alors comment je fais ? Là je suis venu avec huit personnes comme tu m'as demandé et je t'ai donné les 1 000 boules.

– Oui.

– Alors quand est-ce que je décolle ?

– Quand les huit personnes que t'as ramenées ramèneront huit personnes chacune avec 1 000 euros, là tu deviendras le pilote et tu pourras décoller.

Et là, il avait fait une tête de dix pieds de long, avait bougé ses oreilles trois fois de suite.

– Je ne décolle pas ce soir ?

– Ben non, y faut que tes huit ramènent huit personnes chacune, t'as compris ?

– Non.

– Ben c'est pas grave.

– Comment ça, c'est pas grave, rends-moi mes 1 000 boules !

– Mais je ne peux pas, je les ai déjà données !

– À qui?

– Ben à mon pilote, pour que mon avion décolle et que moi j'avance et que je devienne le prochain à décoller, dans la prochaine soirée, t'as compris? Et après ce sera toi!

Là, il avait semblé chercher une solution alternative.

– Donne-moi mon argent. Rends-moi mon argent où je vais m'énerver *nardine bebek*!

– Vas-y énerve-toi, ça ne changera rien. Oh Farid, toi tu croyais que t'allais me donner 1 000 euros et que trois heures plus tard t'allais toucher 72 000 euros?

– C'est ce que tu m'as dit au téléphone.

– Non Farid, ça demande un investissement de ta part, ton avion y va pas décoller comme ça tout seul.

– C'est pour ça que tu vas me rendre mon fric!

– Mais je ne peux pas!

– Si c'est à toi que je le donne l'argent, y a pas de problèmes, mais en plus si je le donne à quelqu'un d'autre, à un pilote que je ne connais pas, je ne comprends pas le système! Sinon que tu veux m'enculer!

– Tu ne le donnes pas, tu l'investis!

– Oui je l'investis dans la poche d'une ganache que je ne connais pas! Vas-y donne, donne, donne!

Il commençait à vraiment s'énerver.

– Viens voir l'avion décoller et tu comprendras tout.

– J'en ai rien à foutre de voir ton putain de décollage, viens on sort de l'aéroport!

– Quoi?

Il fulminait.

– On sort de l'aéroport, de la soirée, y a trop de monde là, on va dehors. On va s'expliquer tous les deux.

On était sortis. Dans la rue, Farid commençait à monter tout seul et gueulait comme un phoque. Ça sentait l'embrouille à plein nez.

— En fait, tu t'es foutu de ma gueule, t'as voulu me carna !

— Lâche-moi, Farid !

— Écoute-moi bien, je ne suis pas du genre à me faire baiser ! Tu sais qui je suis ?

— Oui.

— Qui je suis ?

— Farid.

— Oui Farid et le dernier qui m'a enculé, tu sais où il a fini ?

— Dans le Marais ?

J'avais fait de l'humour mais il n'avait pas compris.

— Dans un coffre de voiture avec trois parpaings, ce fils de pute.

— Sympa.

— Et j'ai tourné sur un parking pendant une heure.

— Ah ouais ?

— Ouais, et quand le mec il est sorti, il était pas beau à voir le gitan. T'aimerais pas que je fasse la même chose avec toi !

— Non. Mais Farid, je te conseille d'arrêter de me menacer.

— Alors rends-moi mes 1 000 boules tout de suite ou je te fous dans mon coffre !

Pata Négra venait de m'attraper par le col et cherchait à m'étrangler quand Simon était arrivé par-derrière et lui avait explosé une bouteille de vodka sur la tête. Ça y est, j'avais plus de dealer et j'étais ouvertement en guerre. Farid était tombé comme une poupée de chiffon et sa tête avait fait un drôle de bruit en s'écrasant sur le bitume. Double peine.

— Mais pourquoi t'as fait ça ?

– Pour te protéger, avait dit calmement Simon comme s'il avait éclaté la petite souris sur la plaque de glue.

– Mais Simon, qu'est-ce t'as foutu? Il n'allait pas me frapper! On allait juste s'expliquer.

– Qu'est-ce que j'en sais moi? Je le connais pas ce mec-là! Il te chope par le colbac! C'est qui d'abord?

– Mon dealer, enfin le mec qui me vend du shit. Et il était dans notre avion. Il était juste un peu fumé, mais tout allait bien.

– Il était dans notre avion?

– Ben oui. Mais là, il l'est plus, tu vois.

– Ah merde.

– Oui, ça tu peux le dire, on est sacrément dans la merde.

– Viens on va le traîner et le foutre dans le hall.

Enfin voilà à quoi ressemblaient les avions. Le plan le plus naze de toutes les petites soirées parisiennes. Les mecs devenaient fous les uns après les autres et essayaient tous de récupérer au minimum la mise initiale.

Un coup de pied dans une fourmilière aurait fait moins d'agitation.

À une soirée vers Bastille, dans un immense appartement, on avait vu trois avions décoller, on se serait cru à Wall Street, des mecs qui couraient dans tous les sens, qui levaient les bras, qui tenaient des listes, faisaient des appels pour savoir si leur avion allait enfin pouvoir décoller et si tout le monde était là au grand complet, et généralement, il en manquait toujours un ou deux. À partir du moment où t'avais réuni tes soixante-douze personnes, tu devenais le pilote et ton avion décollait. Sauf qu'au bout de trois ou quatre soirées, il y avait une dizaine de pilotes qui s'évertuaient à rassembler leurs passagers et à les parquer comme des moutons. Et quand il en manquait un ou deux, le jeu, de bonne guerre, c'était d'aller en piquer dans d'autres avions. On pouvait ainsi voir des groupes constitués blottis tous les uns contre les autres dans un coin de pièce, enfermés dans une chambre ou dans la cuisine avec leur pilote, en attendant qu'on vienne les chercher pour le décollage final. Personne ne pouvait aller boire un coup ou aller pisser sous peine de disparaître à jamais. On pouvait se retrouver à quatre cents personnes dans un joyeux bordel, dans un cent cinquante mètres carrés! Avec des queues interminables dans les escaliers et des balcons bondés.

Simon était en train de se battre avec sa liste et j'étais allé m'asseoir dans un grand canapé déjà chargé à bloc, prêt à m'assoupir, quand j'ai entendu une voix à côté de moi :

– Votre avion va décoller ?

– Non… non, le mien n'est pas prêt de décoller. C'est un charter.

– Le mien non plus, je crois même qu'il est rentré au garage. On n'a plus de pilote! Je suis venue accompagner une copine, mais je crois bien que je l'ai paumée dans l'aéroport.

C'était une très jolie femme de 38 ans, une rousse, aux yeux verts, très mince, très belle avec des lunettes sombres en pleine nuit. Madeleine. Elle m'a dit :

– Je ne sais pas toi, mais moi j'ai besoin de prendre l'air, ils me saoulent tous ces cons avec leurs avions qui ne décollent jamais.

– Et ta copine ?

– Je m'en fous, elle a dû partir avec un pilote se faire baiser dans les toilettes.

C'était clair et net. On est sortis. Et on a marché en rigolant pour trouver un taxi, mais ce soir-là, y avait pas de taxis dans Paris, alors on a marché jusqu'à chez elle. En avançant rue de Rivoli, puis le long de la Seine, elle m'a dit :

— À New York, tu te grattes le nez, y a dix taxis qui s'arrêtent, ici je peux me gratter toute la nuit, personne s'arrête.

— Je ne connais pas New York.

— Tu ne connais pas New York !

Et là, Simon m'a appelé.

— T'es où ? Je te cherche partout, qu'il a commencé à hurler.

— Ton avion a décollé ? j'ai répondu avec une pointe d'ironie.

— Arrête, il me manque des mecs à toi. Où ils sont ?

— J'en sais rien.

— Arrive, il faut que tu me les retrouves vite fait.

— Ben il manque Farid, tu sais le mec à qui t'as explosé la tronche avec une bouteille de vodka.

— Et tu ne l'as pas remplacé ?

— Si, y a Mickey dans la soirée, trouve-le !

— Tu déconnes, pas Mickey… Tu te fous de ma gueule ? T'es où ?

— Sur les quais de la Seine.

— Qu'est-ce tu fous sur les quais ?

— Je t'expliquerai. Je t'appelle demain.

— Tu ne reviens pas ?

— Non.

— Tu déconnes ?

— Non.

— Rapplique vite fait pour que mon avion décolle, espèce d'enfoiré ! qu'il a gueulé.

– Tu deviens fou, Simon. Mickey n'a pas réussi à trouver huit personnes en une semaine, Farid les avait, lui, mais pas Mickey!

– Trouve-les!

– Comment tu veux que je te ramène huit personnes comme ça?

– Rappelle ton mec vite fait!

– Qui?

– Ton dealer, rappelle-le! Il est pas obligé de savoir que c'est moi qui l'ai frappé avec une bouteille, on peut juste lui dire qu'il est tombé dans les pommes, ça arrive ces trucs-là. Et puis tu peux lui dire qu'on s'est occupés de lui et que s'il vient avec ses huit personnes, mon avion décolle, on va toucher 72 000 euros. T'imagines?

– *Tu* vas toucher 72 000 euros, pas moi!

– Écoute, rappelle ton vendeur de shit, fais décoller mon avion et on partage, je te file 10 000 euros, il a martelé, noyé dans le brouhaha.

– Ouais, ça c'est du partage.

La fameuse boîte avec l'huile et les sardines.

– 15 000 euros.

– T'es fou.

– Allez, 20 000 euros et je bouge plus.

– Ben bouge plus mec! On se voit demain?

– Quoi?

– On se voit demain. Il est 2 heures du mat, alors arrête de rêver, tu décolleras la semaine prochaine. Et moi j'ai besoin de dormir.

– Passe-moi le numéro de ton dealer. Comment il s'appelle?

– Farid! Mais Place des Fêtes, c'est Pata Négra.

– Passe-moi son numéro.

– T'es devenu fou.

– Passe-moi son numéro !

– Arrête de t'exciter Simon, si tu crois qu'à 2 plombes du mat il va réussir à faire venir tout le monde, tu rêves !

– File-moi le numéro de ce bâtard, je vais lui proposer un deal.

– Il ne marchera jamais.

– Quand je vais lui dire que je lui propose 10 000 boules, il va venir vite fait en marchant sur la tête !

– Je suis désolé Simon, mais je n'ai pas son numéro.

– Tu plaisantes ?

– Non, d'habitude je passe, je l'appelle pas.

– Il habite où ?

– Tu ne trouveras jamais.

– Donne l'adresse !

– J'ai pas l'adresse Simon, je sais y aller les yeux fermés, c'est Place des Fêtes, je t'ai dit, mais j'ai pas l'adresse précise et puis c'est compliqué, faut aller dans des coursives, monter des escaliers… C'est la galère !

– Viens avec moi !

– Mais je ne peux pas.

– Pourquoi ?

– Il veut me tuer.

– Ah ouais merde, c'est vrai. Ça se complique.

12.

Madeleine m'avait proposé de boire un dernier verre.

Elle avait un parfum extraordinaire et dès qu'elle tournait la tête, ses cheveux lâchaient une bouffée de musc blanc. Enfin, je crois que c'était du musc blanc.

Elle habitait un grand duplex dans le 7ᵉ arrondissement, rue Las Cases. Elle a mis un vieux morceau de blues : *Nobody knows you when you're down and out.* Et elle a tracé sa première ligne de coke.

– J'adore ! elle a fait en aspirant très fort par la narine droite.

Madeleine m'a demandé d'ouvrir une bouteille de vin blanc domaine Belmont qui reposait au frais, allongée dans le frigo, elle a repris deux lignes de coke, comme le signe égal, et on s'est enfilé le vin blanc avec deux glaçons. J'étais pris dans un tourbillon, je me serais cru dans un gogo de Bangkok sur Soi Cowboy à boire un black soda en envisageant ma nuit. Et on a fait l'amour. Un corps anguleux, une peau très blanche, des seins qui tombaient un peu, mais très jolis, très excitants, des jambes interminables et des cheveux roux, un Klimt. Et ça a été le début de notre histoire de fous. Madeleine était un ancien mannequin qui n'avait, à part marché sur une ligne imaginaire, jamais travaillé de sa vie. Une vraie funambule. Un pied sur le sol, l'autre au-dessus du vide.

— Je n'ai jamais eu besoin de travailler, elle m'a dit en souriant.

Quand t'entends ça pour la première fois et que tu viens de ta banlieue rouge, tu tombes de ta chaise.

Je me suis vite rendu compte que les hommes avaient toujours entretenu sa beauté et qu'avec moi, elle était mal tombée, je n'avais pas un caramel à lui offrir et j'avais investi 1 000 euros dans un billet d'avion qui ne décollerait jamais.

Madeleine avait juste voyagé dans le monde entier, fait des photos de mode et marché comme un héron sur tous les podiums de la planète. Elle avait eu un enfant avec un banquier italien qui l'entretenait à l'année, même si aujourd'hui ils étaient séparés. Il l'appelait une fois par semaine pour savoir si tout allait bien. Son fils François était pensionnaire et ne venait qu'un week-end sur deux.

La première fois qu'on s'est vus avec François, on est allés manger un « bol renversé », passage Brady. Et puis elle m'a présenté son père, un écrivain célèbre qui habitait dans un appartement au-dessus du sien, lors d'un déjeuner dominical. Il a attaqué direct :

— Alors comme ça, ma fille m'a dit que vous vouliez écrire ?

Mike Tyson m'aurait dit : « Alors comme ça, tu veux monter sur le ring », m'aurait fait le même effet.

— Euh… J'essaye… Je noircis des Moleskine.

— Le plus dur c'est de commencer… Puis de continuer et en trois de finir. Et ça, c'est que le début parce que ce que vous avez écrit n'existe pas si vos carnets restent dans un tiroir. Vous comprenez ?

— Très bien.

— Faut savoir aussi ce que vous voulez écrire, je ne parle même pas du sujet, je parle du genre approprié, théâtre, roman, essai, nouvelles, poésie, chansons, scénario, et que tous les sujets ne sont pas bons pour tous les domaines, vous voyez?

— Oui, je vois.

— Le seul conseil que je puisse vous donner c'est : l'imagination toute seule, c'est de la matière fécale, s'il n'y a pas un fond de vécu et de vérité derrière. Et là, c'est valable pour tous les sujets et pour tous les genres. Vous imaginez un homme qui vous parlerait d'un trésor pendant 300 pages sans le trouver à la fin, ce serait n'importe quoi? Comment voulez-vous parler d'amour si vous ne savez pas à quoi ça ressemble? Et de violence si vous ne vous êtes jamais battu.

— Si, ça pour me battre, je me suis déjà battu, que j'ai soufflé super-naïf. J'ai déjà vu des petits points blancs voleter devant mes yeux.

— C'est valable pour l'amour, mais aussi pour la passion, le pardon, le désir, l'envie, la colère, la haine, la honte, la vengeance, la compassion, l'envie de tuer ou de torturer, l'envie de se foutre en l'air. Très peu de gens ont vu quelqu'un devant eux se faire tuer et pourtant tous ces crétins écrivent des histoires de meurtres, y en a plein partout, ça envahit nos rayons de librairies et nos écrans comme une nappe de pétrole sur nos plages bretonnes. Ils regardent la télé et se nourrissent des histoires des autres, vous comprenez?

— Oui.

— Les petits pilleurs. Tout ça, c'est du mou pour chat pour ne pas dire de la merde! On écrit ce qu'on connaît, point barre, et après il y a la manière de le raconter bien sûr, il y a la forme, le style, qui a pour moi un rapport avec la respiration, une main qui respire voyez-vous, un rapport avec l'oralité. Vous écrivez avec un stylo ou directement au clavier ?

– Au crayon.

– Ah très bien, bon début. Donc vous écrivez !

On aurait cru un vieux bouquetin voulant mettre des coups de tête.

– J'essaye, j'ai dit en souriant à peine.

– Mais vous êtes d'une génération qui n'a pas connu grand-chose quand même, avouez. Il n'y a pas grand-chose à dire.

– Vous trouvez ? Vous parliez de la mort, moi j'en ai vu tomber autour de moi comme des mouches. J'ai vu un jeune type se faire tuer à grands coups de casque dans la gueule à la sortie d'un concert de rap, j'ai quatre de mes amis qui se sont suicidés… Un d'un coup de chevrotine en pleine tête, Franck. Il avait laissé une très jolie lettre à ses parents qui se terminait par : « Vous n'aurez qu'à dire que je suis parti vivre à Los Angeles ! »

– Une telle naïveté fait froid dans le dos !

– Eh oui, c'est con mais c'est comme ça. L'autre d'une balle dans la bouche, Patrick, et le troisième, Joël, avec des cachets dans une chambre d'hôtel à Madrid. Et j'ai fait la reconnaissance des affaires d'une amie, Melody, qui s'est jetée sous un TGV et qui est montée au ciel pulvérisée d'amour, et un de mes meilleurs potes, Jean-Marc, est mort d'une overdose d'héroïne, sans parler de ceux malades du sida qui sont partis trop vite, mais j'ai pas dû en voir autant que vous, vous êtes de la génération de la guerre d'Algérie, non ?

Il y a eu comme un grand blanc, un énorme requin flottait et tournoyait au plafond, prêt à m'avaler tout cru.

– Oui effectivement, j'ai fait la guerre d'Algérie. Pourquoi ?

– Parce que vous avez vu la mort de près, mais c'était normal la corvée de bois, c'était la guerre, tandis que ma génération, ils sont morts sans la guerre, juste parce que le monde dans lequel on vit et que vous nous avez légué si élégamment est pourri…

– Très amusant.

– Vous trouvez ? Alors j'écris un petit peu sur la banlieue, sur les histoires de quartiers, sur des têtes brûlées qui croupissent la nuit sur des parkings et très peu sur les grands bourgeois parisiens, mais je vais commencer à le faire. Y a pas qu'en Afrique qu'on croise des éléphants.

Madeleine me regardait, hallucinée. Son père a bu une petite lampée de cognac XO Prunier puis, comme si de rien n'était, il m'a demandé :

– Et vous écrivez à heure fixe, comme un travail ?

– Non.

– Vous écrivez au même endroit, avec une sorte de rituel ?

– J'écris n'importe où et n'importe quand. J'attends juste que ça traverse. Et quand ça traverse comme un bon uppercut, je crochète, je frappe, j'aligne mes pattes de mouches, je charbonne, je noircis des pages, et j'attends que la fièvre retombe. J'ai pas de règles !

J'ai senti Madeleine un peu inquiète.

– Très bien. Voyez Céline par exemple, vous le lisiez ou vous l'entendiez parler et c'était la même chose dans la scansion. Quand il parlait de la légèreté et de la lourdeur des hommes, c'était tout à fait passionnant, le rythme, le timbre de sa voix… Vous n'avez jamais entendu Céline parler ?

– Non.

— C'est dommage. Essayez de retrouver sa voix.

— Je le ferai. J'aime beaucoup *Voyage au bout de la nuit*, même si Céline était antisémite.

C'était d'une banalité crasse. Je me suis senti morveux, j'avais baissé ma garde comme un crétin, et je n'ai pas vu la droite m'arriver en pleine tempe.

— Ne soyez pas stupide! Facile, tellement facile. Ça n'a rien à voir avec le génie. Dans les années 30, l'antisémitisme était un refrain que tout le monde sifflotait, on apprenait à l'école ou au catéchisme que c'étaient les juifs qui avaient crucifié Jésus. Alors que c'est Pilate, un citoyen romain, qui le condamne et ce sont encore des Romains sous la Croix qui jouent sa tunique aux dés. C'est Paul, juif romain, qui lapide Étienne avant d'être touché par une vision dévastatrice sur le chemin de Damas. Il faut connaître l'horreur pour toucher la grâce. Donc la France entre autres est antisémite, il faut le savoir une bonne fois pour toutes. D'ailleurs aucun train de déportation n'a été arrêté par un quelconque réseau de résistance sinon, croyez-moi, nous en aurions déjà fait un grand film. Et quand je parle d'antisémitisme, je parle de Sem, du père des Arabes et des Juifs. C'est le même panier de crabes tout ça. C'est incroyable que l'antisémitisme ne soit que pour les Juifs, alors qu'il est à l'origine de ces deux peuples.

— Oui.

— Eh oui! La France ne veut pas retenir la leçon, l'oubli est une force, si on n'oublie pas, on se venge. Regardez ce qu'on fait avec les Roms. On détruit leurs campements au bulldozer, on te les parque dans la neige à Vincennes, on veut leur trouver une destination mais ils n'ont pas de pays… eh bien on s'en fout. Ils puent, ils nous font chier au coin de la rue et ils sont voleurs! On les considère comme des sous-hommes! Ça, c'est la charité chrétienne? Mais bon, je m'égare. Ils nous font quand même un peu chier tous ces Roms! Non?

— Moi, ils ne me font pas chier.

— Ah bon? Oui, c'est parce que vous n'avez rien à protéger. Vous vivez chez ma fille dans le 7ᵉ, alors évidemment, ils ne vous dérangent pas vraiment… Et une autre chose, ne vous faites pas emmener par vos personnages…

— Comment ça?

— Eh bien, c'est comme…

Il avait semblé réfléchir, chercher ses mots.

— Soit c'est la tête qui dirige le sexe, soit c'est votre sexe qui dirige vos pensées, vous subissez, vous comprenez? Vous sautez sur tout ce qui bouge, vous ne maîtrisez rien!

Madeleine venait de le fusiller du regard, se demandant où il pouvait bien vouloir aller comme ça. Et il a continué :

— Il faut maîtriser le désir, que ce soit la tête qui décide, tout commence par la tête, c'est pareil avec les personnages, c'est vous qui devez les maîtriser et non pas eux qui vous emmènent n'importe où…

— D'accord, j'ai fait tout simplement.

— Allez à l'essentiel! Vous connaissez l'histoire de ce jeune réalisateur américain qui demande à un grand réalisateur d'Hollywood un conseil pour son premier film et qui reçoit trois semaines plus tard une vidéo porno vraiment *hard* avec une femme les jambes ouvertes, *L'Origine du monde*, avec une voix off disant : « *Go straight to the fucking point!* »

— Je ne connaissais pas.

— C'est très joli, vous ne trouvez pas? *Go straight to the fucking point!* C'est excellent, non?

– Très joli.

Qu'est-ce que je pouvais dire d'autre?

– Et mon dernier conseil, et après je vous fous la paix : un premier roman, ça se brûle! Et chez vous ce sera une forme d'holocauste, vu le nombre de mouches mortes. Et je reprendrais bien une part de tarte aux pommes… Il n'y a plus de crème fraîche, Madeleine?

On a alors entendu, venant de l'appartement du dessus, les cris de jouissance d'une femme et le râle saccadé de son partenaire.

– Ça y est, ça recommence! C'est très énervant, ou excitant au choix, et ça dure trois minutes montre en main, c'est le finale, l'apothéose d'une relation extraconjugale entre un chanteur de charme dont je tairai le nom et une miss météo! Ah ah… Vous allez bientôt entendre le cri du phoque échoué sur la banquise! Attendez… ah ah… Ah voilà… Qu'est-ce que je vous disais!

Ce jour-là, quand je suis rentré chez Madeleine, j'ai écrit en gros dans mon Moleskine : « Savez-vous que les histoires sont comme le bon vin, il faut les laisser reposer pendant des années, les laisser décanter avant de les écrire. Mais attention de ne pas attendre trop longtemps sinon le vin passe. Les histoires tournent au vinaigre. Je détiens dans ma cave de vieilles bouteilles d'années exceptionnelles, que je n'ouvrirai malheureusement jamais. »

J'avais du mal à comprendre comment ce vieux caudillo avait réussi à accoucher d'une telle merveille. La mère porteuse avait refait sa vie avec un Turc dans la banlieue chic d'Istanbul et vendait des pâtisseries au miel. Tout un programme.

13.

Chaque journée avec Madeleine commençait par aller chercher des petits pains au chocolat à la boulangerie et des petites boîtes vertes de Néo-Codion à la pharmacie. Tous les matins, j'étais obligé d'en faire une différente, Madeleine était fichée partout. Il fallait même souvent qu'on change de quartier et on avait élaboré une sorte de tournante, jamais plus d'une fois par semaine dans la même pharmacie, pratique.

À l'époque, je jouais *Savage Love* de Sam Shepard où j'étais à poil sur scène un bon bout de temps.

– Quand je te regarde comme ça, tu penses à Mick Jagger ?

La bite à l'air devant une comédienne désabusée, ce genre de réplique, ça tue et ça vous remet l'ego au bon endroit !

– Et quand je te regarde comme ça, tu penses à Marlon Brando ?

Ce qui faisait beaucoup rire le public. T'es ridicule, physiquement et psychologiquement. Le bernard-l'ermite qui veut rentrer dans sa coquille.

Avec Djay on avait été pris pour le même rôle, qu'on jouait donc un soir sur deux. On avait fait toutes les répétitions en gardant notre caleçon et deux jours avant la première, Bob, le metteur, s'était fâché à mort.

– Comment vous allez faire si vous ne vous entraînez pas à enlever votre slip? Ça suffit maintenant la pudeur à deux balles! Enlevez-moi ça vite fait!

Les quatre comédiennes du spectacle étaient restées derrière nous, les bras croisés, la tronche en biais.

– Alors? Vous vous foutez à poil ou j'arrête les répétitions! Je commence à en avoir marre! Je ne peux pas bosser dans ces conditions! Comment vous allez faire si vous ne travaillez pas le déshabillage et la descente de caleçon, vous ne savez même pas combien de temps ça va prendre, c'est une lacune terrible, vous devriez travailler mille fois l'enlevage de slip, à la place de ça, j'ai deux acteurs, si on peut appeler ça des acteurs, qui ont peur de montrer leur queue. En quarante ans, je n'ai jamais vu ça! Et après ça veut jouer les mecs rock'n'roll, laissez-moi rigoler, allez enlevez-moi ça! éructait Bob.

On s'était regardés avec Djay et on avait fait glisser notre caleçon en même temps. On avait tous les deux eu le réflexe de mettre nos mains sur notre sexe comme des footballeurs dans un mur, attendant le coup franc.

– Vous comptez rester comme ça pendant tout le spectacle? Enlevez vos mains qu'on puisse commencer à travailler. Je vous signale que les filles vous attendent. Et qu'elles, pour se foutre à poil pendant le spectacle, elles font moins de chichis parce que ce sont de grandes actrices!

– Ben voyons, avait murmuré Djay.

– Qu'est-ce que t'as dit? avait percuté Bob.

– Rien.

Ensemble, on avait enlevé nos mains.

– Bon. Très bien. Raphaël, maintenant reprend le texte! Petit raclage de gorge.

– Quand je te regarde comme ça, tu penses à Mick Jagger ? j'avais demandé tout penaud à ma partenaire désabusée.

– Tu peux le dire un peu fièrement, un peu rock star devant 8 000 personnes. Regarde Iggy Pop quand il se désape ! Ouaaaah, c'est énorme ! Il bouge l'Iguane, il ondule, il se contorsionne… Toi, on dirait un moinillon déplumé au bord du nid. Regarde, comme ça là !

Et Bob s'était déhanché et avait mis des coups de reins contre la table.

– Moi j'ai bien connu Jim Morrison, à la fin de sa vie, il habitait chez moi. Et je peux te dire, quand il bougeait, il savait pour quoi et pour qui il bougeait ! Allez vas-y bouge, un bon coup de reins là, comme ça !

J'avais recommencé en mettant plus d'énergie et en essayant un début de contorsion.

– Quand je te regarde comme ça, tu penses à Mick Jagger ?

La fille m'avait regardé de haut en bas en faisant la moue, juchée sur des talons. Et Bob avait hurlé :

– Ris aux éclats, pour qui il se prend ce branleur ! Fous-toi de sa gueule. Ha ha ha !

Ce que la fille avait fait, mais en faisant : « hi hi hi ! » Quand ça avait été au tour de Djay, je m'étais surpris à remettre mes mains sur mon sexe comme un enfant qui protège un oiseau.

Ça avait été le début de notre amitié avec Djay.

Madeleine était toujours là, en supportrice *number one*, blottie au dernier rang, mais la *junk rock poetry* l'endormait. Et je la regardais piquer du nez, appuyée contre le mur du théâtre. Il y en avait cinq de rangs, le Marie Stuart – du nom d'une reine décapitée au bout de trois essais – était un petit lieu de cent vingt places toujours bondé! Le dernier rang devait se trouver à quatre mètres du bord de scène et le premier se trouvait à cinquante centimètres sous nos testicules. Donc une ambiance très sympa! Surtout la pièce terminée. Il n'y a pas plus agréable sensation que l'après-spectacle.

Toutes les nuits, en rentrant, je fumais un gros kaya, elle sniffait sa coco, on se matait un film, on faisait l'amour et on s'endormait dans le canapé, on se réveillait vers 6 heures du mat pour retourner se pieuter dans le lit où on refaisait l'amour et basta! Faire l'amour était pour nous une sorte de berceuse mécanique, une petite boîte à musique.

Il traînait sur la table du salon une boule de pollen afghan qui ressemblait à un agglo de sucre de canne, grosse comme une balle de tennis qu'un ami à elle, pilote d'hélico en Afghanistan avait rapporté dans ses bagages. Il nous avait donné rendez-vous au métro Arts et Métiers au café dans l'angle et nous avait sorti le machin sous la table. Il avait juste dit :

– Moi, je ne fume pas cette daube, mais j'ai besoin de fric. Y a pas meilleur, c'est du pollen, introuvable ici. C'est l'Eldorado du truc. Le nirvana du *smoker*!

Quand il avait sorti le prix, j'avais cru tourner de l'œil mais Madeleine avait tendu une petite enveloppe pleine de biffetons. Je m'étais senti un peu ridicule. Le banquier italien subventionnait mon shit.

C'était une substance incroyable, presque vivante, amicale, végétale, émotionnante, féminine, de la bombe. J'ai compris pourquoi les soldats soviétiques dans les montagnes afghanes revendaient leurs kalachs en douce contre une boule de pollen. C'était doux, c'était parfumé d'essences enivrantes,

inconnues, je me demandais toujours si y avait pas de l'opium
là-dedans. Ça montait doucement mais sans jamais s'arrêter
jusqu'à te scotcher littéralement au plafond, comme si tu faisais la planche sur l'océan mais à l'envers. Rien à voir avec le
double zéro de Pata Négra qui me recherchait comme un fou
dans tout Paris. Rue Las Cases, j'étais peinard, il ne viendrait jamais me débusquer dans le 7ᵉ ! Il m'avait laissé sur le
répondeur soixante-treize appels et une trentaine de messages
assassins. Dont le dernier : « Fils de pute, si je te retrouve, je
te bute. » J'avais compté sur mes doigts pour savoir si c'était
un alexandrin.

Le matos de Madeleine traînait toujours sur la table basse,
dans une petite boîte laquée noire avec une Japonaise en
nacre. La phrase de Madeleine : « La coke, c'est une question
de culture. C'est juste un coup de fouet dont on aimerait la
brûlure. »

Ça rimait, c'était déjà pas mal.

C'est en suivant la ligne de ses nuits blanches et de ses
coups de fouet successifs qui ne la brûlaient plus du tout mais
qui lui faisaient de plus en plus mal que j'ai commencé à écrire
mon premier roman, qui racontait les pérégrinations de deux
potes d'enfance dont un, Loockeed, hyper-violent, était tombé
amoureux d'une fille qui travaillait dans un *peep-show*. C'était
une sorte de *road movie* littéraire entre Paris et le lac d'Annecy.

Les un an avec Madeleine seraient trop long à expliquer,
on n'a rien foutu.

J'écrivais. On matait des films d'auteur, on se faisait livrer
de la pizza, des nems ou du japonais, on faisait l'amour, on se
défonçait, on s'inventait des cocktails à la fraise des bois, on

matait des films de genre, elle kiffait *L'Empire des sens* et restait bloquée sur l'œuf, comme quoi c'est un truc féminin. Je lui ai fait découvrir tous les Bruce Lee et elle Capra, *La Vie est belle* et *Horizons perdus*. On allait au marché le samedi matin quand François, son fils, venait en week-end. C'était un jeune garçon roux de 13 ans fan de base-ball qui portait toujours une casquette des Forty-Niners à l'envers. Avec Madeleine, on allait à quelques fêtes de déglingués et on se faisait la tournée des boîtes. On se couchait à point d'heures, on se levait à point d'heures. Les montres molles de Dali. J'ai eu ma première crise d'herpès où mon gland transpercé ressemblait à une fraise ramollie dans le jus de sucre. J'ai découvert ça à la lumière des chiottes, une nuit à 4 heures. J'étais debout, la verge à la main, et j'ai hurlé :

– Je ne sais pas ce que j'ai ! On dirait que j'ai pris des coups d'agrafeuse sur le gland !

On est allés faire des tests. On a flippé, elle avait shooté dans sa jeunesse, mais tout était nickel, à part l'herpès. Que dire d'autre ? Rien de spécial, on s'engueulait souvent et Madeleine ne décollait jamais son cul, sauf pour faire l'amour, chose qu'elle faisait plutôt bien, voilà ! En fait, Madeleine était tout amour le soir et une chienne de combat au réveil tant qu'elle n'avait pas avalé ses tablettes de pastilles vertes ou trouvé le bon grammage. On avait toujours l'impression qu'elle marchait à dix centimètres du sol et la forme de ses pupilles était indescriptible. Je n'ai revu ça qu'une fois en regardant un reportage sur les serpents des forêts tropicales. Impressionnant. Elle a décidé de décrocher de la coke. Elle m'a dit :

– Vingt ans de coke, ça suffit !

Je lui ai répondu :

– C'est une question de culture, c'est moi qui vais te mettre des coups de fouet à présent.

Et elle s'est mise à boire des scotch-coca-glace, avec une grosse paille pour que ça monte plus vite à la tête, sûrement une analogie. Une vie de bohème.

Tous les soirs, je lui lisais l'avancée de mon roman. Une nuit, j'ai senti que ça devenait électrique, épidermique, elle bloquait. Quelque chose lui faisait grincer des dents.

– Oui, c'est pas mal.

– C'est tout?

– Ben qu'est-ce tu veux que je te dise?

Elle m'avait lancé ça comme une petite fléchette empoisonnée, distillant son poison.

– Je ne sais pas, dis-moi ce que tu veux…

– T'es qui toi, là-dedans?

– Comment ça?

– T'es lequel des deux personnages? Le crétin ou l'enculé?

– C'est comme ça que tu les vois, toi?

– Alors lequel?

– Ben, un peu des deux…

– Oui, c'est ça… Un peu des deux, j'ai pas trop envie de t'entendre parler des connasses que t'as tirées avant moi.

– Mais c'est un roman, Madeleine! Un roman!

– Prends-moi pour une conne.

– C'est un mixte de plusieurs choses, tu vois. C'est pas vraiment la réalité… On joue avec, on la distord. C'est ça qui est bien.

– Ouais mais tu donnes trop de détails pour que ça ne soit pas vrai. Et j'aime pas, voilà.

– Comment ça, t'aimes pas?

— J'aime bien l'idée que t'écrives et que tu sois écrivain, mais pas ce que t'écris.

— Ah d'accord. Tu n'aimes pas ce que j'écris? j'ai dit un peu vexé. T'aimes bien que je sois acteur dans l'esprit mais t'aimes pas quand je joue!

— Si tu veux! Je n'aime pas que tu racontes tes histoires de cul, c'est tout. C'est normal non, je sais pas… T'aimerais que je te raconte comment je baisais avec mes anciens mecs et la taille de leur pénis?

— Non, bien sûr que non! Non mais tu ne vas pas être jalouse d'une histoire, d'un roman. C'est un roman, avec des personnages!

— Oui et tu te caches derrière.

— Demande à ton père ce qu'il en pense! j'ai balancé, pensant à une parade.

— Je n'ai jamais lu les romans de mon père, elle m'a répondu d'une voix glaçante.

— Je t'avoue que moi non plus.

J'ai souri.

— J'ai plus envie que tu me fasses la lecture.

— Très bien, je ne te lirai plus de passages, si ça peut te faire plaisir.

— Ce n'est pas que ça me fasse plaisir ou pas, c'est que ça m'énerve, ça me ronge et ça me fait de la peine.

— OK, je suis désolé. C'est bon? On peut s'embrasser? Tu peux me prendre dans tes bras?

— Un jour, t'écriras des trucs sur moi? elle a continué en se blottissant contre mon épaule.

— Ça ne va pas! N'importe quoi! Tu me prends pour qui?

— Pour un vampire!

– Méfie-toi, je vais te mordre !

Et j'avais montré les crocs.

– Tu m'as déjà mordu, mais tes morsures à toi sont invisibles et douloureuses. Les écrivains ou faisant tout comme, vous ne le savez pas, mais vous êtes des vampires, vous vous mettez dans votre bulle, votre grotte, plus rien n'existe autour de vous, et vous sucez le sang des gens qui vous entourent. Vous êtes des aspirateurs d'histoires.

– Je suce le sang de personne, moi !

Elle s'est redressée d'un coup.

– Si, tu ne le sais pas, mais tu suces, t'aspires, tu vides les gens de leurs histoires. T'es qu'une pompe.

– N'importe quoi.

– T'es qu'une putain de shooteuse qui aspire, mais qui ne donne rien en échange. T'es comme mon père, un putain de nombriliste, un égoïste et si tu donnes quelque chose, c'est juste un produit de substitution qui ne dure pas longtemps. Comme les petits cadeaux qu'on ramène de voyage. Une boule neige achetée à l'aéroport du retour. C'est de la poudre aux yeux, de la pommade, un petit plaisir immédiat mais derrière, c'est du vent, *bullshit*. Que des mange-merde qui veulent se déculpabiliser à deux balles !

– Subtil, délicat, y a rien à dire. Je te remercie.

– Regarde, la meilleure image que j'ai de toi, c'est quand je t'ai vu bouffer comme un porc ton os à moelle, t'as vu comment t'as aspiré le machin ? Eh bien tu fais la même chose avec moi. Tu m'aspires, tu me vides de ma substance.

– Et moi, tu m'inspires, j'ai fait grandiloquent, sûr du résultat.

Mais la méduse invisible m'avait brûlé au cœur.

– Tu me donnes envie de vomir. Et une dernière chose, je ne suis pas ta mère !

J'ai senti ce soir-là dans sa crise, son retour de coke, que le ver était dans le fruit. Que notre amour venait de se faire trouer la peau, plomber d'un coup. Et que je ne pourrais rien faire pour la rassurer. Tout ce que je lui dirais tomberait à plat. Lui dire je t'aime, c'était comme de débarrasser la table.

14.

Un soir, pour la première fois, elle n'est pas venue me voir jouer. J'avais essayé de l'appeler pour qu'elle vienne me rejoindre au Fitzcarraldo, mais elle était sur répondeur. « C'est Madeleine, laissez votre nom, votre numéro et je vous rappellerai au plus vite. » Puis le même message en anglais avant le bip. Jamais personne d'anglais ne l'appelait mais c'était pour elle le souvenir mordant de ses podiums, et de ses agences cliniques, à travers le monde.

Après l'avoir appelée dix fois de suite, j'ai eu envie de balancer mon téléphone contre le mur et de la traiter de tous les noms, du ver grouillant à la mouche bleue.

Je suis allé me boire un verre au Fitz et je suis rentré en métro. Pourquoi n'était-elle pas venue ce soir-là ? C'est toujours resté un mystère. Je pense qu'elle s'était engueulée avec son père, une sensation comme ça.

Y avait un couple dans le métro qui me regardait de travers. Tout d'un coup, la fille, une belle brune, est venue me parler et m'a demandé si c'était moi qui avais joué dans une boîte de nuit en banlieue nord du côté de Cergy-Pontoise, à L'Estaminet, un club en sous-sol, niveau parking, tenu par Hamoudi, un Kabyle.

– Oui, c'est moi.

– C'est toi qui écrivais les textes?

– Oui, pourquoi?

– Parce qu'ils étaient super-rock'n'roll, déjantés, complètement allumés, qu'elle m'a dit un peu stone.

– C'est gentil.

– Non ce n'est pas gentil, c'est sincère. Y a qu'à Londres que j'ai vu ce genre de trucs, dans des bars punks…

– Je ne sais pas…

– Je peux te dire qu'y a que toi qui fais du théâtre dans une boîte de nuit de cette façon.

– Ouais, c'est sympa.

– Non ce n'est pas sympa, c'est autre chose. Tu colles à ce qui se passe dans la vie, des vrais trucs quoi, t'es proche de ce que les gens vivent…

– Je ne sais pas…

On avait été pris à l'essai un soir par Hamoudi. Le DJ nous avait annoncés pour la semaine suivante, un jeudi. Il hurlait dans son micro :

– Salut les zombies! Au lieu de sortir vers minuit, si vous venez à 22 heures, la semaine prochaine, vous pourrez voir du théâââtre et vous cultiver un peu, pour le même prix. Vous, la seule culture où vous êtes au top, c'est la culture du cannabis sous vos lampes à bronzer.

Il avait enchaîné avec un vieux rap sucré de LL Cool J, *I need love.*

Et on avait fait un carton. On jouait tous les jeudis, vendredis, samedis, et à partir de 21 h 30, sa boîte était pleine comme un œuf. Et moi, j'écrivais des petits textes pour la semaine suivante. L'Estaminet ou L'Esta était plutôt un endroit pour trouver des ecstas et danser un peu en suçant des buvards, un endroit on ne peut plus bigarré. Les textes complètement décalés détonnaient, mais Hamoudi s'y retrouvait en faisant le plein de boissons.

Et là, dans ce métro chahuté, qui semblait se déboîter comme un train fantôme, la fille m'a expliqué qu'elle avait une petite compagnie de théâtre avec un producteur et qu'elle recherchait une pièce comme un trésor et que ce qu'elle avait déjà trouvé, c'était du mauvais boulevard, des histoires d'amoureux et des portes qui claquent. Je lui ai dit que je n'avais jamais écrit de pièce, mais que des petits bouts de dialogues sur des nappes en papier, des amorces, des monologues, c'est tout, mais rien de fini.

— C'est dommage, elle m'a dit, parce qu'il y a un concours qui a été lancé y a plus d'un an en France et dans tous les pays francophones.

— Ah oui, un concours ?

— Ouais, et le prix, c'est de l'argent pour monter la pièce. La clôture, c'est dans une semaine, samedi prochain, à midi.

— Je peux voir ce que j'ai dans mes carnets. Mais franchement, ça va être dur d'écrire une pièce en une semaine !

— Dommage.

Elle m'a passé son numéro de téléphone et je suis rentré comme un boxeur à qui on vient d'apprendre qu'il allait peut-être faire son premier combat, excité à mort sur le *shadow boxing*. Mon stylo comme un coutelas prêt à tout déchirer.

D'entrée de jeu, j'ai dit à Madeleine, recroquevillée dans le canapé comme un cobra prêt à bouffer la flûte, que j'avais rencontré une fille dans le métro et qu'elle m'avait proposé d'écrire une pièce de théâtre pour elle. Je ne sais pas sur quel bouton j'avais bien pu appuyer, mais ça a fait très mal. Je me suis retrouvé dans la centrifugeuse et je me suis fait éjecter.

– Ah oui, tu vas écrire une pièce de théâtre pour une fille que t'as rencontrée dans le métro! Et elle t'a demandé si elle pouvait te sucer la bite aussi?

Elle m'avait lancé ça avec un regard de tueuse que je ne lui connaissais pas.

– Pourquoi tu dis ça? T'énerve pas!

– Parce que j'en ai marre de voir ta gueule de petit gigolo qui se fait entretenir depuis un an. Je trouverai bien un autre mec pour me lécher la chatte à moindres frais!

– Ah ouais. Sympa!

– Tu fais rien, tu sais rien faire, t'es qu'un branleur. Tu veux faire l'acteur? Tu veux écrire un roman? Et maintenant écrire pour le théâtre? Mais tu fais rien, tu finis rien, t'es qu'un pauvre naze. T'as pas une thune. Je perds mon temps avec toi.

– C'est toi qui me dis ça? Et qu'est-ce que tu fais toi, à part te défoncer et boire des verres de scotch en bouffant tes pastilles de Néo-Codion, et te faire entretenir par ton Rital?

Ce qui n'était pas très élégant de ma part.

– Fous-moi le camp d'ici. Va tirer tes pouffes!

– Tu veux?

– Oui, casse-toi.

– Très bien.

– Allez dégage! Dégage de chez moi!

Elle s'était mise à hurler, le visage déformé, rouge comme un coquelicot. Elle avait fait en quelques secondes d'énormes plaques dans le cou et sur sa poitrine.

Le mercure était monté très vite et très fort, explosant le thermomètre. Et elle avait lâché son venin. Parfois les mots dépassent les pensées et les actions les mots. Et la seule solution pour s'en sortir, c'est de se tirer, de se casser le plus vite possible.

Madeleine m'a aidé à faire mes affaires et tout a volé par le balcon, mon début de roman a été lancé dans la nuit comme un lâcher de tourterelles et je me suis retrouvé à 2 heures du matin comme une âme en peine à ramasser les feuilles collées par un petit crachin breton.

Je me suis assis sur le trottoir, conscient qu'elle pourrait me voir de la fenêtre, descendre et revenir me chercher. Elle m'avait tellement dit qu'elle m'aimait que ça ne pouvait pas s'arrêter d'un coup comme ça, comme un coup de hachoir sur la tête d'une anguille, ça devait bien gigoter encore un peu. J'ai attendu une bonne heure que ça gigote, mais personne ne bougeait derrière les rideaux. Elle a éteint la lumière. J'ai attendu. Pensé à elle si fort qu'elle ne pouvait pas ne pas le sentir. L'amour était retourné dans sa boîte, allongé dans son tombeau. Le bureau de Benito était allumé, je me suis dit qu'il avait dû entendre tout notre bordel et qu'il aurait pu intervenir d'une manière ou d'une autre mais que dalle, il devait écrire un pamphlet anti-tout.

Je ne sais pas pourquoi mais j'ai sifflé dans la nuit, j'ai appelé une fois Madeleine comme si j'avais oublié mes clefs.

— Madeleine! Eh oh, Madeleine!

Je me suis de nouveau assis sur le trottoir, j'ai fouillé dans mes poches pour une cigarette et j'ai fumé. Puis j'ai changé de chaussures, j'ai mis mes bottines mexicaines qu'elle détestait.

Alors j'ai appelé cette fille du métro que je ne connaissais pas et je lui ai dit que j'étais désolé de la réveiller à 3 heures du matin et que j'étais dans la panade parce que j'avais parlé de son projet à ma fiancée et qu'elle m'avait jeté dehors et que j'étais à la rue complet. Elle m'a dit :

— Je te donne l'adresse, j'habite à L'Haÿ-les-Roses. Prends un taxi, je t'attends.

— Mais je n'ai pas une thune sur moi.

— T'inquiète, je payerai.

Une heure plus tard, j'étais au pied de leur immeuble HLM, une tour. J'ai écrit toute la journée sans m'arrêter avec les nerfs et la nuit suivante aussi, puis j'ai dormi, écrit, écrit, dormi. Parfois ils rentraient dans la pièce et me regardaient écrire.

— Tu veux manger ou boire quelque chose, une pizza, une bière, de la vieille mimolette ?

— Si vous aviez un peu de vin rouge et un peu d'herbe, ce serait sympa. Enfin l'herbe, c'est pas de la salade, c'est pour fumer.

Et le vendredi soir, Valérie a tapé tous les textes que j'avais écrits à la main. J'avais écrit sur la rage, le besoin de se venger, de hurler que l'amour c'était de la merde et que c'était criminel. Et que mon héroïne était poudrée, cokée, rousse et cramée. J'avais dégueulé ma Madeleine.

15.

Le samedi à midi, la pièce *Une rose sous la peau* et le dossier étaient déposés. Un mois plus tard, je recevais le grand prix du jury qui était composé d'éditeurs et de gens de théâtre. Ils m'ont filé une pyramide en résine avec deux masques en simili-or. Deux visages, un qui rit, l'autre qui pleure, une sorte de Janus théâtral. Et de l'oseille pour monter la pièce.

Le hasard de la rencontre. Quelle avait été l'influence de Madeleine dans tout ça, en ne venant pas ce soir-là au théâtre ?

Le hasard – cette loi qui voyage *incognito* – venait de frapper à ma porte. Et j'étais juste derrière, sans clefs.

À partir de ce moment-là, j'étais à la rue avec mes trois sacs dont le sac de timbres, sans savoir où dormir. Je m'étais dit : « Il faut que je les revende ces timbres. » Mais à chaque fois, un truc m'arrêtait, je faisais machine arrière. Un lien invisible me reliait avec cet être inconnu et sa drôle de collection. Les pays africains me ravissaient. Et je m'étais aperçu que la Turquie avait toujours fait partie de l'Europe.

Un après-midi, alors qu'on jouait *Une rose sous la peau* à Avignon dans la caserne des pompiers, Djay, un des acteurs de la pièce, était venu me voir dans les loges après la représentation.

– Y avait une rousse au premier rang avec un adolescent avec une casquette de base-ball à l'envers. Je ne sais pas ce qu'elle avait, mais elle n'a pas arrêté de pleurer pendant tout le spectacle. J'étais vachement gêné. Tu la connais?

– Je crois.

À la sortie du théâtre, Madeleine, lunettes noires sur le nez, m'attendait avec François. Elle est restée au loin, grande, belle, élégante comme jamais. Elle avait un peu maigri. François est venu me parler.

– On est venus te voir, il m'a dit tristement.

– C'est gentil.

– Reviens avec maman, va lui parler. Elle t'attend. Elle veut que tu reviennes à la maison.

– Non, c'est trop tard.

François est parti rejoindre sa mère, je les ai regardés tous les deux de dos. Elle s'est retournée puis lui a pris la main. Le cœur comme un torchon sale qu'on essore. L'histoire était terminée.

J'avais commencé à jouer au théâtre de la même manière : par magie, par hasard ou par enchantement. Avec mon pote Miguel, on galérait en bagnole du côté de Crimée, rue Riquet quand on était tombés en panne quai de l'Oise. On avait vu un grand bâtiment rouge le long du canal et on était rentrés à l'intérieur pour chercher de l'aide et trouver des pinces pour la batterie. Toutes les portes étaient fermées. On était montés au troisième étage. On avait entendu du bruit. On avait tapé trois petits coups à la porte. Et on avait entendu une voix bizarre crier :

– Entrez, magnez-vous un peu !

On avait poussé la lourde porte et on avait vu une vingtaine d'individus s'agiter dans tous les sens, semblant chasser
des mouches imaginaires. Une voix hurlait :

– Il y a des billets de 100 dollars qui tombent du ciel,
essayez d'en attraper le plus possible, il y en a partout qui
tourbillonnent autour de vous ! Allez, allez, en haut, en bas,
partout, dans votre dos, allez plus vite ! Ce n'est pas tous les
jours qu'on peut se faire autant de billets de 100 dollars !

Et nous, on voyait pas de billets et ces ahuris se tordaient
dans tous les sens et se battaient pour les attraper.

Et c'est là qu'on a découvert les ateliers théâtre, le Workshop
de Bob, l'Américain. Au début, tu penses que t'es rentré dans
un asile psychiatrique ou un centre de reconstruction pour
grands accidentés de la vie.

– Mettez-vous au fond, dépêchez-vous !

On s'est assis dans un vieux canapé éventré, tout au fond
de la salle. On n'en menait pas large. Pour des gamins de
banlieue, cet endroit était magique et les personnalités sur
scène, étonnantes, de vrais artistes. Personne ne nous avait
demandé qui on était, ce qu'on voulait, et ce qu'on venait faire
ici. On s'est assis et on a regardé, oubliant même que notre
bagnole était en rade, en bas. On est restés des heures et on a
écouté. Tous les élèves présents étaient suspendus aux paroles
du maître, un homme d'une cinquantaine d'années, cheveux nacrés, avec un bracelet indien, une énorme turquoise
au poignet, qui faisait des gestes incroyables, un magicien de
la parole. Il parlait de l'Actors Studio et de Marlon Brando
et racontait plein de trucs sur le corps et sur la projection,
sur le jeu et le non-jeu, qu'une main, qu'un pied peut donner

de l'émotion, qu'une nuque peut exprimer tout autant qu'un visage. Il parlait de New York et de la mémoire sensorielle. Tout un tas de choses que Miguel et moi ne comprenions absolument pas. Mais on comprenait une chose : qu'on était dans un endroit de passage et qu'on venait, tel Christophe Colomb, de découvrir une *terra incognita incognito* si je puis dire, et que cette terre était à nous. Les indigènes avec des couronnes en papier sur la tête et des épées en bois étaient étranges. Ils disaient tous la même chose en même temps, leur langage fleuri, projeté au fond de la salle, était tout à fait incompréhensible.

« Oh si cette trop solide chair voulait se fondre ou se résoudre en rosée ou si l'éternel n'avait pas dressé les tables de sa loi contre le suicide, oh Dieu, Dieu ! »

Un truc de malades. Leurs regards étaient purs, certains maquillés, cerclés de noir. Ils étaient torse nu avec des colliers de fleurs comme les Tahitiens autour du cou. Les femmes échangeaient des coquillages en se brossant les cheveux les unes les autres, certaines les seins nus.

– Oui c'est ça, c'est un Gauguin ! disait le maître de cérémonie en rebondissant sur son fauteuil, complètement excité. C'est ça ! C'est ça ! Ne t'arrête pas ! Continue ! Continue !

Un autre tenait un crâne à bout de bras pendant vingt minutes sans dire un mot et sans bouger. Les femmes étaient différentes des autres femmes, je n'avais jamais vu ou rencontré ce genre de femmes-là. Ces amazones avaient comme des serpents dans les cheveux et leurs bouches semblaient lumineuses et sucrées, les mots d'amour étaient soufflés comme des fléchettes empoisonnées. Il nous semblait entendre des tambours lointains et des murmures arrivaient par vaguelettes d'une mer d'huile sur fond de Velvet Underground. On avait entendu cette phrase sur la présence qui résonnait dans l'espace :

— Le visage d'un bienheureux peut être le même que celui d'un serial killer. Regardez le sourire de Djay ! Est-ce le regard d'un saint ou d'un assassin ?

Djay était un acteur super-speed, il faisait une déclaration d'amour à toute vitesse tenant une bague à la main et soulevait son pied comme s'il avait marché dans une crotte de chien. Tout le monde était mort de rire de le voir jouer. On avait vraiment l'impression qu'il en avait sous la semelle.

Plus tard, Djay m'a raconté qu'il avait découvert cet endroit en suivant dans la rue Caroline, une belle Anglaise du cours.

— Faut pas le dire, mais moi, je suis pas un acteur, je suis un ancien pilote de formule 3 000 et je fais semblant de jouer, je suis là pour les filles. C'est la plus grande concentration de canons que je connaisse. Alors tant que je ne me fais pas repérer par le maître, je reste. Je ne suis qu'un imposteur, un escroc. Alors si on te demande de jouer, joue, qu'est-ce t'en as à foutre ! C'est comme quand tu fais le con pour tes potes ou que tu fais le coq devant les gonzesses ! Pas plus difficile que ça. Amuse-toi !

Où s'était passé le déclic ? Dans la panne de moteur à cet endroit-là ? Dans le secret d'une petite pièce métallique, dans la combustion d'un fil électrique ? Chez celui qui avait vendu à Miguel cette caisse qui s'était mise à fumer ? Était-ce l'endroit lui-même de la panne qui était chargé d'une énergie particulière, une sorte de cortex relié à l'inconnu ? Et pourquoi ce moment précis? Et pourquoi étions-nous partis dans cet entrepôt en briques rouge pour chercher de l'aide sans se dire le moindre mot? Comme si c'était normal d'aller là-bas, alors qu'un café était ouvert à vingt mètres! Et pourquoi avions-nous monté ces marches? Et pourquoi Bob ne nous avait-il pas dit, quand nous avions poussé la porte :

« Oui, c'est pour quoi?

– On a planté notre bagnole. On cherche des pinces.

– Je suis désolé, mais nous sommes en train de travailler, même si ça ne se voit pas. On travaille! »

On aurait dit : « Excusez-nous de vous avoir dérangé », et on aurait repris le cours normal de nos existences. Moi, petit, je voulais être vétérinaire pour insectes, puis sportif professionnel, mais un monstre de foire m'avait pété le genou au rugby et avait définitivement cassé en deux toutes mes ambitions, comme on casse un bâtonnet d'esquimau, sans parler des ligaments. Est-ce que ce troisième ligne était responsable de quelque chose? Était-il le maillon d'une autre réalité? Ou existait-il quelqu'un ou quelque chose à l'intérieur ou à l'extérieur qui jouait avec nous? Ou était-ce, à l'intérieur de nous, une force, une énergie, une lumière cherchant à regagner d'autres lumières? Existait-il des liens invisibles qui nous unissaient les uns avec les autres? Ou des émetteurs, capteurs comme si nous étions de gros aimants? De gros aimants, ça me plaisait bien.

Miguel et moi avions été aimantés. On aimait cette île perdue au milieu de nulle part, plus que tout au monde.

À la fin du cours, qui avait duré quatre heures, le maître a dit :

– Avant que l'otarie n'arrive à faire tourner le ballon sur son nez, elle en a bouffé des sardines! Alors travaillez, il n'y a que ça à faire! Si demain vous ne connaissez pas votre monologue, ce n'est pas la peine de revenir, vous m'entendez? Restez chez vous. Et dites-vous bien que sur vingt-quatre, avec beaucoup de travail, de talent et de chance, il se peut que seulement un ou deux réussissent dans ce métier! À demain.

J'ai cru voir Djay me regarder, faire avec ses doigts un pistolet, me pointer et prononcer en silence :

– Un, deux!

Comme si c'était au ralenti.

Le lendemain, même heure, on était assis dans le canapé avec Miguel, en se faisant les plus petits possible.

Et les jours suivants pareil. Jusqu'au jour où Bob, le maître de cérémonie, le *Grandmaster Flash,* est venu nous parler.

– Qu'est-ce que vous voulez à la fin?

– Rester ici, j'ai fait.

– Vous savez que ce sont des cours payants et que c'est une école?

– Non, on ne savait pas. Mais on n'a pas d'argent.

Il nous a tendu une feuille chacun.

– Apprenez ce texte et revenez demain.

– Mais…

– Vous avez compris, apprenez ce texte pour demain, c'est la seule condition. On ne rentre ici que sur audition.

Il avait dit ça d'une voix cassante.

– C'est quoi une audition?

Il a dû nous prendre pour de grands malades.

– Une audition, c'est apprendre ce texte ce soir et repasser demain, devant tout le monde. Si vous êtes intéressants, je vous garde, sinon allez dans un autre cours, y en a plein Paris.

Ce n'est pas ça qui manque! Y a autant de professeurs d'art dramatique que d'Arabes qui tiennent des supérettes et on y trouve de tout. Et toutes sortes de salades!

— Les auditions, c'est devant les filles, tout ça? a demandé Miguel.

— Oui, bien sûr.

— Mais nous, on ne sait pas faire ce genre de trucs...

— C'est pour ça que vous voulez rentrer dans l'école?

— Oui. Mais on ne sait pas faire le truc de l'audition, ça on ne sait pas faire, que j'ai répété comme une trompette.

— Qu'est-ce que vous savez faire?

Le ton était dur. On s'est regardés, l'œil torve, un peu fumés.

— Draguer les filles, les faire rire, nous battre, chanter un peu, danser... a commencé Miguel.

— Ouais, conduire vite, tirer avec un gun en plastique, raconter des blagues...

— Chambrer.

— Ouais, chambrer.

— Faire peur. Taper les fachos avec une grosse batte de base-ball, a lancé Miguel en ricanant.

— T'es con.

— Nan, c'est vrai.

— Rouler un splif en dix secondes, j'ai fait.

— Griller les feux rouges.

— Montrer nos culs aux bateaux-mouches!

— Bon, ça suffit. C'est pas mal pour un début mais en gros, vous ne savez rien faire.

— Ouais c'est ça, exactement, on ne sait rien faire. C'est exactement ça! C'est ce qu'on cherchait à vous dire depuis le début. On ne sait rien faire! j'ai dit.

On a failli avoir un gros fou rire. Et là on a entendu cette phrase incroyable, inimaginable pour nous :

— Vous voulez devenir acteurs ?

Avec Miguel, on s'est regardés encore une fois. Et j'ai senti une lumière dans ses yeux. J'ai senti un truc en moi comme un tube, un appel d'air, un stress, une accélération de mon cœur, une boule, une libération, le sourire de la carpe qui vient de se piquer à l'hameçon et hors de l'eau, découvre l'Amérique. Un flash.

— Des acteurs ?

— Oui des acteurs ! il a répété comme un coup de fusil.

— Ben oui, on veut bien essayer, j'ai fait coupé en deux.

— Ouais, on veut bien essayer, que Miguel a répété comme un petit perroquet.

— Alors revenez demain avec le texte su. On verra ce que vous avez dans le ventre.

Avec Miguel, on n'a pas dormi de la nuit. On tournait en rond. On se figeait dans le canapé, on zappait sans rien fixer. On roulait des bozes en écoutant du bon son.

— Comment faire pour apprendre ce truc ? Shakespeare… Tu y arrives toi ? j'ai demandé.

— Je comprends rien au texte, je comprends pas ce que ça veut dire… Je pige que dalle, c'est de la merde en barre *Hamlet*. J'entrave que tchi. Moi, je vais pas y aller, j'ai trop honte, m'a dit Miguel. Et les mecs t'as vu, à part Djay, on dirait des danseuses du ventre !

— Et alors ? C'est quoi le problème ? Qu'est-ce que tu as à faire demain ?

— Rien. Je dois juste aller chercher 50 grammes de weed Place des Fêtes en début de soirée.

– Bon ben alors on y va. On balance la sauce et basta!
Qu'est-ce qu'on risque? Si ça foire, on ne les reverra jamais!

Le lendemain, je me suis planqué au fond de la salle après
avoir tenté de vomir en arrivant dans les toilettes, mais rien
n'était sorti qu'un haut-le-cœur avec un filet de bave. Bob a
commencé son cours en parlant longuement.

– Être acteur, c'est un métier, comme d'être architecte, ça
s'apprend, on ne déboule pas ici pour suivre une psychana-
lyse de groupe et j'en vois ici qui se la coulent douce, ceux-là
n'ont rien à faire dans cette école, ils ont mieux à faire à l'extérieur. Gagnez du temps, cassez-vous! Et ceux qui veulent
être beaux, inscrivez-vous dans une agence de mannequins.
Ce sont vos défauts qui sont vos qualités, si vous n'avez pas
compris ça, vous n'avez rien compris, travaillez vos défauts!
Vous devez poser votre bite sur la table, ramener vos ordures,
c'est à moi de faire le tri!

Moi je baissais la tête quand j'ai entendu :

– Toi, viens!

Stupeur, il regardait vers moi avec un gros doigt pointé.

– Moi?

– Oui toi, viens sur le plateau.

– Moi j'ai plein de défauts, mais ce n'est sûrement pas ceux
que vous recherchez. Moi mes défauts, ce sont vraiment de
très, très gros défauts.

– Ce n'est pas à toi de juger ce qui est bon ou ce qui est
mauvais, va te mettre là-bas.

J'ai senti mes jambes se dérober sous moi comme un pou-
lain qu'essayerait de marcher pour la première fois et je me
suis rappelé mon entraîneur de boxe qui nous criait au bord

du ring : tout est dans les jambes, soyez forts sur vos jambes !
Et je me suis mis au fond de la scène. Et j'ai commencé à
sautiller sur moi-même d'un pied sur l'autre, la même chose
qu'avant de monter sur un ring, c'était nerveux, j'aurais pu
défoncer le père Noël !

– Rapproche-toi !

Je me suis rapproché comme on se rapprocherait d'un
vampire.

– Plus près. Encore. Avance ! Avance encore, mets-toi sous
la douche, m'a lancé Bob.

– C'est quoi, la douche ? Je dois faire semblant de prendre
une douche, c'est ça ?

Tout le monde s'est marré et je ne savais plus où me mettre.

– J'ai dit une connerie ?

– Tends ta main ! La lumière au-dessus de toi qui vient de
la mandarine, tu la vois sur ta main ?

– Oui.

– C'est ça, la douche.

J'étais à trois mètres d'eux. J'ai vu Miguel, il n'osait pas
me regarder, il cachait son visage dans ses mains, l'*archouma*.

– Alors ce magnifique monologue d'*Hamlet* qui a traversé
les siècles comme le Gulf Stream les océans ?

– Oui, j'ai fait tout tremblant… Le monologue d'*Hamlet*.

– On t'écoute.

– Le monologue d'*Hamlet* de William Shakespeare, que
j'ai sorti d'une manière très scolaire, me rappelant mes cours
de poésie au collège : toujours citer l'auteur, *Le Corbeau et le
renard*, de Jean de La Fontaine, *Correspondances*, de Charles
Baudelaire.

J'étais ridicule.

Le silence était lourd, jamais entendu un silence pareil. Le maître, tel César, a fait un geste circulaire. Une impression du temps qui s'arrête. Une suspension. Le souvenir d'être au bord du plongeoir en béton, à cinq mètres de haut et d'approcher lentement mes pieds au bord du vide. J'ai vu une très jolie fille au premier rang, super-attentive, concentrée sur mon plongeon, elle faisait des bulles de bave avec sa bouche, même la bulle était à l'arrêt. Après un temps infini où je n'osais plus bouger, la bulle a éclaté et j'ai balbutié :

— Excusez-moi, mais il raconte quoi ce texte ? Je n'ai pas tout compris, en fait. C'est presque si je l'ai appris d'une façon phonétique.

Bob a éclaté de rire. Et tout le monde a ri derrière lui. C'était comme un banc de poissons, une gorgone, une anémone de mer, l'écho décalé de son propre rire.

— Ça, c'est une très bonne introduction. Qu'est-ce que ce monologue d'*Hamlet* raconte ? À ton avis ?

J'ai repris courage.

— Ben moi, sincère, je ne comprends pas tout, en fait, je ne comprends pas tous les mots, je comprends vaguement le sens, mais ce n'est pas très clair pour moi. Alors si vous pouviez m'éclairer un peu… Parce que je suis dans le noir complet.

— Quelqu'un a une allumette, un briquet ?

— Oui moi ! a crié un gros lèche-cul.

— Sérieusement ! Quelqu'un peut l'éclairer ? a demandé le maître.

Quinze personnes ont levé la main comme à l'école.

— On sait que vous êtes tous très forts en compréhension classique… Non, on va un peu le laisser dans l'obscurité ! Qu'est-ce que t'as compris ?

– Euh… Qu'il veut se suicider, non ? Et qu'il a un problème avec sa mère et son beau-père ? Non, c'est pas ça ?

– Bon, oublie le texte, chante-moi une chanson.

Il avait été très cassant.

– Vous ne voulez pas que je vous récite le texte ? j'ai osé demander.

Qu'est-ce que je n'avais pas dit là…

– J'ai horreur des récitations ! Non, je veux t'entendre chanter et danser en même temps. Puisque tu m'as dit que tu savais chanter un peu et danser. Ce n'est pas ça que tu m'as dit, hier ?

– Si.

– Alors vas-y ! On te regarde, on t'écoute.

– Là, tout de suite ?

– Non à Pâques !

– À Pâques ?

La gorgone était repartie dans un fou rire.

– En fait, tu es très drôle !

– Ah bon, je ne savais pas. Mais Miguel, il est encore plus drôle que moi ! Miguel ! Tu ne veux pas venir ?

J'ai mis ma main en visière pour chercher Miguel dans l'assistance.

Tout le monde s'est remis à rire, un véritable calvaire. Mon œil sautait, mes mains et mes jambes tremblaient sans que je puisse rien y faire. Ça me tordait le ventre de les faire rire.

J'avoue que j'étais complètement dépassé par la situation. J'aurais préféré mettre des coups de pompe à un pitbull ou me prendre un coup de boule. Il a désigné du regard une fille.

– Va l'aider ! Tu ne vois pas qu'il est largué le petit. Il a perdu le chemin.

Une magnifique indigène dont j'avais vu les seins bombés la dernière fois s'est approchée de moi.

— Dansez tous les deux! le maître a ordonné.

— Sans musique?

— C'est toi qui vas chanter.

— Qu'est-ce que vous voulez que je chante? j'ai demandé un peu inquiet.

— Ce que tu veux!

— Mais je ne connais pas de chansons.

— Vas-y chante, n'importe laquelle, on s'en tape! Allez!

Il commençait à perdre patience.

Alors j'ai dansé avec elle une sorte de slow, j'ai chanté : « J'ai attrapé un coup de soleil, un coup d'amour, un coup de je t'aime. » Je ne sais pas pourquoi mais c'est ça qui est sorti de ma bouche. J'avais entendu la chanson le matin même dans la voiture et j'avais chambré Simon qui la chantait à tue-tête. J'ai croisé le regard de Miguel, il était presque sous le canapé. Bob m'a demandé de murmurer des mots d'amour à la fille, puis de lui respirer les cheveux et puis tout doucement de lui dire le texte que je ne comprenais pas, ce que j'ai fait. J'ai balancé les vers classiques contre le mur.

— « Oh si cette trop solide chair voulait se fondre ou se résoudre en rosée… »

On a continué de tourner, de tourner, encore et encore. Elle s'appelait Ophélie, ma toupie. Le maître n'arrêtait pas de le répéter :

— Murmure des mots d'amour à Ophélie, respire les cheveux d'Ophélie, embrasse Ophélie, touche-lui les fesses, écarte-les, aspire l'odeur de sa bouche, lèche-la dans l'oreille, enfonce-lui ta langue… Imagine… Fais travailler ton imagination, réveille tes sens comme le sel, la tequila… Bouffe-la… Regarde comme elle est belle, ne t'arrête pas…

Quand je suis revenu dans le canapé, Miguel avait disparu. Et moi j'avais un drôle de goût dans la bouche, la fille avait les oreilles sales. J'ai craché dans ma main. Et j'ai murmuré :

– Putain c'est dégueulasse… Qu'est-ce que je fous là, moi ? Mais j'avais qu'une chose en tête, revenir.

César nous a chopés à la fin du cours derrière une colonne où étaient entreposés des trésors de costumes *fifties*, de vraies boots texanes, des chaussures bicolores, pour jouer au bowling, pour faire des claquettes, des chemises brodées mexicaines, des vestes jazzy, des chapeaux be-bop, des pantalons en cuir avec de petites étoiles argentées incrustées, des cuissardes pour le rodéo, des panoplies de pom-pom girls. Un fusil à canon scié, un vieux drapeau américain tout rapiécé, un sabre, des flingues en plastique. Des cornes de buffles. Des plumes d'Indiens. Des teddies d'époque. Un Zippo du Vietnam. Un collier avec des dents de singe. Des cravates larges hawaïennes. Des minijupes en skaï rouge. Une dizaine de perruques accrochées à même le mur, de la blonde frisée à la rousse au carré. Tout un arsenal rock'n'roll avec des vieilles affiches new-yorkaises de la Mama Theater… Dans un coin, une photo de Marlon Brando et une spéciale dédicace de Sam Shepard : « *To Bob with love.* »

– Bon, ce que vous allez faire tous les deux, tous les soirs, vous allez distribuer ces tracts à la sortie des théâtres, puis la nuit, vous collerez les affiches de *Savage Love* en sauvage un peu partout. Je veux en voir en sortant de chez moi pour venir au théâtre, si je n'en vois pas une, je vous vire, c'est compris?

— Mais vous habitez où? a demandé Miguel, malin comme un petit singe.

— Ça, ça ne vous regarde pas.

— Et puis après les représentations du soir, vous viendrez au Marie Stuart nettoyer les travées, frotter les chiottes, et le samedi après-midi, un de vous deux prendra les réservations téléphoniques et tout ça vous payera vos cours, ça marche comme ça?

— Ça marche.

Dès le lendemain, on est partis notre rouleau d'affiches à la main avec notre seau de colle et notre balai-brosse. On avait décidé de quadriller toutes les rues du quartier où Bob pouvait passer. On faisait ça en loucedé entre 1 et 3 heures du matin.

— Ces bâtards du Front mettent du verre pilé mélangé à la colle.

— Pour quoi faire? m'a demandé Miguel.

— Si t'arraches les affiches, tu te niques les doigts.

— Ben on devrait faire ça nous aussi, pour pas qu'on les arrache.

— Tu veux être aussi con qu'eux?

— Non, nous on ne fait pas de politique! On est dans l'art, alors s'ils s'arrachent les doigts sur nos affiches, c'est qu'ils n'aiment pas le théâtre. Demain, on fout du verre pilé dans la colle, y a que les fachos qui n'aiment pas la culture!

Loona, la comédienne avec qui j'avais passé l'audition, m'avait invité chez elle pour répéter. Elle était très jolie, blonde aux cheveux courts. Elle avait posé sur des affiches 4 × 3 où on la voyait ouvrir une bouche énorme sur un cheeseburger. On s'est embrassés sur un muret près d'une église gare de l'Est et on est partis répéter chez elle du côté de Crimée.

— Installe-toi, fais comme chez toi.

— Pas de problème.

— Va chercher à boire dans la cuisine, si tu veux.

— OK, je te ramène quelque chose ?

— Une vodka-pomme avec des glaçons…

J'ai trouvé la vodka à sa place dans le congélateur, j'ai trouvé les glaçons et le jus de pomme sous l'évier. Quand je suis revenu dans le salon, je l'ai vue nue allongée sur un tapis devant moi. Elle a commencé à se masturber.

— J'adore ça… Ça ne te dérange pas…

Un temps suspendu. J'ai posé les verres sur la table basse et j'ai voulu aller la rejoindre.

— Non, assieds-toi dans le canapé et regarde-moi, ça ne te dérange pas de me regarder ?

— Euh non… j'ai balbutié.

— Ça m'excite à mort.

La bouche toute tremblante, elle a commencé à se caresser de plus en plus fort et j'étais de plus en plus excité quand elle m'a dit dans un souffle :

— Viens vite, s'il te plaît !

Je n'ai même pas eu le temps d'enlever mon jean qu'elle m'attirait à elle et me déboutonnait pour fouiller mon entre-jambe. *No comment.*

Puis elle a fumé un pet et a bu la vodka-pomme et m'a dit avec un grand sourire :

— On répète ?

C'était donc comme ça, les comédiennes ? Djay avait raison. La seule chose que je ne savais pas encore, c'est si j'avais bien tout compris à l'histoire.

Je commençais à tomber amoureux quand quelques jours plus tard, Djay m'a demandé avec un petit sourire :

– Loona t'a fait le coup du tapis et de la vodka-pomme ?

C'est ce jour-là que j'ai appris pourquoi les comédiennes restent à jamais des demoiselles, même mariées avec trois gosses. Le désir d'être désirées.

16.

C'est Bob, le premier, qui m'a dit au Fitzcarraldo :

— Y a trop de personnages en toi, faut que t'écrives ! C'est comme si le corps avait des petits tiroirs qui gardaient l'émotion. À toi de les rouvrir. Quand tu fermes les yeux et que tu te rappelles un événement ou une fille, tu as une image qui arrive...

J'ai fermé les yeux deux secondes. Et j'ai vu Loona grimacer.

— Oui...

— C'est l'essence même de ton émotion. Tiens.

Il m'avait tendu un petit paquet en papier kraft.

— C'est quoi ?

— Un Moleskine. Un petit carnet pour que tu puisses commencer à écrire. Il tient dans la poche arrière de ton jean et a juste la taille d'un passeport. Comme ça, tu pourras écrire partout.

— Ben merci.

— C'est rien. C'est à toi de travailler à présent. T'es un poète.

— Je n'ai jamais rien écrit, à part des petits bouts de trucs quand j'étais plus jeune... Alors je suis rien du tout. Un poète c'est autre chose...

– C'est pas grave ça, t'es un poète, je te le dis, je le sais, c'est écrit, ça se voit.

– Bon ben si vous le dites…

C'est alors que j'ai écrit mes premiers petits textes rock sur des nappes en papier, des tickets de métro, des pages de journaux. Au début, je gardais mon Moleskine intact par peur d'écrire des conneries. Et on est allés avec Miguel en banlieue jouer dans cette boîte de nuit un peu spéciale : L'Estaminet.

Souvent le soir, je me laissais enfermer au Marie Stuart et je dormais dans les loges. Y avait tout ce qui fallait pour être heureux, un lavabo, des toilettes, une scène et la « servante ». Cette ampoule comme un cierge, qui reste allumée toute la nuit dans cette boîte noire. Même sans personne, il y avait toujours une présence dans ce théâtre et y rester la nuit était très particulier, entre l'évocation et l'invocation. Il rôdait dans les coulisses derrière les taps noirs une flopée de fantômes tremblant avant de rentrer en scène. Des répliques flottantes voletaient comme des nuées de chauves-souris. On pouvait y entendre certains soirs neuf coups rapides et sourds puis trois coups lents tapés sur le plancher ou derrière le mur.

Je restais des heures, la nuit, seul en scène à répéter mes textes, à prendre des notes, à faire des petits croquis de décors, à dessiner des visages de femmes ou à écrire tout simplement dans mon Moleskine. J'avais commencé par : « J'ai vu ce grand papillon de nuit cloué sur ta peau blanche. Il a ouvert ses ailes. Tes lèvres étaient violettes et douces et sentaient la fil rouge et la vodka-pomme. »

Sur la scène, une corde épaisse séparait le plateau des spectateurs, et un crâne posé dans un coin – pour jouer *Hamlet* – semblait nous fixer de l'éternité tout entière.

On aurait cru un cabinet de réflexion.

Et plus d'une nuit, j'ai chopé les boules dans la solitude de ce lieu magique où les applaudissements lointains ressemblaient aux gouttes de pluie sur le toit. Je pouvais revoir sans m'arrêter les yeux bleus de Leslie rouler vers le ciel, sa façon sexy de souffler sur sa mèche blonde et entendre à jamais son petit accent *so british* enflammer les cœurs.

17.

J'avais le projet de monter *Une rose sous la peau* mais pas d'endroit où poser mes sacs. Pas de base, plus de femme. Un soir, je n'ai pas réussi à me faire enfermer dans le théâtre et je suis resté jusqu'à la fermeture du Baragouin à côté d'une table où se trouvaient deux petites grunges, une avec une tête de bouledogue et l'autre très jolie. J'ai essayé d'entamer la conversation.

— Excusez-moi, vous ne sauriez pas où je peux dormir ?

— Y a un petit hôtel au bout de la rue, m'a répondu le bouledogue français comme un retour de service.

— Je n'ai pas d'argent pour aller à l'hôtel, j'ai dit en essayant d'arracher un sourire et de remettre la balle en jeu.

— Ben on ne sait pas, a-t-elle smashé pour clore la discussion.

— Et chez vous ?

Un beau lob. J'avais fixé la jolie.

— Moi, chez moi, c'est pas possible, a dit le bouledogue.

— Si tu veux, viens chez moi, a proposé la ravissante, tatouée d'une constellation d'étoiles dans le cou et traversée de piercings dont un magnifique sur la langue, une bonne dizaine dans l'oreille et trois au sourcil gauche.

Une chance incroyable. À cet instant, j'ai bien cru être béni des dieux.

On a marché dans la nuit. On a fumé un joint sur le trottoir en remontant vers la place des Victoires. Elle m'a dit
qu'elle venait de province et qu'elle faisait les Beaux-Arts.

On a monté sept étages sans ascenseur jusqu'aux chambres
de bonnes. Au fond de moi, j'étais heureux comme tout.
Partager même un petit lit avec une jolie percée, c'était l'embellie. Elle était gaulée de la mort et très solaire. Quand arrivée
devant chez elle, elle a tapé à la porte, j'ai pas vraiment compris. Un géant a ouvert à poil, une sorte de *Hells Angel* couvert
de tatouages. Je l'ai senti plus que surpris, l'animal.

— C'est qui, lui?

— Il ne sait pas où dormir.

— Qu'est-ce qu'on s'en fout!

— Soit cool. Il fait froid dehors. Et il pleut.

— Qu'est-ce qu'il vient nous casser les burnes?

— Bon j'y vais, c'est pas grave.

— Non reste, tu vas dormir là, je vais te passer une couverture, je suis chez moi, y a pas de problèmes, tu peux rester,
elle a dit le plus gentiment possible.

— Ah ouais, tu la joues comme ça? a demandé le lanceur
de troncs d'arbres à ses heures perdues.

C'était une toute petite carrée avec juste un lavabo. Je me
suis couché. Le *Hells* faisait sacrément la gueule. Ils ont laissé
la lumière allumée. Et ils ont commencé à baiser, je dirais
que c'était plutôt une sorte de punition qu'il a fait subir à
la constellation étoilée. Je savais plus où donner de la tête,
j'essayais de faire semblant de dormir mais sous les hurlements
de la punkette, ça paraissait carrément impossible. J'étais sur
le ventre, la tête tournée de l'autre côté, vers la fenêtre, et
j'appréhendais qu'une chose : qu'il me frappe, une fois qu'il

l'aurait terminée. Tourner la tête vers eux était impossible, dormir sur le dos pareil, un calvaire ! Il m'a enjambé pour aller pisser, j'ai eu une seconde l'image de sa grosse queue baveuse et j'en ai profité pour dévaler les sept étages.

Il était trop tard pour appeler quiconque, je descendais dans le gouffre.

J'ai traîné dans le quartier des Halles, croisant les derniers toxicos et les petits bourges en goguette. J'essayais de trouver un endroit au sec pour poser mon cul. J'ai joué un peu au foot avec une canette de bière. Il pleuvait, j'avais froid, quand en passant devant une agence immobilière rue de la Verrerie, en m'arrêtant pour m'allumer un cône, je suis tombé sur une petite annonce :

« Studio 26 m², passage de la Main d'Or, 11ᵉ. »

Je me suis dit : « C'est un super-nom pour une adresse, ça doit porter chance un truc comme ça. »

18.

Simon était venu me voir jouer au Marie Stuart.

– Je ne sais pas comment tu fais pour jouer à poil. Ça me dépasse.

– Oui, je sais…

– Moi j'aime Ventura, c'est ça mon genre d'acteur, il n'a même jamais embrassé une partenaire à l'écran, c'est pour dire, alors montrer son cul et sa bite, c'est débile, ça raconte quoi ?

– Ça raconte… une sorte de vulnérabilité…

– Vulnérabilité… Ce sont des trucs de voyeurs et d'exhibitionnistes ça !

Et son téléphone a sonné.

– Ouais, c'est qui ?

Un seul vrai gros problème dans la vie de Simon à part les femmes : son petit frère Pascal. Le roi du *speed ball* qui shootait à l'héroïne ou à n'importe quoi et qu'on recherchait souvent pendant des nuits entières, dans le quartier des Halles ou à Stalingrad ou sur les quais d'Austerlitz ou plus simplement dans tout Paris.

Parfois Pascal nous appelait comme ça. On entendait une voix d'outre-tombe, d'une lointaine cabine téléphonique du fin fond de la Mongolie extérieure. Il avait revendu son portable contre un gramme de meumeu. Simon lui avait presque tatoué son numéro de téléphone sur l'avant-bras avec une sorte d'encre indélébile pour qu'il puisse le joindre n'importe où et à n'importe quelle heure.

— Venez me chercher… a imploré Pascal.

— T'es où ? a demandé Simon déjà un peu sur les nerfs.

— Je ne sais pas…

— Regarde où t'es, y a bien le panneau d'une rue.

— Quoi ?

— Y a bien le panneau d'une rue, un endroit que tu reconnais…

— Il pleut… a juste dit Pascal.

— Il pleut mais tu peux voir… Regarde autour de toi.

— Quoi ?

— T'étais où avant ?

— Quoi ?

— T'étais où avant ?

— Avant quoi ?

Simon m'a tendu le téléphone.

— Tiens, prends-le, parle-lui toi, moi j'en peux plus, je vais m'énerver.

— Allô Pascal… C'est Raphaël…

— Ah salut…

— Tu te rappelles l'endroit où tu es allé ce soir ?

— Quoi ?

— Où t'es, là ?

— Quoi ?

— Où t'es ?

— Dans une cabine.

J'avais envie de rire.

— Ouais OK, t'es dans une cabine, mais t'es où ?

— Je vois rien.

— Tu te rappelles où t'étais, ce soir ?

Un grand silence.

— Oh t'es là, Pascal ?

— Oui…

— T'étais où ?

— … À la Fontaine des Innocents… qu'il a dit, le moribond.

— T'es encore là-bas ?

— Quoi ?

— T'es encore là-bas ? j'ai répété d'une voix blanche.

— J'ai un peu bougé… Mais pas très loin.

— Tu bouges plus, on arrive.

— Quoi ?

— Tu bouges plus, on arrive.

— Quand ?

— Là, maintenant, on arrive.

Et on cherchait pendant des heures un petit camé dans une botte de foin ou un petit junky dans toutes les boîtes du coin.

Et comme par magie, on finissait toujours par le retrouver, éclaté dans une porte cochère ou entre deux poubelles ou recroquevillé dans les chiottes d'un bar ou explosé entre deux voitures ou la tête dans son vomi ou la tête en sang parce qu'il s'était fait frapper par une bande de cons, et c'était à chaque fois la même histoire. Après avoir été soulagé de retrouver son petit frère vivant, Simon commençait à l'engueuler.

— C'est la dernière fois, tu m'entends ?

— Quoi ?

— C'est la dernière fois que je viens te chercher dans tout Paris, la prochaine fois, je te laisse crever, t'as compris ?

– Quoi?

– Va te faire foutre Pascal, je te le dis, un jour, j'arriverai trop tard.

– C'est pas grave, a murmuré Pascal tristement.

– C'est pas grave, espèce de con va, et les parents, t'as pensé aux parents? Et à maman qui pleure tous les soirs pour toi! a éructé Simon.

– Quoi?

– Arrête de piquer du nez!

– Quoi?

– Arrête de piquer du nez! Raphaël, parle-lui toi, parce que toi y t'aime bien, moi y me rend fou ce mec, avec ses « Quoi? ».

– OK. On se calme.

– Que je me calme? Si ça continue, je vais le défoncer! Je vais lui défoncer sa gueule à cette petite pute de junky.

Pascal essayait de glisser une cigarette dans sa bouche et de l'allumer. Essayez de vous allumer une clope les yeux fermés et vous aurez une petite idée de la chose.

– Je te jure, j'ai envie de le défoncer... Tu crois que j'ai que ça à foutre de te chercher avec Raphaël comme ça, toute la nuit?

– J'ai plus d'argent... a murmuré Pascal.

– Pourquoi tu me dis que t'as plus d'argent?

– Parce que j'ai plus d'argent...

– Fais ton malin! Où il est?

– Quoi?

– Où il est ton argent?

– Quoi?

– Parle-lui toi! Moi j'en peux plus, je vais le claquer!

J'ai essayé de prendre le relais le plus calmement possible.

– Ça va Pascal?

– Pourquoi il s'énerve mon frère?

– Quoi?

J'avais dit « quoi » sans m'en rendre compte. Le syndrome du bègue.

– T'as vu on devient fou, c'est toi qui fait « quoi » à présent? avait gueulé Simon.

– Quoi? a refait Pascal, essayant de suivre tant bien que mal la conversation.

– Ta gueule, on te parle pas à toi! Et arrête de piquer du nez, lève la tête! Tu vas lever la tête! Tu viens de fixer? a demandé Simon super-énervé.

– Quoi?

– Montre tes bras! Tu viens de shooter?

– Dis-lui de parler moins fort... Et de s'éloigner de mes oreilles...

Simon s'est mis à tourner sur lui-même comme un ours brun sur un ballon.

– Je vais le défoncer, ce fils de pute!

Pascal a eu un petit sourire.

– On a la même mère, non?

– Quoi, qu'est-ce t'as dit? a hurlé Simon visiblement à cran.

– On a la même mère.

J'ai essayé de calmer le jeu.

– Pascal, on va monter dans la voiture.

– Quoi?

– On va monter dans la voiture de ton frère...

– Quoi?

Sa voix devenait brumeuse, presque inaudible.

– Ne le laisse pas s'endormir, parle-lui. Parle-lui, parce que s'il s'endort, il serait capable de ne plus jamais se réveiller ce con-là. Tu le sais que je vais te trouver un centre?

– Quoi?

– On va te trouver un centre, Pascal, j'ai répété.

– Pour quoi faire?

– Pour que t'arrêtes, que tu décroches!

– Pourquoi?

– Et il demande pourquoi ce connard? Parce que t'es un gros tox et que tu vas crever!

– Je m'en fous... C'est pas grave ça...

Et là, Simon l'a collé contre le mur et lui a parlé à deux centimètres du visage comme s'il allait lui mettre un coup de tête dans la tronche. Pascal le regardait à travers deux petites fentes.

– Ouvre les yeux! Ouvre les yeux! Parce que sinon, tu vas crever espèce d'enculé! Regarde ta tête, t'es tout bleu!

– Je m'en fous... Laissez-moi crever, qu'est-ce que j'en ai à foutre d'être tout bleu...

Et puis j'ai entendu, presque inaudible :

– Je suis un Schtroumph!

– Ah tu fais des phrases, espèce de petite merde!

– Quoi?

– Tu fais des phrases, qu'est-ce t'as dit là? a répété Simon.

– Je suis un Schtroumph...

Sa voix commençait à mourir.

– Aide-moi à monter le Schtroumph dans la voiture, s'il te plaît.

– Je veux rester là... balbutiait-il.

Et Pascal s'est mis à pleurer des larmes sèches.

– Pourquoi tu veux rester là? lui a demandé Simon, super-froid.

– Quoi?

– Pourquoi tu veux rester là?

– J'ai rencontré une fille.

Et ses yeux ont fixé le néant au-dessus de l'épaule de son frère.

– Et elle est où?

– Quoi?

– Elle est où la fille?

– Partie avec l'argent.

– C'est pour la came?

– Quoi?

– C'est pour la came?

– Nan c'est pour Mac Do!

– Quoi? a demandé Simon halluciné.

– C'est pour Mac Do, il a répété.

– Depuis quand tu manges, toi? Arrête de te foutre de ma gueule!

– Pourquoi... Je me fous pas... de ta gueule!...

– Viens, viens, on va aller bouffer au Mac Do, je te jure que tu vas les bouffer tes hamburgers!

Et on s'est retrouvés au Mac Do des Halles.

Là, on a dû attendre une heure que Pascal finisse son premier cheese.

– Une heure pour bouffer un cheese. Je rêve!

– Laisse-le tranquille.

– Regarde-moi! Regarde-moi, il a dit à son frère après s'être repris un double cheese. Ou si tu me regardes pas, regarde Raphaël, écoute-moi, écoute-moi! Un cheese, ça se mange en quinze secondes, y a rien à bouffer dans un cheese. Tiens, regarde comment je la mange cette merde!

Et Simon s'est carré le *bun's* presque entier dans la bouche.

— Chinque checondes, cha prend!

— Quoi?

Soudain Simon est devenu tout rouge et il s'est concentré à mort pour ne pas recracher tout son cheese qui visiblement s'était coincé dans sa gorge. Il s'est mis à déglutir dans un effort surhumain, presque à s'étouffer, et il a dit un truc bizarre du genre :

— Mangue botain ou je te le bous dans la beule!

— Il est tout froid. Et c'est tout sec! a marmonné Pascal.

— Au mout d'une demie beure, ch'est bormal qu'il choit tout foid!

Simon a bu une gorgée de coca. Il a toussé gras, s'est raclé la gorge. Et tout s'est éclairci d'un coup.

— Oh l'enculé! J'ai failli m'étouffer à cause de ce con-là. Mange!

— C'est froid. Et le fromage est dur, a soupiré Pascal.

— Je m'en fous, mange. Ça fait combien de temps que t'as pas mangé?

— Quoi?

— Merde! Merde! Merde! Tu vas arrêter de dire « quoi »!

— Je fais pas exprès. Tu m'emmerdes...

Et il a jeté la moitié de son cheese devant lui.

On avait senti pendant deux secondes une forme de rébellion. Ce « tu m'emmerdes » faisait plaisir à entendre. C'était une lueur de lucidité.

— Y manquerait plus que ça, que tu le fasses exprès, y a que les grenouilles qui font « quoi »!

– Quoi ?

– Y a que les grenouilles... Mais putain y me fait chier ! Et moi qui répète comme un petit connard !

Et Simon a tapé sur le plateau qui a valdingué avec les boîtes de 9, le coca sans bulles et le demi-cheese.

– C'est malin, a fait Pascal d'une voix toute molle.

– C'est malin quoi ? Qu'est-ce qu'est malin ? Bouffe tes frites !

– Je les mange.

Pascal n'arrêtait pas de regarder la porte d'entrée comme s'il attendait le retour de la fille, les bras chargés de cadeaux. Il jouait la montre. Et Simon s'énervait de plus en plus.

– Mange !

– Je les mange.

– Non, toi tu ne les manges pas tes frites, tu les suces ! Tu les observes comme si elles allaient te parler ! Mais les frites ne parlent pas ! Regarde-moi ce con qui bouffe une frite, on dirait une tortue qui bouffe de la salade. Arrête de sucer cette putain de frite !

– Je la suce pas, je la croque. Regarde !

– Fais ton malin... Raphaël, tu sais ce qu'il nous a fait cette semaine, il a piqué du fric à ma mère et il a revendu des bijoux de famille, une bague et un bracelet en or, cet enfoiré.

– C'est pas moi.

– C'est qui ?

– Quoi ?

– C'est qui ?

– Maman m'a dit qu'elle me le donnerait pour l'héritage...

– Je ne sais pas ce qui me retient de te coller mon poing dans la gueule.

– L'amour, il a dit tristement.

Et un peu plus tard dans la voiture, on a participé à une grande leçon de philosophie urbaine.

– Je te dis que la vie mérite d'être vécue… Espèce de connard ! Vas-y, dis-lui toi !

– Oui c'est vrai, ton frère a raison, la vie mérite d'être vécue, j'ai répété comme on essayerait de taper encore et encore sur un clou tordu.

– Ah tu vois Pascal, t'as entendu, la vie mérite d'être vécue putain de ta race, c'est pas moi qui le dis, et si c'est Raphaël qui le dit c'est que c'est vrai ! Et arrête de piquer du nez quand je te parle !

– Arrête de le faire chier.

– C'est lui qui me fait chier. T'as compris Pascal, regarde-moi avec tes yeux de merlan frit, c'est la dernière fois, t'as compris ?

– Quoi ?

– C'est la dernière fois !

Simon se retournait tout le temps tout en conduisant, prêt à taper son frère. Et il mettait des coups de poing sur le dossier de son siège.

– Regarde la route !

– Ouais je regarde, je regarde, t'inquiète ! Y mériterait que je lui décolle la tête !

– Ce monde n'est pas le bon, a dit Pascal tout doucement.

– Qu'est-ce que tu racontes comme connerie ? a demandé Simon.

– Je le sais. Je l'ai vu. Je le sens. Ce monde n'est pas le bon. Ce n'est pas le vrai monde.

– Quoi ?

– T'as très bien entendu ce que j'ai dit.

Et Pascal était tombé comme un plomb dans l'eau.

Les Clash, *London Calling*, passaient à la radio. Et je restais rêveur. Ce monde n'est pas le bon, avait dit Pascal, le misérable, il l'avait vu.

19

Donc pour Sandy, la Lolita platinée, sa reine du brushing, on est partis tous les deux acheter dans le Marais ce magnifique canapé d'angle en cuir blanc martelé, de la vachette. Une blinde, un bras sur vingt-quatre mois. Simon a passé trois heures à essayer de négocier le prix, trois vendeurs différents, un boss et un super-boss y sont passés. Ils étaient tous là, à coups de calculettes. Au début Simon a tourné un peu autour du canapé comme un torero autour de son taureau et quand il a vu le prix affiché, j'ai cru qu'il allait tomber dans les pommes. Il s'est juste affalé dans le canapé. Il a fait mine de trouver des petits défauts dans le cuir et a planté ses banderilles commerciales les unes après les autres. Les vendeurs ne pouvaient plus relever la tête et commençaient doucement à s'énerver. Mais Simon a sorti son air de cocker.

— C'est un cadeau que je fais à mes parents… Quand on a travaillé pendant quarante ans comme un chien comme mon père, il le mérite ce canapé, c'est son rêve…

— Oui monsieur…

— Et mon frère est toxicomane et ma mère ne s'en remet pas vous voyez, alors ce canapé, ce serait comme un rayon de soleil dans la maison, vous comprenez, ils le méritent.

Il était sacrément gonflé.

Au bout de trois heures de délibérations et de tours de passe-passe, où on avait eu le temps de se faire offrir cafés chauds et cocas glacés, Simon a réussi à obtenir vingt-cinq pour cent, la livraison gratuite, un étalement de paiement avec les six premiers mois sans frais et, comme cadeau de départ, une très belle lampe design qu'il avait gardé à la main pendant toute la négociation, genre Oscar, parfois légèrement menaçant, comme s'il tenait une matraque. Je crois qu'ils voulaient coûte que coûte le faire sortir du magasin. Ils étaient à deux doigts de la crise de nerfs et d'appeler les flics.

Dans la rue, Simon était un peu bougon.

– Bon ce qui me fait chier, c'est qu'ils ont cédé à moins vingt-cinq pour cent, tu sais ce que ça veut dire ?

– Non.

– Que je me suis fait enfler.

– Tu crois ?

– C'est pas que je crois, c'est que j'en suis sûr. Je n'aurais jamais dû lâcher à moins vingt-cinq. Je me suis fait enfler et j'ai rien senti.

– Écoute, je crois quand même qu'ils ont fait des efforts.

Il marchait droit comme un i, un peu à la manière de King Éric après son célèbre coup de pompe en tribune.

– Des efforts, mon cul. Ces mecs-là ne font jamais d'efforts, ils regardent seulement leur marge, qu'il reste de la viande sur l'os, et je me suis fait choper comme une pauvre truffe que je suis ! Ils l'ont surcoté ce canapé blanc, surcoté ! Et je me suis fait baiser, c'est tout. Je l'ai juste acheté au prix sans ristourne, ils ont fait leur marge, les chiens ! J'y retourne !

– Nan, c'est bon. Laisse tomber. Oh, Simon !

– Je me suis fait niquer, niquer comme un bleu!

– Bah, c'est déjà bien de le savoir.

– En plus je déteste le blanc, ça fait bobo.

– Alors pourquoi tu l'as acheté?

– Pour Sandy. Pour moi, un canapé, un vrai canapé, ça doit être noir, un point c'est tout, ça c'est la classe. Du buffle en cuir noir martelé, rien que de le sentir et je baise pendant trois heures.

Un peu énervé, il a repris sa respiration.

– Alors que blanc, ça me donne envie de dormir!

En marchant jusqu'à sa voiture, il a commencé à se décontracter.

– Je te le dis tout net, c'est un tournant dans notre vie, toi tu viens d'acheter ton studio et moi j'emménage avec la femme de ma vie avec un canapé en cuir blanc à 4 500 euros que j'aurais pu avoir à 3 500 si je t'avais pas senti trépigner comme une vieille pute en plein hiver.

– Jolie image.

– Bon, faut que je me calme. Au bout du compte, elle va être super-contente.

– Y a rien à dire. C'est un beau canapé. Et puis t'as une belle lampe.

Que je trouvais moche, soit dit en passant.

– Tu vois ce que je fais par amour?

– Je vois.

Je n'ai pas osé lui dire que s'il vivait l'équivalent avec sa future femme de ce que j'étais en train de vivre avec mon appart, ça n'allait pas être facile.

20.

Une semaine plus tard, à la Main d'Or, ça ressemblait à une accalmie. J'avais connu ce genre de situation incroyable quand j'étais monté sur le toit-terrasse d'un hôtel de Valladolid au Mexique et qu'on attendait avec mon amour l'ouragan Dean qui devait fondre sur nous comme une énorme lessiveuse. Le ciel était violet et strié de dizaines d'éclairs silencieux. L'œil devait arriver à la verticale cinq heures plus tard. Plus de télé, plus de radio, plus de portables, nous étions coupés de tout. Le calme avant la tempête, une image arrêtée sans oiseaux avec juste un chien pelé qui traverse la route en boitant. Et la machine à laver était passée vers 3 heures du matin et avait tout lessivé, tout cassé, plié les palmiers en deux et entortillé les arbres.

Les clochards de Ledru-Rollin ne restaient plus la nuit, dans le studio. Ils rentraient tous les soirs dans leur coquille cartonnée respective. J'avais pu dormir quelques nuits enfin tranquille. Quand sur les coups de 2 heures du matin, j'ai été réveillé par « Gabrielle, tu brûles mon esprit », comme si mon oreille avait été collée à la glue sur un baffle en plein concert. Le son était étourdissant. J'ai tapé sur le mur. J'ai tapé à la porte. Ils ont baissé, puis éteint la musique.

Au bout d'une vingtaine de minutes, je me suis même rendormi. La nuit se colorait de corps évanescents comme dans *Mon rêve familier*. Quand j'ai été de nouveau réveillé par un énorme boum, une bombe, une explosion terrible. Et avant même que je puisse comprendre ce qui venait de se passer et de me redresser dans mon lit, j'ai vu Gilbert devant moi, comme un guerrier picte, la bite à l'air, tenant une masse de chaudronnier, le regard exorbité, le ton très agressif.

– Le bruit vous dérange?

Un vrai choc traumatique! J'ai essayé, nu moi aussi, de m'extirper de mon lit et de choper mon tabouret de bar pour le mettre entre nous deux.

– Vous n'aimez pas Johnny? il m'a demandé, complètement absent.

– Si si… J'adore Johnny, j'ai balbutié.

J'arrivais à peu près à le tenir à distance.

– Vous n'aimez pas la musique?

– Si si… J'adore. Sors de là!

Et il a lancé d'un trait comme une tirade classique :

– La musique, c'est ce qui sauve la vie des hommes, et Johnny il a sauvé la mienne, moi si on m'enlève Johnny, je meurs, vous voyez.

« Eh ben crève! » Y me vouvoyait! Il venait de défoncer ma porte, il m'avait montré ses couilles, mais il me vouvoyait, ce bâtard!

J'ai essayé tant bien que mal de le repousser dans le couloir. Il semblait complètement indifférent à ce qu'il venait de faire. Il avait explosé ma serrure d'un coup de masse de chaudronnier et avait dégondé ma porte à 3 heures du matin!

Et il est retourné chez lui comme si de rien. En faisant des tout petits pas les fesses à l'air, comme un môme de 5 ans qui se serait fait taper sur les doigts.

– Excusez-moi hein… qu'il a dit en s'éloignant.

J'ai vu son dos, sa nuque rasée avec de gros boutons, des cerises au sirop, et il a refermé sa porte. L'hallucination totale! Je suis resté bloqué, interdit sur le palier.

J'ai remis la mienne, de porte. Je l'ai coincée avec mon nouveau balai-brosse contre le mur du couloir, en travers. Et je suis resté debout jusqu'au petit matin à fumer du mauvais shit, à boire du café noir américain, c'est-à-dire dégueulasse, et à épier le moindre bruit derrière le mur. À la première heure, un serrurier était chez moi.

– Et vous n'avez pas appelé les flics?

– Je n'appelle pas les flics, question de culture ou de principe, je ne sais pas. Je n'ai pas envie de les voir débouler chez moi.

– Comme vous voulez, mais moi je les appellerais. C'est la première fois que je vois ça de toute ma carrière, et pourtant j'en ai vu des trucs de fous.

J'ai appelé le syndic qui a contacté le père de tétines en chocolat et Gilbert en a fait les frais, il est resté en HP nuit et jour non-stop. Derrière le mur, je n'entendais plus de musique mais des murmures, bouts noirs était seule à rester dans le studio et très rapidement les SDF sont revenus squatter vingt-quatre heures sur vingt-quatre. Gilbert en HP, il ne pouvait rien leur arriver de mieux. L'embellie pour tous les cramés du casque.

Un matin au café, je les ai vus défiler, ils étaient huit entre 40 et sans âge, barbus, cheveux longs pour certains, crânes rasés pour d'autres, remplis de cicatrices et de croûtes.

Une horde sauvage. Emmitouflés dans des couvertures argentées et des sacs de couchage, ils prenaient place dans leur nouvel Eldorado avec toutes leurs affaires de pluie.

La première nuit, rires, beuverie, musique, La Compagnie Créole en non-stop, un calvaire de sac à mâcher, engueulades, début de bagarre, porte qui claque. Insultes dans les escaliers. L'alcool aidant, jeu des voix éraillées qui se déforment au fil des heures. Deux des hommes se prenaient méchamment la tête. Y en a un qui disait aux autres, un peu bourré :

— Moi, j'ai été professeur de géographie. Eh oui mon gros! J'ai entendu siffler d'admiration.

— Alors Monsieur, c'est quoi le numéro de la Picardie?

— La Picardie, c'est une région, c'est pas un département, y a pas de numéro pour la Picardie.

— Ah ouais? Ça m'étonnerait!

— C'est une région à trois départements. 02, l'Aisne, préfecture Laon. 60, l'Oise, Beauvais. 80, la Somme, Amiens. Ça c'est les trois départements, mon con.

— Et le 81, c'est quoi?

— Le Tarn, préfecture Albi. Dans le fion!

— Et le 12?

— C'est juste au-dessus, l'Aveyron, préfecture Rodez!

Je me suis dit : « Lui, il est fortiche. Il ne ment peut-être pas, il a peut-être été réellement professeur de géographie… ou alors il travaillait à la poste. »

— Mais la meilleure région, là où y a le meilleur pinard, c'est dans le Bordelais!

— 33!

— Export!

— Question de goût.

– Non moi je dirais question de prix !

– Moi je te le dis, les Bordelais sont des trous du cul mal léchés, qui savent très bien que ce sont des voleurs, vu le prix de leur pinard Château-Roustons ou Mouton mes couilles !

– C'est l'étiquette que t'achètes !

– Qu'est-ce que j'en ai à branler de l'étiquette, ça se fume même pas !

– Sans les Américains, ils seraient morts les Bordelais quand leurs vignes ont chopé le mildiou. C'est pour ça qu'ils plantent des rosiers un peu partout. S'ils avaient pas vendu de cépages aux Ricains, ils seraient morts tous ces bourges. Et toute la côte aurait été vendue aux Anglais.

– On aurait bu que du côtes-du-Rhône !

– 69 !

– Ma tête dans son cul !

Des rires gras. Puis c'est devenu plus sérieux.

– Eh prof ! Pour-pourquoi t'as a-arrêté la gé-géographie ?

– Tu veux savoir la vérité ? Eh bien tu ne la sauras pas ! Moi vivant, tu ne la sauras jamais.

– Il a perdu le nord !

– C'est ça, exactement, j'ai perdu le nord, bande d'abrutis !

– Y a pas que le nord qu'il a perdu !

– Il a tout perdu. À quoi ça te sert ta géographie ?

– À trouver le rayon pinard du Franprix !

– Eh Agnès, t'as pas une autre bouteille de rhum agricole ? Depuis que ton mec est plus là, on dirait que t'es morte ! Bouge ton cul et va chercher les bouteilles !

Elle avait dû le bouger pour faire l'intéressante. Et les chiens errants commençaient à montrer leurs dents jaunes avant d'attaquer en meute la petite chatte pelée.

– Oh c'est pas mal comment tu le bouges, dis donc!

– Moi je sais que la ca-capitale de la Bir-birmanie, c'est
Ran-rangoon, a déclamé le bègue visiblement pas dans le
mood.

– Eh Agnès, est-ce que t'as de l'eczéma sur le cul? a
demandé la voix éraillée.

J'ai entendu Agnès rire d'un petit rire gêné. Puis quelqu'un
frapper dans ses mains, tout excité, comme pour un mariage
berbère.

– Ben non regarde-moi ça, ce cul tout lisse et tout blanc
qu'elle a, dis donc.

– Me baisse pas la culotte. Non arrête, t'es con!

Rires salaces.

– Oh la jolie fourrure du petit écureuil! Penche-toi en
avant pour voir!

– Oh la belle brosse, a surenchéri la voix éraillée.

– A-Arrêtez les me-ecs, vous vous z-z'êtes c-cons, laissez-
la tranquille!

Bouts noirs s'appelait donc Agnès, le petit agneau était
entouré de loups affamés dans vingt-cinq mètres carrés. J'ai
pensé à Blanchette, la chèvre de Monsieur Seguin, qui me faisait pleurer quand j'étais petit. Je me suis endormi, fracassé
par les vagues incessantes de leurs histoires sans queue ni tête.

21.

Simon m'avait appelé en détresse. Ça n'allait pas du tout. Au bout de quinze jours, Sandy lui avait demandé de quitter la maison. On s'est retrouvés dans un bar de Bastille. Et on s'est posés devant deux Picon-bière.

– Qu'est-ce que t'as fait ? T'as joué du banjo avec ton chibre ?

– Je n'ai pas envie de plaisanter, Raphaël.

– Moi non plus par les temps qui courent. Alors quoi ?

– Je te le dis, c'est la femme de ma vie… Alors je ne joue pas du banjo.

Il a marqué un temps puis a continué tristement :

– Je ne jouerai plus jamais du banjo avec ma bite.

J'ai failli éclater de rire.

– Quel dommage ! Quelle perte pour le rock'n'roll, j'en connais plus d'une que ça va rendre malade !

– Arrête, s'il te plaît.

Il avait l'air complètement effondré. Je triturais une cigarette que je faisais tourner entre mes doigts, un bâton de tabac pour majorette en quête d'amour.

– Alors, qu'est-ce qui s'est passé ?

– Je ne sais pas, je te jure, je ne comprends pas, je ne comprends plus rien…

– T'as pas fait le con, t'es sûr ?

– Non, non, j'ai rien fait de spécial. Toute la semaine, elle était super-heureuse pour le canapé blanc. On a fait l'amour dessus, on s'est scotché les fesses. C'était génial. Hier soir, je suis sorti pour voir mon frère, qui entre parenthèses commence à tomber au fond du trou, et quand je suis rentré, c'était la crise.

– Elle a peut-être cru que t'étais sorti en boîte comme d'habitude.

– Non, non, je ne sors plus en boîte ! J'ai passé la semaine avec elle au salon de coiffure, on ne s'est pas quittés, c'était l'amour fou, parfait, total, le truc fusionnel, paradisiaque, idyllique. Et maintenant, elle veut que je m'en aille…

– Drôle de fusion.

– J'y comprends rien. Je te jure.

– Je te crois.

– Comment on peut passer du tout au tout comme ça, du paradis à l'enfer, je ne comprends pas…

J'avais quand même envie de l'asticoter un peu, alors je lui ai dit le plus sérieusement possible :

– Ça, ce sont les plans karmiques, c'est pas toujours facile à comprendre… Peut-être que t'as fait une erreur avec elle dans une vie antérieure et c'est maintenant que tu le payes !

– S'il te plaît, y a un temps pour tout et si tu le vois pas, je suis pas d'humeur, je suis pas en état de plaisanter. J'en ai ras la gueule.

– Qu'est-ce tu vas faire ?

– Je vais rester, je vais essayer de récupérer le coup. Je vais ramer comme un malade, mais je vais trouver une solution.

– Offre-lui un énorme bouquet de fleurs ou je sais pas…

– Oui mais si je lui offre des fleurs, elle va croire que je veux me faire pardonner de quelque chose, alors que j'ai rien à me faire pardonner, rien. Je suis droit comme un i, j'ai pas bougé une oreille !

– C'est pas les oreilles qui l'inquiètent chez toi.

– Très drôle…

– Offre-lui son poids en chocolat au lait ou un petit parfum chic…

– Si je fais ça, je mets de l'eau à son moulin.

– Elle te reproche quelque chose de précis ?

– Je ne sais pas. Je te jure c'est affreux ! Affreux !

– Elle t'a rien dit, c'est venu comme ça après une engueulade ?

– Non, même pas. Elle m'a demandé de partir, c'est tout.

– Sans raison ?

– Ouais, sans raison…

– C'est pire. Tu lui as chanté Aznavour au petit déjeuner ?

– Arrête !

Il a semblé réfléchir.

– Si elle me vire, je me casse avec le canapé et je le revends dans la foulée à 6 000 !

22

Au bout de quelques jours, Gilbert est revenu. Je l'entendais parler avec Agnès, mais je ne les voyais plus jamais. En fait, ils parlaient peu et n'écoutaient plus Johnny. À les entendre bouger derrière le mur, j'avais l'impression que la camisole chimique devait être méchamment forte. Parfois, ils mettaient la radio qui grésillait pendant des heures entre deux stations. Puis un grand silence. C'était très bizarre, on aurait cru à un processus inversé. C'est eux qui m'écoutaient, c'est eux qui m'épiaient. Sans faire de paranoïa, c'était plutôt flippant. Je rentrais chez moi comme une ombre et j'entendais des murmures :

– Chut. Chuuuut.

– Tais-toi, il est là, disait Gilbert.

– Il est là ? demandait Agnès.

– Oui, il est là, chut !

– Fais pas de bruit.

– Quoi ?

– Ne fais pas de bruit, je te dis.

– Chut…

Alors j'ai commencé à marcher sur la pointe des pieds. Je les écoutais et ils me guettaient. Un soir, un frisson m'avait parcouru tout le corps quand j'avais posé ma tête contre le mur pour entendre quelque chose. J'avais eu la sensation qu'ils faisaient la même chose que moi au même instant de l'autre côté de la paroi. Je rentrais doucement mais sûrement dans un film d'horreur.

Parfois, arrivé au niveau du troisième étage, j'entendais leur porte grincer puis claquer comme s'ils m'attendaient sur le palier.

J'entendais : « Chuuuuut. » Comme un long souffle. Je tendais l'oreille pour écouter le moindre mouvement, le moindre bruit. « Chuuut. »

Je restais tétanisé de longues minutes, retenant presque ma respiration. J'avais l'impression sourde qu'ils m'en voulaient de quelque chose. J'en arrivais presque à culpabiliser que Gilbert ait passé quelques nuits en HP. J'étais tombé dans une sorte de spirale, un cercle infernal et il fallait que je m'en sorte. J'avais peur de rentrer chez moi, je n'y emmenais plus personne. Cet appartement était devenu une zone sinistrée. Une sorte de monde parallèle. Au troisième étage, une des portes condamnées avait été forcée. À chaque fois que je passais devant, j'avais l'impression que quelqu'un était derrière la porte et allait faire « chut » sur mon passage ou me sauter dessus et me mettre un coup de couteau. Le sentiment permanent d'être suivi.

Un jour, la minuterie s'est arrêtée dans l'escalier. Un noir presque complet. Entre les étages, il y avait des fenêtres crasseuses qui laissaient à peine passer la lumière du dehors. Et souvent j'entendais de la musique classique qui venait de chez la prof du quatrième en dentelle noire, les notes de piano me mettaient un peu de baume au cœur, dans la montée. Jusqu'au jour où j'ai tapé chez elle. Une voix terrifiée derrière la porte m'a répondu :

— C'est qui ?

— Je suis le voisin du cinquième.

— Qu'est-ce que vous voulez ?

Elle n'avait pas osé ouvrir sa porte.

— Vous allez bien ?

— Oui. Et vous ?

— Ça va.

— C'est quoi que vous écoutez comme musique ?

— *L'Île des morts* de Rachmaninov.

— Ça fait un peu peur, mais c'est très beau.

— Oui, c'est très beau.

— Vous êtes sûre que ça va ?

— Oui, ça va.

Je suis remonté chez moi comme un chat. Elle n'avait pas l'air d'aller bien non plus, la voisine du quatrième. Je commençais à comprendre que nous étions tous dans des cercles infernaux, à nous guetter les uns les autres. Le 1 passage de la Main d'Or était devenu un endroit possédé par les murmures. Mes escaliers me faisaient peur. Chaque marche me faisait penser à la face nord, plein hiver, du Nanga Parbat, la montagne mangeuse d'hommes.

23.

Au café, j'avais surpris monsieur le président parler en russe avec deux femmes très élégantes, toutes les deux vêtues de noir. Je me suis demandé si elles ne revenaient pas d'un enterrement. Et j'ai entendu dans la conversation le mot théâtre. Je ne sais pas pourquoi mais quand les deux femmes sont sorties du café, j'ai croisé son regard et je lui ai demandé s'il travaillait dans le théâtre. Il m'a dit :

— Pas du tout. Mais asseyez-vous. Vous prenez un café-crème, non?

— Une noisette.

— Oui c'est ça, un double expresso avec une goutte de lait froid.

— C'est ça.

C'était vrai, je prenais tous les matins un café avec une goutte de lait froid. Le lait chaud donnant tout à fait un autre goût.

— Comment vous appelez-vous, jeune homme?

— Raphaël.

— Raphaël vient de l'hébreu *rafa*, guérir et *El*, Dieu. Dieu seul guérit. C'est un très beau prénom.

— Merci. Vous parlez hébreu?

— Je suis un juif russe, anciennement immigré aux États-Unis. Alors je parle quelques langues dont l'hébreu. Vous ne parlez pas l'hébreu ?

— Non.

— C'est dommage. Il faut l'apprendre ! Parfois on dirait que la langue française a été inventée pour commenter l'hébreu. Le français est une langue d'une infinie richesse, nourrie de racines profondes, de terres étranges, c'est une langue complexe, mosaïque, c'est une langue sacrée aussi curieux que cela puisse paraître. Les plus grands secrets s'y cachent. C'est aussi le véritable art goth en deux mots. Mais aussi la langue verte. Je passe très facilement de l'hébreu au français et du français à l'hébreu, comme un singe passe de branche en branche.

Il avait dit tout ça d'un trait. Je l'ai regardé avec des yeux ronds.

— Donc, vous ne travaillez pas dans le théâtre ?

— Non, j'ai été batteur de jazz à la grande époque, Coltrane, Thelonius Monk, mais surtout conseiller politique à la Maison Blanche.

— Nooon… j'ai fait super-étonné.

— Qu'est-ce qui vous étonne le plus, Coltrane ou la Maison Blanche ?

— La Maison Blanche, j'ai fait en souriant.

— Il faut bien que quelqu'un s'y colle. Vous savez, les politiques voient rarement plus loin que le bout de leurs intérêts. Donc je les aidais à se projeter un peu au-delà. J'étais spécialiste en géopolitique, et plus précisément concernant le Moyen-Orient où j'effectuais des missions sous différentes identités.

— Incroyable.

– Sinon, j'étais dans les affaires, comme on dit. Comme ça, on généralise et on ne dit rien. Les affaires, c'est vague et tout le monde peut s'imaginer le genre d'affaires. Mais le plus sûr pour qu'on ne vous pose aucune question, le meilleur métier comme couverture, c'est : « Je travaille à la comptabilité d'une boîte informatique. » Ça, ça n'intéresse jamais personne.

J'ai souri.

– Et maintenant, vous vivez à Paris ?

– Dans l'ancien appartement d'Henry Miller boulevard de Clichy. Enfin, là où il habitait.

– Non ? Henry Miller, *Sexus*...

– Entre autres.

– Mais pourquoi vous venez tous les matins à Ledru-Rollin, alors ?

– Je m'occupe de ma nièce qui a eu un grave accident de voiture et qui habite ici, dans le quartier. Je fais ses courses, je l'aide à se laver, ce genre de choses. Elle ne peut plus marcher. Alors j'ai pris mes petites habitudes en venant tous les matins dans ce café...

– Vous ne regrettez pas les États-Unis ?

– Le mot regret ne fait pas partie de mon vocabulaire, jeune homme. Non, un jour, je me suis décidé à revenir vivre à Paris. Je ne pouvais plus rester là-bas... Et puis ma mère a toujours vécu ici, et ma nièce aussi.

– J'espère que je ne vous dérange pas ?

– Pas du tout. Je m'appelle Viktor, avec un « k ».

– Enchanté, Viktor.

– On se retrouve ici demain matin, si vous voulez, qu'il m'a dit en partant.

C'est ainsi que j'ai rencontré celui qui allait devenir pour moi une sorte de mentor, de maître à penser, mon guide alpin.

Tous les matins, il partait bille en tête, ses yeux plantés dans les miens.

– Si vous voulez comprendre le monde, il ne faut pas vous arrêter à l'actualité, mais analyser ce qui s'est passé depuis 5 000 ans et même encore plus loin, sinon vous ne comprendrez rien à rien de ce qui se passe aujourd'hui. Qu'est-ce que vous faites dans la vie ?

– J'essaye d'écrire.

– Vous écrivez quoi ?

– J'essaye d'écrire pour le théâtre.

– Des pièces ?

– Plutôt des petits textes pour l'instant, j'ai joué dans des boîtes de nuit... Et j'ai écrit des textes pour une petite compagnie de théâtre. Mais c'est sans importance, vous savez.

– C'est intéressant de jouer dans les boîtes de nuit... C'est une très bonne idée.

– Oui, quand on n'a pas d'argent pour payer une salle de théâtre, la boîte de nuit c'est idéal, y a un plateau, des loges, de la lumière, du son et du public. Ce qui est génial, c'est que généralement, les gens qui sortent en boîte ne connaissent rien au théâtre.

– Je pourrais vous lire ?

– Non, je vous assure, c'est sans importance. C'est juste un peu de *jungle poetry* à balancer sur des tabourets...

Je ne lui ai pas dit que j'avais gagné un prix et monté ma pièce à Avignon, je préférais avec lui rester dans le flou le plus complet.

– Et quels sont vos thèmes de prédilection ?

– Ce qui se passe la nuit, dans ma rue, devant chez moi, des histoires de femmes, d'argent, de fumette et d'alcool quand tout le monde est couché, la route, enfin… Comment quitter sa banlieue. Donner la parole à ceux qui ne l'ont pas. Et qu'est-ce que l'amour ?

– Ce sont des thèmes de la *Beat Generation* tout ça, Kerouac, Ginsberg, Burroughs, puis Fante, Bukowski, de grands poètes…

– Je les aime beaucoup.

Il avait cité d'un coup les maîtres du genre pour moi.

– Et vous avez regardé le mot amour ?

– Comment ça ?

Il avait sorti une petite feuille et un petit crayon à papier vert.

– Je vous ai dit que la langue française pouvait commenter l'hébreu. Regardez comment le mot Amour se décompose. « Am-our. » *Our* est la racine de la lumière, *or, nour, aor, aour,* qu'on retrouve dans le mot jour, en français. On pourrait déjà dire pour Amour : âme de lumière.

– C'est très beau.

– *Am* en hébreu veut dire peuple, brebis ou tout simplement maman. Ma définition du mot Amour, ce serait : peuple de lumière ou brebis de lumière, c'est-à-dire le Christ. Mais nous pourrions le décomposer différemment, Amo-Ur. Aimer les origines, Ur étant l'endroit du commencement, des origines, du scintillement. Et Abraham était sous le chêne de Mamré, il quitta Ur pour Canaan, la cité des marchands. La lettre A, c'est le commencement de l'alphabet, l'*Aleph*, l'*Alpha*, la lumière qui descend. Donc on pourrait dire que Amour est lié au peuple de lumière, à la brebis lumineuse depuis les origines, le scintillement, la naissance… Et si on ne garde que les deux consonnes du mot Amour, comme ferait le moindre kabbaliste, ce sont M et R, mer, la mère, voyez-vous? C'est normal que la mère soit représentée dans Amour, vu que c'est par elle que tout commence dans le scintillement lumineux.

– C'est merveilleux votre façon de penser.

Qu'est-ce que je pouvais dire d'autre?

– Je vous dis ça parce que vous écrivez! Sinon je n'en parle jamais! Alors n'ayez pas honte de ce que vous écrivez. Il est écrit dans la Bible que tout homme peut devenir président, roi, général d'armée, guerrier, grand prêtre, mais jamais poète, on naît poète, on ne peut pas le devenir.

– Oui, c'est drôle.

– En premier, les fous errants prophétisent, puis viennent les poètes… Et c'est dans l'ordre.

– Ah oui.

– Vous comprenez ce que ça veut dire?

– Oui. Je crois.

– Vous croyez en Dieu?

– Oui peut-être… Je ne sais pas…

– C'est un bon début, vous doutez.

– Oui, je doute de certaines choses…

– C'est normal! Heureusement que vous doutez! Le doute est le premier pas vers Dieu. Si vous doutez, vous allez chercher, vous intéresser, vous pencher par exemple sur la traduction exacte du mot Elohim dans la première phrase de la Bible ou lire le prophète Ézéchiel ou le livre d'Hénoch qui gagna le ciel sur un chariot de feu. En tout cas, ce sont les êtres sensibles qui cherchent. Les autres s'en moquent complètement ou n'ont malheureusement plus le temps, ou ne savent même plus qu'il y a quelque chose à chercher. Vous comprenez?

– Oui. Et vous, vous croyez en Dieu?

Ses yeux brillaient. Il souriait.

– Oui, j'ai déjà renoncé à pas mal de choses...

– Comment ça?

– Regardez la racine sémitique de Dieu en arabe, *Al*, si vous mettez le A après le L, ça donne *La*, non en arabe. Et vous pouvez faire la même chose en hébreu, qu'est-ce que ça veut dire?

– Je ne sais pas.

– Ça veut dire que chaque pas vers Dieu est un renoncement, chaque pas vers Dieu vient de notre capacité à pouvoir dire non.

– Je ne comprends pas.

– Non au vol, non au viol, non au désir et à nos pulsions vers la première femme qui passe, non au meurtre, non à la torture, non aux mensonges...

– D'accord.

– Mais puisque vous me posez la question de croire, je vous répondrai que croire c'est s'enfermer, mais la foi c'est autre chose, la foi c'est l'ouverture vers l'autre. Un croyant s'enferme. C'est tout le problème de la religion.

Il s'est allumé une cigarette d'une marque inconnue.

– Les dogmes sont comme des tableaux qu'on accroche aux murs et qui ne bougent plus, alors que tout est mouvement autour de nous... Tout! Regardez, ces murs n'existaient pas, il y a seulement cent ans, ni cette tasse, ni cette petite cuillère, ni les voitures que nous entendons dehors, rien! Et cet endroit dans un siècle ou deux deviendra peut-être un zoo ou une piste d'atterrissage pour hélicoptère ou que sais-je ? Tout est rythme et mouvement autour de nous, voyez-vous ? Et nous faisons nous-même partie de ce mouvement perpétuel, naturel. Le problème, c'est que nous sommes entourés et bombardés de réponses à des questions fondamentales que nous ne nous sommes jamais posées. Nous sommes agressés par ces réponses. Comment comprendre la lumière, le son, la télé, un DVD, un ordinateur, la radio, une voiture ou un avion qui décolle ? Seuls sur une île déserte, nous ne saurions rien faire de tout ça, même une fourchette en aluminium, on ne saurait pas la refaire ! Extraire de l'aluminium, quel processus ! On pourrait à la rigueur faire du feu, une éolienne, un bol en terre cuite, des pièges à oiseaux, un harpon, un pagne en feuilles, une table, une cabane, faire de l'élevage et une petite plantation, sculpter le corps d'une femme dans un morceau de bois ! En fait, nous ne sommes pas plus évolués que l'homme du bronze ! Donc l'homme qui n'a pas développé une spiritualité ou une philosophie suffisamment forte pour contrebalancer toutes ces questions scientifiques qui l'agressent se lève le matin et pleure. Il ne comprend plus le sens de sa vie.

Depuis quelques minutes, il fixait étrangement mon bras droit où j'avais quelques bracelets en tissu. Il les regardait avec tellement d'insistance que je lui ai posé la question :

– Vous regardez mes breloques ?

– Non pas du tout. La cicatrice que vous avez sur le bras.

– Ah ça c'est rien, c'est une petite opération.

– Et vous avez des passions ?

– Oui. Un petit peu. Et vous, vous avez des passions ?

– Les mondes perdus.

Puis il s'est tu, comme si de dire « mondes perdus » nous faisait tomber dans un silence noir. Il m'a fixé longuement, plusieurs secondes, sans parler. Ses yeux semblaient se planter derrière les miens, pénétrer mon front, fouiller derrière ma tête.

— Les mondes perdus, vous voulez dire l'Atlantide ?

— Oui, ce genre de chose. Vous connaissez le mythe de l'Atlantide ?

— Oui. Un petit peu. Comme tout le monde.

— Tout est un petit peu avec vous…

J'ai souri et essayé d'enchaîner.

— Je travaille sur les quais de la Seine, je vends des bouquins d'occasion. Alors des livres sur l'Atlantide, j'en ai toujours un ou deux en rayon.

— En rayon… Quelle chance vous avez de vivre avec les livres ! Le livre délivre.

Il a de nouveau marqué une pause puis a sorti d'un trait :

— Pour vous, l'Atlantide est un mythe, une légende, une civilisation antédiluvienne ou tout simplement un endroit de notre cerveau ? Une mémoire cellulaire ADN, un Éden ?

— Joli.

— Comme un paradis, le Pardès des kabbalistes ou une mémoire perdue ou une civilisation qui vivrait en parallèle de la nôtre ou peut-être même souterraine et qui pourrait ressurgir d'un instant à l'autre ? On pourrait parler des Grecs et des dieux vivant dans l'Olympe ou de la race des géants… Ou des constructions colossales de l'Égypte ancienne ou d'Aztlan, l'île mythique des Aztèques. Avez-vous remarqué que Aztlan et Atlantes sont proches ? On pourrait même parler de la pyramide de Tula qui nous renvoie au mythe de Thulé. Surtout que pour beaucoup de civilisations d'Amérique centrale et du Sud, les dieux venaient de l'est... C'est-à-dire de chez nous.

– Houla... Vous allez un peu trop vite pour moi, là...

J'étais soufflé. Il enchaînait les idées avec une vitesse, une énergie et une fluidité incroyable.

– C'est que je n'ai plus beaucoup de temps, vous savez...

24.

— Qu'est-ce que je fais? m'avait demandé Simon.

— Pardon?

— Oh, tu m'écoutes? Qu'est-ce que je fais avec Sandy?

— Ce que tu veux.

J'ai essayé de prendre des gants alors que j'avais envie de tout le contraire. Qu'est-ce que j'en avais à faire de Sandy? Elle lui faisait du mal.

— Je serais toi, je laisserais tomber.

— Ouais mais t'es pas moi.

Ça commençait bien.

— Écoute-moi, une femme qui te dit au bout de quinze jours de te tirer de chez elle, ce n'est pas très bon signe, si tu veux mon avis.

— Mais elle est tellement belle, tellement douce. C'est même pas croyable. L'odeur de sa peau, le parfum dans ses cheveux…

— Oui je sais, mais elle veut que tu te casses alors casse-toi! Alors l'odeur de ses cheveux, qu'est-ce qu'on s'en tape? Regarde juste ce qu'elle prend comme shampoing et achète-le! Et dès que t'es en manque d'elle, ouvre le bouchon et fais-toi un bon snif!

– T'es con. Tu comprends rien… Je crois qu'en amour tu n'as jamais rien compris de toute façon…

– T'as peut-être raison. Alors explique-moi, s'il te plaît. J'écoute le roi de l'amour qui vient de se faire jeter comme un vieux slip.

Il avait le regard dans le vide. Je voyais qu'il souffrait vraiment, cet idiot. Et ça me faisait de la peine.

– Je crois qu'elle a besoin de temps, il a soufflé.

– Ça doit être ça.

Il restait sur son petit nuage, tel Aladin sur son tapis volant.

– C'est arrivé tellement soudainement. En une semaine, on a parlé mariage, enfants, prénoms… On a peut-être été un peu trop vite…

– Non tu crois ? j'ai fait, jovial, pour détendre l'atmosphère.

Mais lui restait sur sa ligne de tristesse.

– Et on a raté un virage.

Il m'écoutait déjà plus, roulant dans son champ de pâquerettes.

– Mais là, hier soir, elle m'a dit de lui rendre les clefs, de faire mon sac et de partir. Je ne sais plus quoi faire.

– Tu lui as rendu les clefs ?

– Non, je les ai encore. Elle m'a dit que sa mère arrivait en fin d'après-midi pour rester une semaine entière, alors une mère normalement c'est de bon conseil, et moi les belles-mères, elles me kiffent grave. Je ne sais pas pourquoi mais elles m'adorent et les beaux-pères, pareil, je les fous dans ma poche. Ça devrait passer.

– Tu dois avoir un côté gendre idéal.

Il avait eu un regard de chien battu.

— Oui, t'as peut-être raison, je dois avoir un côté gendre idéal.

Il avait des larmes plein les yeux et j'ai cru voir sur sa tête une coquille d'œuf. Il prenait tout au premier degré que ça en était effrayant. Alors j'ai essayé de lui mettre un petit coup de cuillère sur le crâne.

— Non, je déconne. T'as vu la tête que t'as? On croirait un homme de main de la mafia calabraise. Enfin là, on dirait le chien d'un maffieux calabrais.

— C'est pas drôle. Je suis malheureux. Je te jure, je suis à fleur de peau. Je vais rentrer.

— Où?

— Ben chez moi, chez elle. Où veux-tu que j'aille? Sur la lune? Je vais rentrer, je suis fatigué. Hier soir, elle m'a dit de faire mes valises, et après on a fait l'amour comme si c'était la dernière fois et c'était incroyable tu vois, à un moment…

— Ne me donne pas de détails, s'il te plaît…

Ses yeux s'embrumaient.

— Elle avait sa petite chatte toute douce, toute gonflée et elle dormait contre moi.

— C'est super. J'adore…

— Je vais rentrer, me transformer en Winnie l'ourson et je vais lui bouffer son ticket de métro.

Il avait dit ça comme dans un sursaut d'orgueil.

— C'est ça, rentre Winnie. Ça va aller. Va brouter Bouton d'or!

Il était vraiment malheureux. L'âme en peine lui allait comme un gant.

— Ouais, ça va aller. J'en ai plein le cul de l'amour, si ça ne marche pas avec elle, moi j'arrête.

– Tu dis ça à chaque fois.

– Nan, j'arrête !

Et là, tout d'un coup, il s'est durci.

– Non regarde-moi, je ne plaisante pas Raphaël, je suis très sérieux, si ça ne marche pas avec elle, j'arrête ! Moi je te le dis du fond du cœur… C'est pourri de tomber amoureux ! Et cette fois, je ne prendrai pas un couteau à beurre !

25.

Le lendemain, attablé dans l'ombre au fond du café, Viktor semblait m'attendre.

– Alors vous la situez où exactement, cette fameuse Atlantide ?

– Avant le Déluge, j'ai répondu en souriant, conscient que je ne répondais pas véritablement à sa question. Ça a eu l'air de l'amuser.

– Savez-vous que pour le Déluge, l'eau n'est pas tombée du ciel mais elle est montée, c'est ce qui est dit dans la Bible ou les légendes sumériennes. Moi, j'assimilerais ça à un changement de polarité, à la fonte des pôles comme si l'Arctique et l'Antarctique s'étaient mis à fondre en même temps. Si cela arrivait à nouveau, le niveau de la mer monterait au minimum de quinze mètres sur toute la surface du globe. Ici par exemple, à Paris, nous serions en partie sous l'eau. On parle aussi de soixante mètres si toutes les réserves de glace se mettaient à fondre. Je pense sincèrement que le Déluge correspond à un changement de pôle magnétique. Vous lisez les journaux ?

– Oui, mais que les brèves, j'ai fait en souriant.

– Vous étiez là quand j'en ai parlé l'autre fois avec le pêcheur à la ligne.

– Oui.

Il avait tout vu. Tout entendu.

– Nous sommes dans un passage étroit, jeune homme, le monde est chaotique. Apocalypse en grec veut dire dévoilement et révélation. Et révélation vient du latin *re-velare*. Re-voiler, voiler à nouveau.

– Intéressant.

– Lisez les journaux, mais surtout écoutez dans la rue ce que les fous ou les illuminés disent, écoutez leurs voix, ils sont souvent reliés et certains prophétisent. Ils nous apprennent ce que nous sommes.

J'ai pensé tout à coup à mes voisins et à Pascal qui disait que ce monde n'était pas le bon.

– Vous vous intéressez à l'Afghanistan ?

– Pas plus que ça. Pourquoi ?

Il s'est mis à sourire.

– Pourquoi ? Vous me demandez pourquoi ?

J'ai souri à mon tour.

– Ça ne vous paraît pas étrange ?

– Qu'il y ait la guerre ?

– Oui, par exemple.

– Ben c'est un endroit géostratégique, c'est ce que tout le monde dit, non ? C'est frontalier avec le Pakistan et l'Iran, je crois.

– C'est aussi frontalier avec la Chine et les républiques du Tadjikistan, d'Ouzbékistan et du Turkménistan. À l'époque d'Alexandre le Grand, parti là-bas chercher la Fontaine d'immortalité en 323 avant Jésus-Christ, oui, c'était un endroit géostratégique. Mais aujourd'hui, à quoi ça sert? On ne se déplace plus à dos de chameau. Et la route de la soie et des épices passe par China Airlines à 30 000 pieds dans le ciel.

– Je ne sais pas.

– Vous ne savez pas? Posez-vous les bonnes questions, jeune homme. Normalement les guerres ont lieu essentiellement pour des raisons économiques, pour le pétrole qui va très vite être dépassé, soit dit en passant. On se bat pour le gaz, l'uranium, la colombite-tantalite, pour les diamants, les rubis, les émeraudes, pour l'accès à l'eau... et de plus en plus pour l'accès à l'eau d'ailleurs. C'est pourquoi les Chinois ont repris le Tibet qui déverse la moitié de l'eau dont a besoin la Chine. Imaginez que la naissance de tous ces fleuves se trouve au Tibet : l'Indus, le Mékong, le Yang-Tsé, le fleuve Jaune, le Brahmapoutre... Vous comprendrez aisément que ce n'est pas qu'une histoire de répression contre les moines bouddhistes aux bonnets jaunes. Mais là-bas, en Afghanistan, il n'y a rien de tout ça, juste quelques champs de pavot, un peu d'émeraude dans les montagnes et de la rocaille à perte de vue, alors pourquoi?

– Franchement, je ne vois pas. Peut-être pour établir la démocratie, pour défendre le droit des femmes voilées et pour que les enfants puissent aller à l'école...

Il a bu une petite gorgée de thé.

– Arrêtez de plaisanter, s'il vous plaît! On ne largue pas des tonnes de matériel, on ne dépense pas des milliards et on n'envoie pas des milliers d'hommes mourir là-bas pour que les enfants puissent aller à l'école, ni pour que les femmes se dévoilent et se mettent à porter des jeans et aillent manger un Mac Do.

Le ton était monté d'un cran. Je venais de me faire taper sur les doigts.

— Comment se fait-il que toutes les grandes puissances aient voulu prendre ce pays depuis toujours ? Le posséder ? Qu'y a-t-il là-bas de si intéressant ?

— Je ne sais pas. Vraiment.

— Tous les personnages les plus puissants ont désiré cet endroit : Cyrus II, roi de Perse, qui ordonna la reconstruction du deuxième Temple et permit aux Juifs exilés de Babylone de rentrer à Jérusalem, Alexandre le Grand, Gengis Khan, Tamerlan, Bâbur, le fondateur de la dynastie moghole, tous ! Le Tsar, au XIXe siècle, envoie des bataillons entiers mourir dans les montagnes, les Anglais prennent l'Inde mais butent sur l'Afghanistan et subissent de terribles défaites, les Soviétiques, de 1979 à 1989, dix ans de guerre meurtrière, inutile et sans fin, puis les Américains, impuissants au bout du compte, et pour finir la coalition de tous les pays riches. Les guerres coûtent cher, alors pourquoi font-ils cela ? Pourquoi cette folie abrahamicide ?

— Abrahamicide ?

— Oui, pourquoi tuer leurs propres enfants au combat, les sacrifier comme ça ?

— Là, j'avoue que je ne vois pas, je comprends ce que vous me dites, mais je ne me suis jamais posé la question.

— Pourtant elle est essentielle, vous m'entendez ?

— Oui…

— Pour nous qui sommes des Indo-Européens, il y a un arc solaire, trois zones où il y a eu la guerre à travers le temps : l'Afghanistan où le soleil se lève, Jérusalem, *Ierosol* et son soleil zénithal, et l'Occitanie.

– L'Occitanie ?

– Oui, le royaume d'Oc, Oc Tan, là où le soleil se couche, le royaume des morts.

– Ah d'accord, j'ai répondu évasivement.

– Qu'est-ce que vous vous posez comme question ?

– Sur l'Occitanie ?

– Oui, ou sur tout autre chose… il a fini par dire.

J'étais complètement perdu. En dix minutes, il m'avait mis la tête à l'envers. Je n'ai pas su quoi lui répondre. Je me sentais tout d'un coup vidé de ma propre substance. Et tout ce que je croyais comprendre s'envolait en fumée. Il a ajouté, un brin malicieux :

– Et l'Agarttha, ça vous dit quelque chose ?

– Comment vous dites ?

– L'Agarttha.

– Non, jamais entendu parler.

– C'est un royaume secret, sacré, un monde intérieur, visiblement inaccessible.

– Un peu comme dans le *Voyage au centre de la Terre* ?

– Ah, le Snæfellsjökull… À la pointe ouest de l'Islande… Un des grands chakras de la Terre, un *dwipa*.

Ses yeux s'étaient mis à briller.

– Jules Verne… C'est le dernier défi qu'il nous reste de toutes ses aventures littéraires et visionnaires, qu'on croyait à une époque pas si lointaine impossibles, utopiques… comme d'aller sur la lune ou de voyager avec le Nautilus sous les mers.

– C'est vrai, j'ai fait.

– Alors celle d'aller à l'intérieur de la Terre n'est pas la plus difficile, reconnaissez-le, et pourtant…

– Oui, vous avez raison.

— Dites-vous que viendra un temps où tout ce qui est extérieur deviendra intérieur et tout ce qui est intérieur viendra à l'extérieur. Vous saisissez ?

Je suis resté sans voix, sans comprendre réellement ce qu'il était en train de me dire.

— Et sur les mondes perdus, oubliés, parallèles peut-être… Avez-vous déjà croisé, dans vos rayons, Mu, Avalon, l'Île blanche, l'Alborj, Shambhala, Shangri-La, les Hyperboréens, Thulé, Heligoland ?

— J'en ai survolé certains…

— Jolie expression, un survol des mondes perdus. Comme les avions de l'amiral Byrd.

— Je ne connais pas.

— C'est très intéressant. Tapez amiral Byrd, avec un « y », sur internet. Mais méfiez-vous tout de même des informations et des livres qui pourraient vous attirer, ce n'est pas parce qu'un ouvrage est publié et vendu qu'il dit la vérité. Et on trouve tout et n'importe quoi sur le net, en un déluge où plus personne ne peut délier le vrai du faux.

— Je crois que j'ai besoin de réfléchir à tout ça, je lui ai dit, complètement perdu.

— C'est ça, réfléchissez. Il y a deux choses qui peuvent réfléchir, l'homme et la lumière… À moins que ce ne soit la lumière à l'intérieur de l'homme qui réfléchisse en lui.

26.

Je suis rentré comme un automate chez moi, complètement sonné. Une incompréhension totale, comme la première fois où on m'avait expliqué que le suppositoire ne s'enfonce pas par le bout pointu mais par le bout carré. Ce qui pour moi était totalement contraire à la logique. Il m'avait fallu du temps pour l'accepter. J'étais même allé voir un pharmacien qui m'avait répondu :

– L'important, c'est qu'il parte dans la lune, mais c'est vrai que par le bout carré, c'est le plus sûr, pour qu'il ne fonde pas entre vos doigts.

La fusée partait donc à l'envers! Et les escargots n'aiment pas la pluie. Ça aussi, j'avais eu du mal à le comprendre.

Qu'est-ce que je pouvais bien me poser comme questions? À bien y réfléchir, je ne m'en posais véritablement aucune. Enfin si, des questions quotidiennes, matérielles, sociales, tout ça en vrac, au rythme des discussions de café entre potes, j'avais des idées sur tout, d'une manière profondément superficielle. Un grand fourre-tout. Une sorte de débarras mental.

Je me posais quelques questions sur l'amour, les femmes. Est-ce que je l'aime? Est-ce qu'elle m'aime? Et pourquoi elle m'aime? Et pour combien de temps? La qualité du shit, ce que j'allais bouffer, comment trouver de l'argent, où j'allais bien pouvoir traîner et qui appeler à part Simon, et où j'allais bien pouvoir partir pour m'éclater et le temps qu'il ferait le lendemain... Et j'avais de grandes tirades et des idées bien arrêtées sur la religion, sur le monde politique en général et sur mes prochaines vacances. Mais les questions que soulevait Viktor, jamais.

C'est vrai que j'avais un grand-père sourcier, que l'autre enlevait le feu en récitant une petite prière secrète et en faisant des petites croix au-dessus de la brûlure, et qu'une de mes grands-mères était somnambule et voyait des trucs dans ses rêves. Disons que j'avais un peu baigné dans le parallèle. J'étais à moi tout seul un terrain favorable pour gober n'importe quelle connerie *new age*. Mais qu'est-ce que c'était que cet Agarttha dont il m'avait parlé, et qui était cet amiral Byrd? Jamais entendu parler de ça. Je me suis mis à faire quelques recherches sur Google. Richard E. Byrd, amiral des États-Unis, était censé avoir découvert un passage aux pôles. Ses avions avaient survolé pendant trois mille kilomètres des terres vertes! Je suis tombé sur de nombreux sites sur la théorie de la Terre creuse. Un truc bizarre.

J'ai repensé à Viktor et à sa définition du mot amour. Il venait de m'ouvrir une porte merveilleuse.

« Il viendra un temps où tout ce qui est extérieur deviendra intérieur et tout ce qui est intérieur viendra à l'extérieur. »

De quoi voulait-il parler?

Je ne sais pas pourquoi mais j'ai ouvert mon sac de sport rouge avec les livres de timbres de mon grand-père. Un grand-père décédé un mois après ma naissance. Il ne m'avait même pas vu naître. Dans un des classeurs, un article qui parlait de lui dans *La Dépêche du Midi* que ma grand-tante, sa sœur, avait laissé pour moi.

C'était très curieux de regarder ses pages de timbres. Ma tante avait fait expertiser toute la collection et m'avait dit qu'il y en avait pour une petite fortune. Je m'étais dit d'entrée de jeu que j'allais la revendre, que je n'avais pas besoin de la collection de timbres d'un homme inconnu même si c'était mon grand-père. Mais quand même, un soir, j'avais feuilleté un album, puis un deuxième, puis je les avais tous ouverts et j'avais essayé de décrypter ses annotations avec son écriture fine au crayon à papier, comme si j'attendais d'y voir un signe, un message. J'étais étonné par sa passion, par la beauté de certaines planches, par la minutie du travail, par le soin apporté à chaque timbre. C'était sur certaines pages une explosion de couleurs, d'histoire et de politique. Tous les événements du XXe siècle étaient consignés là dans ces petites formes crénelées, la culture, les peintres, les botanistes, les aviateurs, les inventeurs, les révolutionnaires, les présidents, le premier vaccin, l'architecture, les mathématiciens, les régions, les *Big Five*, les fusées, les étoiles.

J'ai mis *Sometimes It snows in April* et j'ai fumé ma weed. J'ai repensé à Simon scotché sur Bouton d'or. Le malheureux, il traversait l'amour comme un chat l'océan sur une planche en balsa.

Et après une taffe de noyé qui m'avait fait cracher mes poumons, je me suis mis à rêver de Madeleine. Une de ces envies de l'appeler. Rien que d'imaginer sa bande rousse, ça me rendait malade. Il était tard, j'étais fait. J'ai commencé à composer son numéro quand j'ai entendu un bruit terrible. Une perceuse! Mon mur s'est mis à trembler.

Et là, j'ai eu une vision, mon poster de Jim Morrison, torse nu, christique, venait de se prendre un gros trou en plein front, à l'endroit du troisième œil. J'ai vu la tige rentrer puis ressortir trois fois de suite rapidement et une petite poudre blanche talquer ma moquette rouge. Et j'ai entendu la voix rauque d'Agnès à côté qui hurlait :

— Mais arrête Gilbert! Arrête!

— Qu'est-ce qu'il y a?

— Merde, regarde ce que t'as fait? T'as percé le mur.

— Tu le veux ton tableau du Sacré-Cœur, ou bien?

— T'as percé le mur Gilbert! T'as fait un trou!

— Oh merde! qu'il a fait, tout étonné.

— Y a un trou! Regarde, on peut voir de l'autre côté!

J'ai vu une ombre passer devant le trou, ça devait être son œil.

— Va voir de l'autre côté!

— Pourquoi moi? a demandé Agnès.

— Parce que!

— Parce que quoi?

— Parce que toi, y t'aime bien!

— Ah bon…

Dix secondes plus tard, elle tapait à ma porte. J'ouvrais, décomposé.

— Ça va M'sieur? Excusez-nous de vous déranger… On a fait un petit trou dans le mur, je crois…

— Ouais. Ouais vous avez fait un petit trou.

— Je peux voir? qu'elle a dit d'une voix de jeune fille que je ne lui connaissais pas.

– Allez-y! Ne vous gênez pas. Rentrez!

Agnès a fait deux mètres dans le couloir, a vu la tête de Jim Morrison. Et elle est repartie affolée chez elle. Je l'ai entendue sur le palier, elle criait :

– Gilbert! Gilbert! On a tué Jim Morrison, il a un trou dans la tête!

– C'est pas moi qu'ai tué Jim Morrison… a répondu Gilbert.

J'ai fait une boulette en papier et j'ai rebouché le trou. Au milieu de la nuit, la boulette en papier est tombée. J'ai entendu :

– Chuuut…

Une ombre, un œil. Ils me regardaient dormir.

27

Simon m'a dit que ça avait été un véritable calvaire et qu'il ne pouvait plus sortir de chez lui, enfin de chez Sandy. Le dîner avec elle et sa mère s'était très mal passé. La mère avait pris bien évidemment les patins de sa fille. Comme d'habitude, il m'avait tout raconté.

– Il faut que vous compreniez, Simon, que ma fille n'est pas encore prête à vivre avec vous ou tout simplement à vivre en couple.

– Pourquoi ? il avait dit naïvement.

– Parce qu'elle a besoin de temps. Vous savez, la vie à deux, c'est pas facile facile, croyez-moi. C'est un long travail de chaque jour pour trouver sa place, pour accepter l'autre tel qu'il est. C'est comme de s'occuper d'une petite flamme, si vous n'y faites pas attention la flamme s'éteint avec le vent, si vous rapprochez trop vos mains, vous l'étouffez, c'est dur de trouver la bonne distance… Vous devriez lire *Le Prophète* de Khalil Gibran.

Et elle avait piqué un morceau de viande.

– Oui mais pourquoi elle me demande d'acheter ce canapé alors, si elle n'est pas prête pour vivre en couple ? Vous savez combien il coûte ce canapé ?

– Ça ne me regarde pas. Je ne veux pas le savoir, avait répondu la mère, enroulant des spaghettis autour de sa fourchette.

– Ah oui, vous ne voulez pas le savoir ? Eh ben je vais vous le dire, 6 000 euros de crédit sur le dos, sans parler de la livraison, une belle lampe design et vous ne voulez pas le savoir ? C'est un peu facile, ça. Vous ne croyez pas ?

Il avait donné le prix du canapé avant négociation. Pour lui ce canapé valait réellement 6 000 euros.

– Vous n'étiez absolument pas obligé de lui acheter ça.

– De *nous* acheter ça !

– Écoutez Simon, je ne vous trouve pas trop délicat, les femmes n'aiment pas qu'on leur dise le prix des cadeaux, c'est vraiment inélégant de votre part.

– C'est sûr, vous avez raison.

– Depuis combien de temps vous connaissez ma fille ?

Simon l'avait fixée droit dans les yeux.

– Ce n'est pas le temps qui compte, c'est l'intensité de la rencontre, et nous ça a été un véritable coup de foudre comme il n'en existe qu'une seule fois dans sa vie.

Puis, se tournant vers Sandy :

– Dis-le à ta mère que ça a été un coup de foudre ! Ça tu peux le dire !

Sandy, affalée, gobait des petites boules chocolatées devant la télé.

– Oui oui… avait-elle fait avec une lassitude qui en disait long.

– Combien de temps ? avait répété sa mère.

– Quinze jours.

– Vous vous rendez compte ? Vous vous rendez compte, quinze jours !

— Et quinze nuits.

— C'est pareil, quinze jours ou quinze nuits et vous pensez déjà à vivre ensemble! Mais vous êtes tombé sur la tête, malheureux. À mon époque, on se faisait la cour deux, trois ans avant de penser à quoi que ce soit.

Simon était resté solide comme un roc, imperturbable.

— Dieu a bien créé le monde en sept jours.

Puis il s'était mis à tousser un peu gêné, conscient qu'il était peut-être allé un petit peu trop loin dans sa réflexion.

— Et puis… Je vais vous dire. Les coups de foudre, ce n'est jamais bon, ça passe comme c'est venu, croyez-en ma vieille expérience du coup de foudre et Dieu sait si j'en ai eu! Vous qui aimez les images, regardez ce que la foudre fait sur les arbres une fois que c'est tombé. C'est tout noir, complètement cramé et rien ne repousse. Le coup de foudre, ce n'est pas bon du tout.

— J'aime votre fille, un point c'est tout.

— C'est trop rapide.

— Et c'était pas trop rapide de lui acheter un canapé en cuir? Mais je m'en fous que ce soit trop rapide ou non. On ne fait pas une course! Et c'est karmique.

— Karmique?

— Oui karmique! Dis-le à ta mère ce que tu m'as dit…

— Qu'est-ce que je t'ai dit? avait répondu Sandy en suçant trois petites boules.

— Que c'était karmique. L'histoire de l'œuf!

— Eh bien, je me suis gourée.

— Quoi? Tu m'as dit qu'on était un œuf coupé en deux.

La mère était restée complètement hallucinée.

— Laisse-moi regarder la fin du film, s'il te plaît, au lieu de dire des conneries.

– J'en ai rien à battre de ton film.

– Ben moi, j'ai envie de voir la fin, sans que tu m'emmerdes.

– J'emmerde personne, je parle avec ta mère!

– Oui, tu racontes des conneries! Punaise, je suis chez moi, chez moi! Et je ne peux même pas regarder la fin du *Lauréat* sans qu'un blaireau vienne me saouler! Mais y faut quoi? Que j'appelle les flics pour que tu dégages et que je puisse regarder la fin de mon film en silence?

– Appelle-les! Vas-y appelle-les que je me marre!

Et il avait tendu son téléphone, un poil provocateur.

– Ferme-la! Oh regarde maman comme c'est beau, regarde ce qu'il fait pour elle, oh la la, comment il l'aime!

– Tu te fous de ma gueule? Je te jure que t'as de la chance!

– De la chance de quoi? Si t'es pas content, tu te tires, allez casse-toi! Fous le camp de chez moi!

Généralement quand un truc comme ça se passe, on comprend, on se casse, on fait place nette, mais non, pas Simon! Simon, lui, restait coûte que coûte collé à sa base, pile sur ses positions comme le *runner* au baseball. Il l'aimait et ça lui suffisait. Il allait changer le cours des choses. Et dans sa tête, il se disait que l'amour était plus fort que tout et que ce n'était qu'un sale moment à passer et qu'après la pluie, le beau temps… Mais après la pluie, c'est souvent la boue, on glisse et on s'enfonce.

Au générique, les deux femmes étaient parties toutes les deux se coucher dans le grand lit à baldaquin de Sandy et Simon avait dormi dans son canapé d'angle en cuir blanc, le nez dans la vachette cirée.

28.

Le lendemain matin, Simon était parti pour le casting d'une fiction toute pourrie qu'il avait complètement foiré et Sandy avait profité de son absence pour faire venir un serrurier. Il m'avait appelé du palier et m'avait dit, tellement touchant :

– Y a ma clef qui rentre plus dans le trou.

– Ah ça mon ami, c'est symbolique.

– Tu crois ?

– C'est un gros coup de vice ! j'avais fait, remuant le couteau dans la plaie.

– Qu'est-ce que je fais ? m'avait-il demandé tristement.

– Là, je crois que c'est grillé, c'est on ne peut plus clair comme message !

– Qu'est-ce que je fais ?

– Comment ça, ce que tu fais ? Dégage de là ! Et viens dormir chez moi, j'ai des voisins vraiment au top, tu vas adorer, ça va te changer les idées.

– Je sais pas, c'est gentil, mais je vais essayer de la récupérer, t'as pas une idée ? m'avait-il glissé tout maladroit.

– Laisse tomber. Oublie-la !

– Je ne vais pas laisser tomber alors qu'elle a gardé mon canapé. Non, y faut que je trouve une solution, je suis grave amoureux, tu ne peux pas savoir ce qu'elle est douce, ce que ses cheveux sentent bon…

— Arrête de bloquer sur son shampoing, oh Simon, réveille-toi! Relève la tête, il y a un milliard de jupons parfumés qui n'attendent que toi…

— Tu ne sais pas ce que c'est que d'être amoureux, c'est pas possible.

— T'as peut-être raison, être perdu comme ça, je sais pas si ça m'est déjà arrivé, t'as raison. Peut-être une fois…

Mais il ne m'écoutait pas. Il ne m'écoutait plus. Il était déjà sur une autre planète. Il échafaudait déjà un plan de rattrapage. Moustique, Spoutnik autour de la lune. Il tournait autour d'elle dans tous les sens sans jamais pouvoir se poser. Très énervant.

— Je vais trouver. Je te jure que je vais trouver une solution. Peut-être qu'il faut que je m'achète un calibre…

— Pour quoi faire?

— Comme ça! Pour rien…

— T'es devenu fou ou quoi?

Et Simon avait dormi toute la nuit dans sa voiture, en bas de chez elle. Il avait éteint la lumière et la musique de sa radio quand elle avait éteint les lumières de sa chambre, tout ça pour avoir l'impression de s'endormir avec elle. Quand le lendemain matin, elle était partie travailler au salon de coiffure, Simon était déjà sur le pied de guerre, il avait essayé de la coincer sur le trottoir pour lui parler, avec une haleine de chacal.

— Mon amour, y faut qu'on se parle!

Mais le soleil noir était monté directement dans sa Mini Cooper verte sans lui répondre, sans même lui adresser le moindre regard, elle avait cliqué sa portière et avait démarré en trombe, laissant ce pauvre Simon planté au milieu de la rue. Il m'avait appelé direct au téléphone.

– Qu'est-ce que je fais?

– Tu me casses les bonbons! Oublie! Oublie cette fille. Je t'avais dit qu'elle n'était pas pour toi, c'est un véritable sapin de Noël, elle clignote de partout, c'est de la meuf pour footballeur professionnel… De deuxième division.

– Ne parle pas comme ça de la femme de ma vie, s'il te plaît! Parce que c'est la femme de ma vie, elle, elle ne le sait pas encore, mais moi, je le sais. Je crois à cet œuf plus que tout.

Que dire après ça?

– Écoute-moi Simon, arrête de te faire des films, reviens à la réalité. La réalité, c'est que tu t'es fait enfler, point barre. Comme pour les vingt-cinq pour cent du canapé. Tu crois tout maîtriser et c'est ça qu'est touchant chez toi, mais tu maîtrises que dalle.

– Arrête de dire n'importe quoi! Je maîtrise à mort.

– Ton œuf, il s'est fait gober! Quand elle a vu que t'avais fait un crédit pour le canapé et que tu ne pourrais pas l'aider pour son salon de coiffure et bigoudis, elle t'a planté, point barre. Et il vaut mieux pour toi que ce soit maintenant, au bout de deux semaines, que dans un an.

– Tu crois?

– C'est pas que je crois, c'est que j'en suis sûr. Elle t'aurait séché.

– J'aurais préféré qu'elle reste un an avec moi, tu vois. J'aurais eu le temps de lui faire un enfant, elle en rêve.

Simon était définitivement perché. J'avais essayé une allégorie à deux balles.

– L'amour, c'est comme les tirettes dans les fêtes foraines, tu ne sais jamais sur quoi tu tombes. Tu voulais la poupée porte-clefs, porte-bonheur et tu tombes sur la mygale poilue en plastique gluant. C'est comme ça.

– Je ne m'y fais pas. Je vais toutes les tirer, les unes après les autres, et je te jure que je tomberai un jour ou l'autre sur la poupée porte-clefs, porte-bonheur.

– C'est tout le mal que je te souhaite.

29

Et Simon avait été pris d'une sorte de folie douce qui lui ressemblait tant. Il était rentré dans le salon de coiffure avec un énorme bouquet de roses. Sandy avait pris les fleurs et les avait directement jetées dans la poubelle.

– Tu n'as pas compris Simon. C'est fini! Sors de mon salon, s'il te plaît, j'ai du travail, si tu ne le vois pas, j'ai des clientes avec des rouleaux sur la tête. Oui madame Cayrol, j'arrive! qu'elle avait lancé à travers tout le salon.

– Dis-moi, c'est parce que j'ai pris un crédit pour le canapé? avait dit Simon, les dents serrées.

– Qu'est-ce que tu racontes?

– C'est parce que j'ai pris un crédit pour le canapé et que je ne suis pas footballeur, c'est ça?

– Je ne comprends rien à ce que tu dis!

– C'est parce que je ne peux pas t'aider pour ton salon? Allez, dis-moi la vérité!

– Sors d'ici, s'il te plaît!

– Réponds-moi! qu'il avait insisté lourdement.

– J'ai rien à te dire.

Et là, Simon avait senti une main sur son épaule, la main d'un des coiffeurs-shampouineurs, c'était le garçon dont il m'avait parlé, cheveux longs, accro au fitness et champion de course sur tapis roulant. Il avait posé sa main, l'inconscient, et avait sorti un peu méprisant :

– T'as pas compris ce qu'elle t'a dit, sors de ce salon, dégage !

Le même mec qui une semaine plus tôt vouvoyait Simon avec de grands sourires. Il lui avait même taillé la barbe au ciseau, coupé les poils dans les narines, brûlé ceux des oreilles et passé un petit fil sur son visage pour ses points noirs. Le métrosexuel faisant le malin devant sa patronne n'avait pas eu le temps de comprendre quoi que ce soit. Simon ne s'était même pas retourné. Il lui avait envoyé son poing direct dans la mâchoire, avec une violence inouïe, comme une vrille, un pivot, un coup de piston terrible, et le mannequin était tombé à la renverse, tout droit dans les pommes, d'un bloc, un vrai sac à patates. Le KO parfait. Sandy avait appelé les flics et les pompiers, et Simon était resté comme une truffe pour s'excuser.

– Ce n'est pas ce que je voulais Sandy. Moi je t'aime !

Quand Simon m'avait appelé, il sortait du commissariat.

– Je crois que c'est foutu, là. J'ai frappé son shampouineur, je lui ai pété la mâchoire. Il a un œuf de pigeon gros comme une balle de tennis derrière le crâne. J'ai failli le tuer. Je suis un con. J'ai tout gâché.

– C'est fini, mon pote, il va falloir que tu te fasses une raison.

Même au téléphone, j'ai senti ses yeux de macho se remplir de larmes, sa voix tremblotait.

– Je lui avais acheté des Charles de Gaulle.

– C'est quoi ça, une maquette de porte-avions ?

– Des roses. Elles étaient lilas pourpre magnifiques, elles sentaient ! Et elle les a même pas senties ni rien, elle les a jetées directement dans la poubelle.

– C'est moche.

– Comme si j'étais une merde. Viens me chercher s'il te plaît, je suis au fond du trou.

– T'es où ?

– Assis sur un banc.

– Arrête, on dirait ton frère. Tu t'es shooté avec son shampoing ou quoi ?

Je suis allé le chercher en scooter et j'ai passé la nuit à lui raconter un chapelet d'histoires drôles et d'anecdotes à propos de toutes les filles qu'on avait aimées depuis notre adolescence, et y en avait une bonne brochette.

À la fin, Simon était raide bourré, il m'a juste dit :

– Je me souviens de tout, mais ça n'a rien à voir avec Sandy.

Et il s'est mis à pleurer.

– Appelle-la ! qu'il m'a dit.

– Pour quoi faire ?

– Appelle-la s'il te plaît.

– Pour quoi faire ?

– Essaye de lui parler et de lui dire que je l'aime.

– Elle le sait.

– Non elle ne le sait pas. Appelle-la, fais ça pour moi. T'es mon ami, qu'il m'a imploré.

– T'es chiant, je sais pas quoi lui dire moi.

– Tu trouveras. Je te demande que ça, fais ça pour moi. S'il te plaît ! Tu ne vois pas que je souffre.

Je me suis éloigné et j'ai téléphoné à Sandy. Dès que j'ai commencé à parler, elle m'a dit :

– Garde ta salive pour ton pote, il peut crever, c'est clair ?

– Tu ne devrais pas parler comme ça…

– Je devrais parler comment ? Il t'a raconté ce qui s'est passé cet après-midi ?

– Il est désolé.

– Qu'il aille se faire foutre ce fils de pute.

– Mais il t'aime…

– Ouais c'est ça. Qu'il aille aimer quelqu'un d'autre ce bâtard !

Et elle a raccroché.

Simon s'est approché de moi comme un chien battu.

– Qu'est-ce qu'elle a dit ?

– Tu veux vraiment que je te dise ?

– Oui.

– Elle a dit que tu pouvais crever et que t'ailles te faire foutre.

– Elle a dit ça ?

– Oui.

– C'est parce qu'elle est en colère. Mais au fond d'elle, elle m'aime, je le sais…

30

Monsieur le président était juché sur son tabouret et finissait
une brève.

— Alors jeune homme, avez-vous repensé à l'Afghanistan ?

— Pas vraiment.

Il a posé ses demi-lunes sur son journal *Haaretz* et noté
rapidement cinq lettres sur une feuille avec son petit crayon
vert. Il les a disposées Nord-Sud-Est-Ouest. Les quatre points
cardinaux entouraient la lettre G au centre.

```
          N
     O  G  E
          S
```

— Vous savez ce que c'est ?

— Non.

— La gnose. Le G est au centre des quatre points cardinaux,
n'est-ce pas magnifique ? La gnose. Du grec *gnôsis*, la connaissance. La lettre G est la septième lettre de l'alphabet, G comme
Gaïa ou Géa, la Terre, la Géométrie, *God*, Dieu en anglais,
GADLU, le Grand Architecte de l'Univers ou Géa des Élus, si
on l'épelle. Regardez comme cette lettre est belle. Elle rayonne.

Et il l'a figurée avec ses doigts comme s'il faisait une ombre chinoise.

– Cette lettre est Gardienne, elle indique un point à l'intérieur du cercle, un centre. Regardez les mots Gorge, Grotte, Grain, Gland, le Griffon qui garde les secrets, tous commencent par la lettre G. Chaque lettre est porteuse de mystère, de lumière, chaque lettre possède une énergie propre qui, mêlée à une autre, donne un son. Et regardez comme c'est curieux.

Il avait écrit : « l'être » et « lettre ».

– Oui, c'est surprenant. L'être et lettre. Je n'y avais jamais pensé.

– J'ai dû me détacher de la kabbale juive pour trouver mon propre chemin dans les lettres, trouver l'être profond. Le gnostique se met en quête de la connaissance, il veut découvrir les mystères de l'humanité à l'intérieur de lui. La gnose est la science secrète des mystères.

– Le Graal.

Il m'a fixé de ses yeux brillants. Puis il a pris la petite feuille avec les cinq lettres et l'a brûlée dans le cendrier.

– Le Graal, exactement. Une quête passionnante. *Garel* est la pierre de Dieu. *Grasale* et *Graduale*, la coupe et le livre, tous les deux commencent aussi par la lettre G. Et Galaxie, est-ce que ça vous parle ?

– Galaxie ?

– Oui Galaxie, l'axe Gal… L'axe est en Gal, la rotation du monde se fait autour d'un point ou d'une ligne. Nous en reparlerons un autre jour.

J'étais fasciné par ses paroles. Il avait une façon de penser et de découper les mots tout à fait particulière. Je n'avais jamais rencontré ça auparavant. Il a continué sur sa lancée.

– Mais c'est aussi le G de Galilée, de Gaule... De *Galoute*, l'exil en hébreu, et si on écoute autrement, en anglais par exemple, *Gal out*, la sortie de Gal ou *Gola*, l'exilé! Nous pouvons facilement passer de Gaule en Galilée, voyez-vous.

Il égrenait ces mots comme une lente litanie qu'il aurait psalmodiée des milliers de fois. Mais une chose m'avait frappé.

– Vous voulez dire que le peuple juif serait sorti de Gal, de la Gaule?

– Ah ça fait plaisir, je vois que vous suivez... Ce que je vais vous dire va peut-être vous sembler tiré par les cheveux, mais aujourd'hui, comment appelle-t-on la France?

– L'Hexagone.

– Exactement, l'Hexagone! Et l'hexagone c'est quoi, sinon la construction géométrique de l'étoile de David ou du sceau de Salomon?

– Mais en même temps, ça ne fait pas longtemps à l'échelle de l'humanité que les frontières de la France forment un hexagone, vous ne croyez pas?

– La réalisation est inscrite dans le temps et l'espace, ça a été une lente évolution. Le symbole de la France, *Tsarfat* en hébreu, sa construction géométrique, est l'étoile de David, que ça plaise ou non. Et ce symbole est frappé sur le drapeau bleu et blanc d'Israël. La France, ce pays qui est le plus visité, désiré, rêvé au monde, le pays des droits de l'homme, du siècle des Lumières, de la laïcité, de Marianne dénudée, du raffinement, mais aussi du dévoiement, la terre du voile et du dévoilement, la fille aînée de l'Église, doit accoucher d'un événement qui sera compris et accepté par tous. À noter que *Tsarfat*, la France, est proche de *tsirouf* qui signifie la purification en hébreu.

Il avait une réponse à tout et son visage était devenu radieux.

— Vous voulez dire que la France serait la terre du peuple juif?

Il semblait étonné par ma question.

— Ne répétez ça à personne, vous passeriez au mieux pour un imbécile.

— Et au pire?

— Vous seriez sérieusement en danger.

— Bon, je pense que je vais me taire alors.

— Non, je vous parle sincèrement jeune homme… Mais ce serait bien que les juifs reviennent en France faire leur *aliyah*, je suis un peu provocateur, et qu'ils s'asseyent sous l'arbre de la connaissance avec les *harbis*… C'est le même arbre, celui d'Abraham, c'est le même Dieu. Regardez la racine centrale, hébreu BR, harbi RB, et le mot arbre : RBR! Et le mot brebis : BRB. Ces deux mots sont les symboles d'Abraham que l'on retrouve dans la langue française. Est-ce encore le hasard?

Sans me laisser le temps de répondre, il est revenu à son sujet.

— Je vais faire simple pour commencer… Les lettres sont des glyphes, des idéogrammes, elles évoquent dans leur forme une image, un sens, un son… J'ai fait avec l'alphabet latin ce que les kabbalistes juifs, mes pères, ont fait avec les lettres hébraïques… Ou les musulmans et Ibn'Arabî avec la science des lettres, *al-Sîmiyâ*.

— D'accord.

— Voyez un A par exemple, puisqu'il est le commencement, l'*Alpha*, l'*Aleph*, l'*Alif*, comme pour les noms bibliques, Adam, Ava, Aaron, Abraham… Aton, Adonis, Adonaï, Apollon.

Mais aussi Atlantide, Agarttha, Avalon. À quoi vous fait-il penser, ce A?

Il avait dessiné un A qu'il m'avait tendu. J'ai réfléchi deux secondes.

— À une montagne enneigée…

— Magnifique, à une montagne enneigée… Et encore?

— Je ne sais pas… À un escabeau.

— Oui, à un escabeau qui monte vers le ciel mais qui aussi permet de descendre sur Terre. Un escabeau! L'échelle de Jacob. À un compas aussi, vous ne trouvez pas?

— C'est vrai…

— Le A fait penser à la lumière qui descend sur Terre, à une fusée, à un triangle… À une Arche, regardez, elle est là sous la barre horizontale.

— Ça me fait penser aussi à une pyramide. Un temple, une pagode, un tipi.

— Parfait. Si on met le A à l'envers, c'est le signe de la vache, si je le couche de côté, on dirait un œil dessiné de profil, *ayin* en hébreu. Voyez, ainsi je voyage dans les lettres et dans les mots… J'abolis l'étymologie, parfois réductrice car on s'arrête souvent au latin ou au grec. J'aime rentrer dans un autre monde où les lettres racontent à elles seules, par leur dessin, leur puissance, une histoire merveilleuse. Et cela me sert de base pour l'étude des lieux et des noms, la toponymie. Voilà à quoi je m'évertue depuis des années… À casser des mots comme on casse une Géode, avec un magnifique G majuscule étincelant.

— Et vous avez fait comme ça tout l'alphabet?

— Oui. Regardez le U ou le V par exemple, comme un A inversé. Ce sont des lettres réceptacles. Elles vous font penser à quoi?

— Le V ? Au Vol d'un oiseau… Ou au V de la Victoire.

— Pas mal… Moi je le vois comme un Vase. Il reçoit un contenu, comme le Vagin, l'Utérus… Pointe vers le bas, c'est le symbole féminin, le réceptacle divin, la Vierge. C'est aussi le V de Vert. La couleur de l'initié. *Green man*. Al Khidr, le Verdoyant. La Vérité. La Vertu. Le Vertige, la tige Verte. Les Vertèbres. Vertical. Jusqu'au Vertex, le point sommital du corps humain.

— Quel flot ! Et le B ?

— Je vais vous le dire d'une façon succincte. Un cercle coupé en deux, posé sur une verticale… La tête et le ventre d'une femme enceinte. La Trinité, regardez dans le B, vous verrez le 3. B est une lettre porteuse, féminine, elle contient, elle est harmonieuse, arrondie. BR c'est la source, le puits en hébreu. *Bear*, c'est aussi l'ours en anglais. On pourrait dire l'ours polaire. Dans le B se cache le D mais aussi le P. Mais je vais m'arrêter là, je vais trop vite, je ne peux pas développer comme ça, je vous induirais en erreur. Et j'aurais tellement de choses à vous dire.

— Le C ?

— La lune. Ce qui Couvre, ce qui Cache, un Contenu. Le Cœur. Le C est la lettre la plus présente dans les vocables Chrétiens. Pour n'en citer que quelques-uns, la Cène, la Coupe, la Croix, les Clous, la Couronne, le Christ. Cherchez et vous en trouverez par dizaines, autant que les perles d'un Chapelet…

Il a repris son souffle.

— Souvent les choses sont là, tellement simples que nous n'arrivons pas à les voir, ni à les entendre. Quel est le symbole de la France, jeune homme ?

— Le Coq.

– Et qu'est-ce que vous entendez quand vous dites coq?

– Oc.

– Exactement. Oc, opposé à Or, l'Orient, la lumière. L'Occitanie est l'endroit où le soleil se couche, le royaume des morts, la terre des tombeaux comme je vous l'ai déjà dit.

– D'accord.

– Le Coq, dans ses glyphes, est porteur du C, le Croissant de lune, du O, symbole solaire par excellence, et du Q, de la question. Le Coq est le symbole alchimique de la rencontre entre la lune et le soleil.

– Je ne sais pas si j'ai bien tout compris et si je vais pouvoir digérer tout ça.

– Ce n'est pas grave, laissez les choses, les mots, les lettres et les idées faire leur chemin. Et dormez dessus, comme on peut s'endormir avec des lames de tarot sous son oreiller.

– Et le P?

– Vous êtes boulimique mon cher ami!

– Non, mais c'est extraordinaire. J'adore.

– Le P est comme une épée plantée dans le sol, comme un Pieu, un Pilier, un Poteau, un Point, une Pointe. La lettre P définit un centre et une ouverture, voyez la garde de l'épée dans l'arrondi. C'est la lettre D, le *Dalèt*, la Porte en hébreu, qui s'y cache! Avec le L, l'équerre, c'est le Pôle, le Palais. L'être Pieux est l'être centré. Le P ressemble à un sexe d'homme avec les bourses et le pénis, c'est le symbole du Père, du Prêtre, du Prince, du Poète. Et aussi de la Pierre. Qu'est-ce que vous en déduisez?

– J'ai peur de dire une connerie.

– Allez-y!

– Que la Pierre est au centre.

– Bravo.

– Et le M ?

– Vous voulez tout savoir jeune homme !

– On a fait le P comme le Père, j'aimerais entendre le M comme la Mère. Allez le M, et après j'arrête ! Mais je pourrais vous écouter pendant des heures.

– Le M est comme un V porté par deux colonnes, c'est le M de Mère, vous avez raison, de la Matrice, Mille, Million, Milliard, de l'infini Mouvement… Du Messie, du Mahdi, du Machia'h… Je voudrais tout de même vous parler du X, le croisement, la croix, l'inconnu et le multiplicateur, il indique aussi un point central, un axe, Il est dans tous les endroits centraux du corps humain. Vertex. Axis. Larynx. Pharynx. Thorax. Plexus. Coccyx. Sexe.

– Comment vous avez fait pour trouver ça ?

– Le temps et l'étude. Les chakras sont tous signifiés par la lettre X en français. Vous voyez que le français est une langue qui peut nous mener sur des chemins vertigineux !

– Je n'en reviens pas.

– Ce qui me fait mal au cœur, c'est que j'ai parlé anglais une grande partie de ma vie. Mais j'ai toujours écrit et pensé pour mes recherches en français. Et ce qui me bouleverse, c'est que nos pouvoirs politiques banalisent la langue française, et l'abandonnent petit à petit pour l'anglais pratique, alors que notre langue mosaïque est extraordinaire et encore toute jeune. Elle n'a que quelques siècles, et n'a pas encore eu le temps de livrer tous ses secrets, qu'on veut déjà la faire disparaître ! Je suis pour l'élaboration d'une sorte de kabbale française ou latine, d'un retour à la tradition primordiale, ajouter un pétale de compréhension, un éclat de lumière, et vous m'y aiderez. Vous allez écrire.

— J'espère.

— Et je finirai tout de même par le Y, également réceptacle comme le V, qui ressemble à une coupe de champagne, mais aussi au sexe d'une femme, *Yoni* en sanskrit. Pour les pythagoriciens, cette lettre est un double chemin, on dirait d'ailleurs l'ouverture d'une fermeture éclair. Elle désigne le vice et la vertu.

Je restais sans voix à regarder ce vieil homme souffler sur les lettres pour les dépoussiérer, les faire briller et les faire tournoyer entre ses doigts.

— J'aime la connaissance et percer les mystères, a-t-il ajouté. Et pour en revenir à l'Afghanistan, c'est un sacré mystère à percer. Notez mon jeune ami qu'*afghanah* veut dire en hébreu : colère de celui qui a été offensé. Alors qu'est-ce que vous en pensez ? Pourquoi sont-ils tous là-bas comme des moineaux sur une miette de pain.

— Il y a là-bas des champs de pavot et donc de l'opium, c'est le nerf de la guerre…

— Ah le pavot, quelle fleur magnifique ! Du rose au rouge orangé, si fragile. La fleur qui soulage. L'héroïne dans les bras de Morphée.

Je lui parlais de drogue, il me parlait de fleurs ! On aurait dit un joueur d'échecs. Il se déplaçait de case en case comme un oiseau-mouche. Viktor avait toujours plusieurs coups d'avance sur chaque chose. Il connaissait la réponse à la moindre question comme s'il était relié ou connecté à je ne sais quelle force ou entité inconnue. Souvent dans les silences, ses mains étaient posées à plat sur la table ou sur ses cuisses, immobiles. Il irradiait.

31.

Je travaillais trois jours par semaine sur les quais, à côté du Châtelet, où je remplaçais un pote bouquiniste. J'aimais bien cet endroit central, le long de la Seine. Il y avait un petit côté suranné dans ces boutiques vert bouteille qui me plaisait bien. En face, je pouvais voir les vitrines d'animaux, chiens, chats, poissons exotiques, lapins nains, gerbilles, serpents, mygalomorphae, tortues d'eau et perroquets, faune et flore du monde entier, en vente sur deux cents mètres.

Je m'étais mis à lire tout ce que je trouvais sur l'Afghanistan et j'étais tombé sur un récit qui parlait d'Alexandre le Grand parti là-bas chercher la Fontaine d'immortalité.

Et de son vizir qui, lui, aurait bu à cette fontaine. Ils le nommaient Al Khidr, le verdoyant. Et je me souvenais de ce que m'avait dit Viktor à ce sujet : Al Khidr pouvait être assimilé à saint Georges, Ilyâs, au prophète Élie, Hénoch, l'ange Gabriel, Hermès Trismégiste et sa table d'émeraude, Varuna… Ou au Christ vert de C. G. Jung. Il était dit qu'il habitait au fond des océans de la connaissance. Il était le maître des sans-maîtres et apportait une initiation directe, verticale. Il était toujours représenté en vert, se tenant sur un poisson qui lui servait de véhicule.

Puis j'étais tombé par hasard sur le livre *La Mission de l'Inde* chez un confrère. Curieux ouvrage, mais passionnant.

Viktor m'avait dit, et je l'avais écrit dans mon Moleskine : « Ce sont les livres qui nous choisissent et pas le contraire. Dans une librairie, posez-vous une question essentielle et vous allez trouver le bon livre comme les petits moines bouddhistes qu'on envoie dans la montagne chercher les écritures sacrées sur des rouleaux ou gravées sur la pierre elle-même. C'est ce que vous allez comprendre qui vous définit. »

La Mission de l'Inde parlait de l'Agarttha et du roi du monde. Ce livre avait été publié pour la première fois en 1886. L'histoire me suivait, à moins qu'elle ne me précède. Il parlait d'un roi du monde qui pouvait tous nous influencer par la pensée, d'un royaume à l'intérieur de la Terre et de trois entrées. Une dans le désert de Gobi, une autre au Tibet vers Shigatsé et une autre encore dans les montagnes d'Afghanistan.

J'avais lu aussi un passage d'un peintre et mystique russe : « Après un dur voyage, si vous n'avez pas perdu votre route, vous parviendrez aux lacs salés. Ce passage est très dangereux. Vous arriverez alors aux montagnes de Bogogorch. Là commence une piste encore plus périlleuse. »

Je remarquais que la lettre G figurait dans tous ces noms. Bizarre. Je commençais à voir se dessiner les lettres dans les mots, à les prononcer autrement, à jouer avec. À les découper, à les associer. Je n'arrêtais plus de chercher à quoi pouvait bien ressembler telle ou telle lettre et quelle place elle prenait à l'intérieur du mot.

Je plongeais dans ce monde inconnu quand, un matin, la plus jolie femme que j'avais jamais pu voir de mes yeux s'est arrêtée devant ma petite boutique verte. Elle était auburn, coupe au carré, des grands yeux dorés et la peau mate, dans une sorte de tailleur Chanel, perchée sur de petits talons noirs. Je la voyais regarder des livres, les soupeser, jeter un œil sur les quatrièmes de couverture, les ouvrir au hasard puis les refermer avec des doigts longs et fins dont les ongles transparents, avec un liseré blanc, étaient une pure merveille.

— Vous cherchez quelque chose de précis ? je lui ai demandé, saisi par sa beauté.

Elle a fait non de la tête avec un sourire triste, genre je vous remercie. Et elle a sorti la phrase la plus incroyable et la plus improbable, mais la plus belle entrée en matière qui soit.

— Je m'ennuie.

— Haaa.

Elle avait dit ça avec une certaine mélancolie. Ce « je m'ennuie » avait créé à la seconde un champ des possibles extraordinaire.

— Vous ne voulez pas venir boire un café avec moi, s'il vous plaît ?

— Un café ?

Et on était partis en face, en terrasse. J'avoue qu'en traversant le quai suivi par cette bombe, je me la suis un peu pété. Mais au fond de moi, j'étais liquide.

— Je ne peux pas croire qu'une jolie femme comme vous puisse s'ennuyer. Vous vous ennuyez ?

Je tremblais à moitié.

— Vous ne vous ennuyez jamais, vous ?

Sa voix était limpide, douce et cristalline.

— Un peu. Comme tout le monde. Mais je m'occupe, je vois passer des gens, je regarde les bateaux-mouches, j'écoute la radio, je lis…

SFUMATO

– Qu'est-ce que vous lisez?
– Je lis tous les bouquins que je vends, par principe.
Sale menteur, mais bon, j'avais pas non plus 36 000 cartes dans mon jeu. Et elle était tellement belle que j'aurais pu lui mentir pendant cent ans pour qu'elle reste à côté de moi une nuit.
– Vous n'arrêtez pas alors?
– Jamais! Je lis un roman par jour. J'ai calculé qu'en moyenne une personne qui aime lire lit environ un bouquin par semaine, c'est-à-dire qu'en dix ans, elle n'en lit que 500. Alors comment choisir? Moi, en dix ans, je m'en suis déjà avalé environ 3 500.
Sale gros menteur.
Et là, elle m'a balancé une phrase qui a claqué comme un coup de fouet:
– En fait, vous préférez les histoires des autres?
Elle m'avait piégé à mon propre jeu.
– Comment ça?
– Vous préférez vivre les histoires des autres que de vivre la vôtre d'histoire, c'est ça?
– Houla… Je ne me pose pas ce genre de question.
– Moi si.
Bon visiblement, elle, elle se posait des questions. Elle m'a regardé fixement. J'avais l'impression d'être une sorte de Pinocchio avec le nez qui s'allonge, les jambes en bois et une toute petite bite. Vite une sortie.
– Qu'est-ce que vous voulez boire?
– La même chose que vous.
– On a dit un petit café?
– Oui.

— Tony, deux petits cafés s'il te plaît!

L'assurance d'une main levée. Il fallait coûte que coûte qu'elle sente un truc, qu'elle se pose la question du pourquoi pas, introduire le doute. Il fallait que je sois sûr de moi, peut-être pour ne pas lui montrer qu'en quelques secondes, elle aurait pu m'emmener au bout du monde par le bout du nez. Je me voyais déjà avec elle dans une longue et large voiture, faire du cruising en traversant les villes basses et les forêts en écoutant *La Sonnambula*. Je me voyais déjà fendre le désert Mojave et la Vallée de la Mort. Bronzer nu sous un baobab, faire brûler des feuilles d'eucalyptus dans la nuit indienne. Gravir des volcans enneigés. Huiler sa nuque. Me transformer en Winnie l'ourson comme disait Simon. J'ai cherché quelque chose d'intelligent à dire… mais je n'ai pas trouvé.

— Alors qu'est-ce que vous faites de vos journées?

— Je me balade, je cherche…

— Qu'est-ce que vous cherchez?

« Oh l'idiot! »

— Du travail. J'arrive de province.

— Haaa… Vous venez d'où?

« Aïe. » J'étais vraiment en dessous de tout.

— De Bordeaux. Ça fait trois mois que je suis sur Paris et je ne connais pas grand monde ici, pour ne pas dire personne.

— Excusez-moi, mais je ne comprends pas bien pourquoi vous venez chercher du travail à Paris. Bordeaux c'est chouette, non? La mer, le soleil tout ça, le surf, les Landes, c'est mieux qu'ici, non? La corrida, les tapas, l'Espagne. C'est pas la belle vie? Y a autant de travail là-bas qu'ici, vous ne croyez pas?

— Peut-être… Mais Bordeaux vous savez c'est tout petit, on connaît tout le monde. Et tout le monde vous connaît.

– Oui c'est sûr.

Elle est restée silencieuse pendant un moment qui m'a semblé une éternité.

– Et je ne pouvais pas rester là-bas…

– Ah bon. Vous avez eu des problèmes ?

– Oui, enfin en quelque sorte. J'ai eu une histoire d'amour…

– C'est pas un problème ça…

Je lui avais dit ça comme un parfait petit branleur, avec le sourire en coin du mec qui connaît la chanson et qui est revenu de tout.

– C'est pas un problème ça… j'ai répété.

– Ça peut le devenir…

Elle est de nouveau restée silencieuse, comme si elle prenait son souffle pour plonger dans les profondeurs et jouer avec les bélougas, ces baleines albinos qui traversent les nuits glacées arctiques. Une sorte de longue apnée.

– J'ai eu une histoire d'amour avec mon frère pendant dix ans…

« *Mamma mia !* » C'est la première chose qui m'est venue dans la tête : « *Mamma mia !* »

– Ah d'accord… j'ai dit un peu secoué.

– Et la famille, les amis… tout le monde a été au courant. Ça a été une honte terrible pour moi, j'ai été obligée de fuir et je suis là pour essayer de tout oublier et de me reconstruire.

J'avoue que là, j'ai dégringolé dix étages d'un coup d'un seul. Je me suis retrouvé à la cave sans lumière. En pleine forêt de l'inconscient, j'étais tombé dans un trou et la trappe était retombée sur ma tête. Dans l'obscurité totale, j'ai cherché mon briquet et je me suis allumé une clope.

– Ah… Je ne sais pas trop quoi vous dire, là. Je suis désolé.

Je suis devenu d'un coup tout petit, j'avais enfilé un costard un peu trop grand pour moi. Elle a enchaîné :

— J'ai tout quitté, mon travail, mes amis, je suis venue ici recommencer ma vie et pour l'instant je ne m'y fais pas. J'ai l'impression d'être une étrangère, alors j'essaye de tuer le temps comme je peux, je vais à des rendez-vous, je me balade. On pourrait dire que je suis sur une île déserte en plein océan et que j'attends Vendredi.

Et elle a commencé doucement à pleurer. Tony a apporté les cafés avec deux verres d'eau et a semblé étonné de la voir pleurer comme ça. Il a levé les sourcils comme pour me dire : « Qu'est-ce qui se passe ? »

— Excusez-moi d'avoir insisté sur Bordeaux, tout ça, c'est stupide…

— C'est rien. Je suis désolée…

Elle a sorti de son sac une paire de lunettes de soleil. Et on a bu tous les deux notre petit café en silence en regardant passer les voitures. Y avait beaucoup de voitures.

— Vous êtes gentil, elle a murmuré, toute douce.

— Pourquoi vous me dites ça ?

— Parce que ça se voit, ça se sent, vous êtes gentil.

— Qu'est-ce que vous faisiez comme travail, avant ? j'ai demandé pour changer de sujet.

— Je travaillais à la direction d'une banque. J'étais chasseuse de têtes…

— Chasseuse de têtes ? C'est quoi ça ?

Je le savais très bien, mais bon, il fallait bien meubler un peu. Ce n'est pas tous les jours que tu rencontres une chasseuse de têtes qui te dit qu'elle a couché avec son frère.

— C'est repérer les candidats pour les postes importants.

Les ressources humaines, tout ça. C'est l'étude du comporte-
ment, le profil psychologique.

— C'est pour ça que vous avez vu tout de suite que j'étais
gentil. C'est-à-dire un peu con, quoi?

— Pas du tout. Ça ne veut pas du tout dire ça pour moi.

— Merci.

— Je vois ça à la forme de votre bouche, à vos yeux, à la dou-
ceur de votre voix.

Sa voix était comme une caresse, comme si elle m'avait cro-
qué au fusain, comme ça, d'un trait. Je tombais amoureux.

— Vous voyez tout ça, vous? Moi je me boirais bien un petit
cognac? Vous ne voulez pas un petit cognac?

J'avais soudainement besoin d'un petit remontant.

— Non merci, je dois y aller. Ça m'a fait du bien de parler
avec vous un petit peu. C'est stupide comme truc, mais c'est
toujours plus facile de parler à quelqu'un qu'on ne connaît pas
et là j'avais une envie furieuse de vous parler.

— C'est vrai. Ça fait du bien de parler.

« Oh le con, qu'est-ce que je peux bien dire comme conneries! » Elle s'est levée. Je lui ai demandé :

— Vous voulez qu'on se revoie? J'aimerais bien vous revoir.

— Si vous voulez… Vous avez un numéro de téléphone?

Elle était tellement belle. Tellement belle. Trop belle. Une
beauté à couper le souffle.

— Bien sûr… Attendez… Tenez, je vous écris ça sur le ticket. Vous n'allez pas le perdre?

— On verra, elle a fait avec un sourire triste.

— Si vous le perdez, de toute manière vous savez où me
trouver. Je suis là trois jours par semaine, le mardi, le mer-
credi et le jeudi.

Je lui ai donné mon numéro de portable. Elle s'est levée et a fouillé dans ses poches pour payer.

– Non laissez…

– Je vous appelle alors!

– Pas de problème.

– Comment vous vous appelez?

– Raphaël.

– Sophie.

– Enchanté de vous avoir rencontrée, Sophie.

Elle m'a tendu la main en souriant.

Je l'ai regardée partir et traverser le quai.

– Eh ben, quel paquet! Et tu fais pleurer ce genre de fille, toi? m'a dit Tony, sur le cul.

– Quoi?

– Tu fais pleurer les filles, toi?

– Non, non… Ce n'est absolument pas ce que tu crois.

– Je ne crois rien, je te vois, c'est tout. Tu fais pleurer les filles!

– Ce n'est pas moi, elle a pleuré toute seule, c'est rien. C'est une princesse, cette fille est une princesse.

– En tout cas, elle est belle.

J'ai traversé la rue sur un fil. J'aurais pu me faire renverser par dix bagnoles. J'y voyais plus rien. J'étais ensorcelé. Elle avait dû me coller de l'huile magique en me serrant la main.

32

Le lendemain, un vendredi matin, Sophie me réveillait sur les coups de 9 heures. Un de mes plus beaux réveils. Le soleil inondait le lit. Et mes voisins étaient déjà partis en HP de jour. Une mer d'huile.

— Je vous réveille ? elle m'a demandé de sa voix douce.

— Non non…

— Si, je vous réveille… Vous voulez que je vous rappelle plus tard ?

« Elle ne va pas te rappeler. Bouge-toi, mec ! »

— Non pas du tout. J'ai déjà bu mon petit café.

Ma voix sortait tout droit d'un fond de scotch vomi dans le lavabo.

— C'est Sophie, vous vous souvenez, on s'est rencontrés sur les quais de la Seine ?

Comment ne pas m'en souvenir ? C'était très bizarre d'être nu dans mon lit, de pouvoir toucher mon sexe et d'entendre sa voix.

— Vous êtes la jeune femme qui s'ennuie.

— Oui, c'est ça. Vous voulez venir dîner ce soir, à la maison ?

— Euh oui… Oui… Bien sûr… Avec plaisir. Où et à quelle heure ?

– Chez moi, 9 heures, ça ira ?

– C'est parfait.

Et elle m'avait donné son adresse. Je faisais des bonds de cabri, je rebondissais d'un mur à l'autre, pogotant sans musique, le sexe à l'air qui battait la mesure. J'ai attendu toute la journée, à tourner en rond et à imaginer nos retrouvailles. J'ai pris une douche pendant une heure. J'ai mis quinze plombes à choisir une chemise et un caleçon. Les couleurs, les formes, les matières n'allaient plus.

Puis je suis parti en scooter. C'était en proche banlieue sud, du côté de Malakoff, ma beauté se cachait chez les rouges. J'ai acheté un petit bouquet de fleurs et je suis allé prendre de l'essence. J'ai repensé à Viktor, j'ai senti une présence derrière moi, je me suis retourné rapidement, personne, et je me suis renversé de l'essence sur le jean. Un petit moment d'inattention. Une éjaculation précoce de la pompe. Ça commençait bien. Je sentais le pompiste. Et trop tard pour rentrer chez moi me changer.

C'était un immeuble froid, en briques sombres. J'ai attaché mon scooter à un poteau. J'ai pris les tulipes, vérifié l'adresse, l'étage, et je suis rentré. J'ai monté les escaliers, le cœur battant. Elle était tellement belle.

Arrivé au troisième étage, j'ai frotté un peu mes cheveux d'esquimau que j'ai trouvés un peu trop propres et j'ai frappé trois petits coups.

Mais c'est quelqu'un d'autre qui m'a ouvert. Une femme d'une cinquantaine d'années au visage dur, les cheveux très courts, habillée de cuir, presque une caricature de lesbienne, qui m'a regardé de bas en haut.

— Excusez-moi, j'ai dû me tromper d'étage.

— Sophie! C'est pour toi, magne!

Sophie est arrivée toute souriante et m'a prié de rentrer, toujours aussi belle. C'était un enchantement après le coup de froid.

— Je te débarrasse?

À présent, elle me tutoyait. Je lui ai tendu le bouquet comme une truffe.

— C'est gentil. Tu as trouvé facilement?

— Pas de problèmes!

— Viens, rentre, rentre.

Elle s'est mise à chuchoter.

— La femme qui t'a ouvert la porte, c'est Colette...

— Ah...

— Je suis chez elle pour quelque temps, en attendant de trouver mon appart...

— Tout le monde cherche...

— Tu te cherches aussi un appartement? elle m'a dit toute douce.

— Non j'ai un petit studio. Tu veux qu'on aille dîner dehors? Peut-être que je dérange.

— Non, non, tu ne déranges pas, et je t'ai préparé à manger. T'aimes le gigot?

— Oui. Ça sent bon.

— C'est l'ail! Qu'est-ce que tu veux boire? On a du martini, de la vodka, du gin, de la bière. Installe-toi, fais comme chez toi.

— Qu'est-ce que tu bois, toi?

— Un martini-gin.

— Très bien...

— Moi je prends un baby-orange ! l'a interrompue Colette, visiblement ravie de faire ma connaissance.

— Toi, je sais...

Colette a mis la télé, le son à fond, charmant. Un film. Une émission de variété. Un débat politique. Elle n'arrêtait pas de zapper. Visiblement elle n'en avait rien à foutre de moi et je pouvais le comprendre. Elle a vidé son verre puis s'en est servi un autre dans la foulée.

— Regarde-moi cette merde à la télé, quelle bande d'abrutis, les hommes sont des abrutis, tous autant qu'ils sont !

Les hommes, dans sa bouche, semblaient être un clan, une tribu, une secte, un ennemi à abattre, à faire disparaître de la surface du globe. Je pense qu'elle aurait pu aisément s'amputer du sein droit pour tirer à l'arc si c'était pour en tuer quelques-uns. Les hommes, cette saloperie de l'humanité.

— Sophie, tu ne trouves pas que ça sent bizarre ?

— Non. Je ne sens rien.

— Ça sent l'essence.

Sophie a respiré un peu l'air comme un chaton encore aveugle.

— Ça sent l'essence ? Ah ouais t'as raison...

— C'est moi. Je suis désolé. Je me suis renversé de l'essence à la pompe, et c'est gras cette saloperie. J'ai eu beau frotter, ça pue encore.

— Tu veux enlever ton jean ? Je te passe un jogging si tu veux ?

— Euh... Oui c'est vrai, si ça gêne l'odeur. Moi je n'y fais plus attention, mais c'est vrai que ça pue encore un peu... Euh, je suis un peu gêné là quand même.

— C'est pas grave ça...

Sophie m'a passé un jogging jaune. J'ai enlevé mon jean et je l'ai enfilé.

– C'est un peu ridicule, non ?

– Pas du tout…

L'apéro s'est passé sans que Colette ne m'adresse une seule fois la parole. Sophie m'a pris en photo avec un vieux Polaroïd. Un chat noir ronronnait sur le canapé et est venu s'allonger sur mes genoux en miaulant.

– Colette, tu as vu ça ? Minouche sur les genoux de Raphaël. C'est un signe.

– Un signe de quoi ? j'ai demandé.

Il était vraiment noir.

– Un signe qu'elle t'aime bien…

– Oui… Je ne sais pas ce qu'elle a ! a gentiment piqué Colette.

– Sympa, j'ai fait, essayant de sourire un peu, déjà mal à l'aise dans ce jogging canari.

– Non, parce qu'elle a des vers en ce moment et elle devient folle, elle se frotte le cul partout…

Sophie, voyant le vent tourner, a changé de sujet.

– Comment tu aimes le gigot ?

– Normal…

– Ça se mange saignant, m'a balancé Lesbos.

On aurait dit un vampire avec du sang sur les canines.

– Rosé, pour moi, a dit Sophie.

– Rosé, ça me va.

– Tu ne veux pas le couper ?

– Si, bien sûr.

– Les hommes, ils ne servent qu'à ça, qu'à couper le gigot, et encore… Tous ne savent pas bien le couper. Moi j'aime les tranches fines qui se tiennent jusqu'à l'os.

« Et ma main dans ta gueule ? »

Sophie a tenté de faire diversion.

– Elle est super.

– Quoi ?

– La photo.

– Montre !

– Tu as un visage christique dessus. Tu crois en Dieu, toi ?

– Oui, pourquoi ?

Comme quoi les réponses varient parfois selon les interlocuteurs.

– Il manquait plus que ça, a sorti la femme qui aimait les femmes et le gigot saignant.

On me voyait pris en plongée et à côté dans l'ombre le visage de Colette avec sa bouche de vieille, ses petites lèvres sèches et pincées. Elle faisait peur derrière moi, fixant l'objectif.

On est allés dans la cuisine avec Sophie.

Elle a sorti le gigot du four et l'a posé sur une planche en bois. Elle a murmuré :

– Elle est chiante, non ?

J'ai saisi un grand couteau de boucher et j'ai coupé de fines tranches de gigot, saignant au cœur.

Le sang du gigot affluait et coulait dans les rigoles de la planche.

– Je suis désolée, elle ne devait pas être là…

– C'est pas grave.

– Elle m'avait dit qu'elle sortait et qu'elle ne reviendrait que demain matin…

– Écoute, on fera avec…

Elle a planté ses yeux dans les miens.

– Ça me fait vraiment plaisir que tu sois venu… J'avais envie de te revoir, ça m'a fait du bien de te parler… Au premier regard, quand tu m'as dit : « Vous cherchez quelque chose de précis ? », j'ai su qu'il fallait que je te parle.

– Moi quand je t'ai vu, je savais que t'allais pas m'acheter de bouquins.

Elle a souri. Magnifique.

– Comment t'as vu ça, toi ?

– Juste à ta façon de prendre les livres dans tes mains. T'en avais rien à faire.

– Tu crois que toutes les histoires qu'on vit pourraient faire l'objet d'un livre ? Excuse-moi de te poser une question aussi bête.

C'est la première fois que je l'entendais se dévaloriser.

– Pas du tout… Pas du tout. Oui… Oui pourquoi pas… On peut tout écrire, comme on peut tout raconter, c'est juste le regard sur les choses qui fait toute la différence. Mes auteurs préférés sont ceux qui me donnent l'impression qu'ils me racontent une histoire dans l'oreille…

Changeant brusquement de sujet, elle m'a demandé :

– Tu as quelqu'un dans ta vie ?

– Non.

– Menteur ! Je ne crois pas que tu n'aies personne. Les petits Parisiens aiment butiner. Et les boutons de roses, je veux dire les fleurs, sont nombreuses.

– Boutons de roses est bien choisi.

Elle avait souri à nouveau.

– Enfin, j'ai deux trois fiancées comme ça, des copines qui passent de temps en temps. Mais rien de sérieux.

– Ça va peut-être aller, elle m'a dit.

– Quoi?

– Les tranches. Y en a trois par personne.

– C'est parfait.

On a mangé tous les trois en silence. Colette a dîné au scotch sans glace. On a senti une certaine tension. On pouvait entendre le cliquetis des couteaux et des fourchettes sur le rebord des assiettes.

À la fin du repas, Colette s'est levée, a tendu la paume de ses mains vers le plafond pour détendre ses côtes et est allée mettre un slow italien, *I found my love in Portofino,* un vieux standard des années 50 qui sentait le Pento et l'huile de rose. La chaîne était posée sur un énorme coffre en cuir et bois sombre, avec des têtes de clous argentées. Elle a commencé à danser seule, comme une grosse otarie sans ballon, puis a demandé à Sophie de la rejoindre.

– Allez, viens danser.

– Non ça va, a dit Sophie un peu gênée.

– Viens, s'il te plaît. Allez, une petite fois. Une fois, s'il te plaît… S'il te plaît…

Sophie m'a regardé, confuse, a tiré une taffe sur le pétard que je lui avais allumé, me l'a tendu puis s'est levée. Elles ont commencé à tourner toutes les deux sous mes yeux. Je ne savais plus trop quoi faire. Je me suis resservi à boire.

« Merde de merde, qu'est-ce que je fous là moi… »

Colette a essayé d'embrasser Sophie qui l'a repoussée. Elle l'a très mal pris et s'est mise à lui crier dessus.

– C'est parce qu'il est là, c'est ça?

Elle lui a tiré les cheveux d'un coup sec et l'a forcée à l'embrasser. Sophie résistait en tournant la tête.

J'ai essayé de m'interposer du mieux que j'ai pu.

— Bon ça va, ça suffit, ça devient lourd là!

C'est alors que Colette m'a fixé méchamment. Et comme un lancer de couteau à l'aveugle, elle a lâché :

— Le dernier mec qui est venu ici baiser Sophie, je l'ai tué, découpé en morceaux et mis dans des sacs plastiques, il est encore dans le coffre, si tu veux tu peux aller regarder, il y est encore, petit con.

Je suis resté estomaqué devant tant de violence. J'ai regardé cet horrible coffre en bois mais je ne pouvais pas aller vérifier sans passer pour un benêt. Je n'avais pas vraiment le courage non plus, je sentais une peur m'envahir. Et si c'était vrai?

— Tais-toi! Qu'est-ce que tu racontes! a dit Sophie. Tu dis que des conneries, va te coucher! T'es complètement bourrée!

— Oui c'est des conneries, c'est ça! Va regarder toi, elle m'a fait. Vas-y, vas-y! T'as pas de couilles, hein? Alors tu fais moins le malin, là! Espèce de petit con!

— Arrête!

— C'est lourdingue là! j'ai dit un peu énervé.

Pendant une seconde, ça m'a traversé l'esprit, j'ai eu envie de la tuer. Les deux femmes à présent se battaient en se mettant des grandes gifles à toute volée. J'ai essayé d'intervenir et de les séparer. J'en ai pris une en pleine tête et j'ai chopé le bras de la grosse pour qu'elle arrête de taper. Du coup, elle est partie dans sa chambre et a claqué la porte. Sophie semblait désemparée, désolée, anéantie, à bout de souffle.

— N'écoute pas ses conneries! Elle est complètement bourrée, t'as vu tout ce qu'elle a picolé, elle dit n'importe quoi, faut pas y faire attention, elle est un peu amoureuse de moi et ce soir elle avait dit qu'elle ne serait pas là, mais au dernier moment elle a voulu rester, faut la comprendre et l'excuser.

SFUMATO

Elle a été la seule à m'ouvrir sa porte quand j'étais en galère, tu comprends? Allez viens! Je suis désolée…
— Je vais peut-être y aller…
Elle m'a regardé avec un sourire triste qui aurait fait craquer un tortionnaire argentin.
— Arrête! Viens, viens je te dis, je ne veux pas que ça en reste là, c'est stupide. Comment te dire…
Elle m'a pris la main tout doucement et m'a emmené dans sa chambre.
C'était une grande chambre de princesse. Tout était nickel, bien en place.
Sophie a allumé une vingtaine de petites bougies suédoises. Dont trois sous un portrait de Michael Lonsdale.
— C'est bizarre d'avoir un portrait de Michael Lonsdale dans sa chambre.
— Moi, il me rappelle mon père et je l'aime bien comme acteur.
— Ah ouais. Enfin moi, c'est pas un mec que j'accrocherais sur mon mur.
— Tu ne l'aimes pas?
— Si si…
Sophie s'est déshabillée entièrement. Elle avait un corps de rêve, des seins très lourds en forme de poire et la peau cuivrée. Un bronze. Quand elle a fait glisser sa culotte le long de ses chevilles, on ne s'était toujours pas embrassés. Je l'ai regardée et je suis resté planté au milieu de la chambre. Elle a commencé à me dévêtir et à m'entraîner sur son lit.
— Viens…
Et on s'est allongés tout doucement.
— On pourrait peut-être fermer la porte?

— Si ça ne te dérange pas, je préfère qu'elle reste ouverte, comme ça je pourrai entendre Colette, si elle fait des conneries.

Et on a fait l'amour. J'étais allongé sur le dos, un œil toujours sur la porte. Sophie semblait très sensible et très excitée. Exagérément excitée en fait, complètement hystérique. L'intérieur de ses cuisses était déjà trempé. Sa vulve comme une éponge toute gonflée. Ce n'est pas moi qui pouvais la mettre dans un état pareil. Elle m'a retourné, j'étais sur elle, dos à la porte. Au moment où j'allais la pénétrer, elle m'a tiré les cheveux très fort, a approché son visage tout près du mien et je suis rentré en elle, d'un coup. Elle m'a regardé dans les yeux et a tourné la tête dans tous les sens comme un danseur gnawa, les yeux complètement révulsés, je voyais que le blanc et un petit liseré noir. C'est alors que j'ai entendu un bruit métallique. Colette dans la cuisine ouvrait un tiroir et semblait fouiller dans les couteaux et les fourchettes. Le bruit métallique résonnait dans ma tête et Sophie a soudain été prise de convulsions terribles. Alors je l'ai repoussée violemment. Elle commençait à devenir complètement dingue et lançait comme des cris de douleur.

Je me suis dressé nu devant la porte et je me suis mis en garde de karaté. Ce qui, la bite à l'air, était assez drôle. J'ai gueulé :

— Si t'arrives, je te bute !

Et j'ai poussé un hurlement, le plus long *kiaï* de mon existence de combattant sur tatami !

J'ai entendu la porte de la chambre de Colette claquer. Sophie est venue sur moi en faisant :

— Nooon, attends, attends ! Nooon !

— Ta gueule !

Et je l'ai rejetée violemment sur le lit. Elle avait l'air terrorisée.

Galérant pour retrouver mon jean, je me suis rhabillé à la hâte et je me suis sauvé. J'ai eu du mal à ouvrir la porte, à la déverrouiller tout en me retournant, toujours sur mes gardes. Puis j'ai dégringolé les escaliers, mes groles et mes chaussettes à la main.

Enfin j'étais soulagé d'être à l'air libre. J'aurais pu croiser une bande de fachos que je leur serais tombé dans les bras. Mes amis! Mes amis! Vous êtes des pourritures, mais vous êtes tellement sympas, au fond! Un singe aurait fait l'affaire pour une déclaration d'amour!

Je suis allé chercher mon scooter, encore tout secoué. On m'avait crevé les deux pneus!

– Merde et merde. C'est pas possible.

Et j'ai levé les yeux non pas vers le ciel, mais vers le troisième étage.

Les rideaux transparents tremblaient de la lumière des petites bougies suédoises. Et j'ai imaginé ces deux folles ricaner sur mon dos. Ou bien Sophie pleurer dans son lit, au choix.

J'ai marché rapidement dans la rue en me retournant plusieurs fois, j'avais peur d'être suivi. J'imaginais, en pleine jouissance, un couteau se planter dans mon dos et la lame couper ma gorge. Et je suis resté assis sur les marches devant les grilles fermées du métro. Je me suis grillé une cigarette, puis une deuxième d'affilée. Personne ne savait que j'étais là. Personne.

J'ai appelé Simon pour qu'il vienne me chercher. Il était 3 plombes. Et Simon a débarqué en trombe. Huit cigarettes écrasées entre mes pieds.

Je lui ai tout déballé dans les moindres détails, de : « Je m'ennuie » sur les quais à « Ta gueule » dans la chambre ! Et toutes les trente secondes, il disait :

— Non, je te crois pas.

Il m'en a sorti comme ça une vingtaine de suite. On aurait dit Pascal, faisant « quoi » à tout bout de champ.

J'ai senti ses deux mains se crisper sur le volant.

— Tu veux qu'on y retourne ?

— Où ça ?

— Chez elles. Tu veux aller voir dans le coffre ?

— Laisse tomber.

— Et ton scoot ?

— Rien à foutre. J'irai le rechercher plus tard.

— Non parce que j'ai mon nerf de bœuf sous le siège et ma batte dans le coffre. On remonte, on cogne à la porte et on fouille partout ! Si ça se trouve ce sont de vraies tueuses. Et on leur explose les reins !

De mon côté, j'essayais toujours de comprendre ce qui m'était arrivé.

— Ce qui m'étonne, c'est qu'elles ne m'aient pas mis un truc pour dormir dans mon verre.

— Ouais mais elles auraient perdu l'excitation tu vois, de baiser avec toi.

— Pas con. Ce qui est fou, c'est que personne, tu entends, personne n'était au courant que j'étais chez elle. Je n'avais même pas son numéro inscrit sur mon téléphone et je pense qu'elle m'a appelé d'une cabine.

— Viens, on y retourne et on leur fait la peur de leur vie à ces deux *biatchs*.

J'étais scotché sur le coffre et sur le corps de Sophie.

– Elle était tellement jolie, tellement douce, je ne peux pas y croire.

– C'est comme les tirettes à la fête foraine devant le train fantôme, tu veux la jolie poupée porte-bonheur et tu tombes sur la mygale en plastique gluant, toute poilue.

– Arrête!

– Mais moi tu me diras, une femme qui me dit qu'elle a couché avec son frère, je ne sais pas si j'y vais. J'aurais l'impression de mettre mes doigts dans un nid de guêpes. T'as pas peur toi! En fait, t'es une sorte de cascadeur du sexe.

– Elle était tellement belle, tellement seule…

– En fait non, t'es un peu le saint François d'Assise du sexe…

– T'es con.

– Non mais t'imagines? Tu tombes raide dingue de la fille, tu penses à faire ta vie avec elle… Tu peux jamais oublier qu'elle a couché avec son frère quand même…

– Oui… C'est vrai que c'est dur…

– Jamais tu pourras l'oublier, l'occulter, ce sera toujours une petite voix en toi! T'imagines avoir un enfant avec elle…

– Tsss.

Je regardais que la route.

– Et les repas de Noël dans la belle famille, et la gueule du frère qui te regarde quand tu coupes la dinde, tu vois l'ambiance…

– T'es con.

– Non, c'est pas con ce que je te dis… C'est réaliste, un jour ou l'autre tu tombes sur le frère et le mec te regarde avec un petit sourire narquois, genre « Tu t'éclates avec ma sœur? C'est moi qui lui ai tout appris. Elle suce bien, non? »

– Arrête !

– Non, mais c'est ce genre de truc que t'aurais pu vivre.

– Je pense que dans ces cas-là tu coupes les ponts avec la famille, tu ne crois pas ?

– Peut-être… En tout cas, c'est une histoire de fous. Moi j'en ai vécu des trucs bizarres, mais des histoires comme celle-là, jamais ! Et pourtant j'en ai croisé des givrées, des fêlées, des cinglées, des filles avec qui tu t'endors heureux et quand tu te réveilles, t'as l'impression d'avoir un fusil à pompe braqué sur ton cul, mais c'est une image tandis que toi c'est du concret !

– Et elle avait un portrait de Michael Lonsdale dans sa chambre. Tu vois qui c'est ?

– Bien sûr, le barbu, cheveux longs un peu gros. Je crois même qu'il a joué un serial killer, pas étonnant qu'elle ait une photo de lui dans sa chambre.

– Aïe aïe aïe…

– Tu l'as échappé belle, mon pote.

– Je ne sais pas. Franchement, je ne sais pas…

– Là, à cette heure, t'aurais déjà une main dans le bac à glaçons et elle cuisinerait tes rognons sauce madère, comme l'autre Japonais…

– Arrête, ce n'est pas drôle.

– Tu veux qu'on aille aux flics et voir ce qu'y avait dans ce coffre ?

– T'es fou.

Simon a fouillé dans la boîte à gants et a sorti un CD. Le dernier Johnny.

– Non, s'il te plaît, mets autre chose.

– C'est le dernier.

— S'il te plaît, Simon!
— T'aimes plus Johnny?
— S'il te plaît!
— Allez, juste une chanson.
— Tu fais chier.
— Regarde comme c'est beau le début… Ça me fait penser à Sandy.
— Tu m'emmerdes.

Et Simon s'est mis à chanter. Un vrai calvaire.

— Arrête de chanter, s'il te plaît…
— Qu'est-ce qu'il y a?
— Arrête de chanter, tu me pompes avec Johnny.
— Sympa.
— Ouais.
— T'as raison, ça vaut pas la peine de chanter, ce soir le public est trop mauvais… Je vais te dire… Y a un truc qui va pas, y a un dérèglement hormonal du monde ou je ne sais pas, mais on ne rencontre pas une femme normale en ce moment.
— C'est sûr, y a un truc qui tourne pas rond ou c'est peut-être nous qui attirons que les femmes qui ont des problèmes mais c'est vrai, t'as raison, y a un truc qui ne va pas.
— Ça doit être nous le problème…
— Peut-être.
— Pourtant ce n'est pas compliqué ce qu'on veut. Moi, ce que je veux, c'est aimer, être aimé, c'est pas compliqué à comprendre. Eh ben non mon pote, garde ton amour pour toi, personne n'en veut!

33

Quand je suis rentré dans le café, Viktor m'attendait, les yeux pétillants.

— Vous êtes fatigué ? Je suis sûr que vous avez pensé à la lettre Y toute la nuit, le vice et la vertu.

— Il faut que je vous réponde ?

— Ne dites rien, vous venez de répondre très clairement.

Il a sorti un sac en plastique Monoprix de dessous sa chaise.

— Vous savez quel est le fruit du Mahdi, du Messie, du Machia'h ?

— Non.

— La pastèque.

Et il en a posé une fièrement sur la table, ce qui dans un café ne manque pas de surprendre.

— La pastèque ?

— La pastèque ! Et savez-vous pourquoi ?

J'ai fait non de la tête. J'étais à 15 000 lieues.

— Parce qu'elle est verte à l'extérieur comme l'islam, la dernière religion révélée, celle qui englobe les deux autres. Regardez cette belle couleur émeraude. Quelle beauté, tout en rondeur.

Il a déplié un couteau et a tranché rapidement un morceau, une demi-lune rougeoyante perlée de noir.

— Et vous voyez, elle est rouge à l'intérieur comme le sang, l'amour, la Passion du Christ.

— Et les petites graines noires?

Viktor a eu l'air amusé.

— Bonne question, jeune homme, très bonne question! Les petites graines noires qui nous gênent, qu'on recrache ou qu'on enlève à la pointe du couteau, ce sont les juifs. Mais sans les petites graines noires, pas de pastèque, pas de chrétiens, ni de musulmans!

— Très joli.

— On devrait créer en France le mouvement de la pastèque. Vous en voulez un morceau?

— Oui, je veux bien.

Il a découpé un croissant de lune juteux.

— Mais pour revenir à nos fruits secrets. Ce qui est encore plus curieux et qui m'a donné beaucoup à réfléchir... Savez-vous quel est le premier végétal cité dans la Bible?

— Non.

— Le chêne! Et Abraham, Ab-raham – le père de la miséricorde –, était sous le chêne de Mamré. Il quitta Ur, l'endroit originel et du scintillement lumineux, pour Canaan, la cité des marchands. Drôle non? Un chêne au Moyen-Orient, vous ne trouvez pas?

— Si, c'est curieux, j'aurais plutôt pensé à un palmier, un olivier, ou à un cèdre...

— Évidemment.

— Le chêne, c'est le symbole de la royauté, saint Louis, tout ça, non? Il se mettait sous un chêne pour rendre la justice...

Ses yeux se sont allumés d'une lumière que je n'avais encore jamais vue.

– Bravo mon garçon! Et vous en déduisez?

– Je ne sais pas. Je n'en déduis rien.

– En latin, un même mot, *robur*, désigne une espèce de chêne et la force.

– Comme le roman de Jules Verne, *Robur le conquérant*?

– Exactement. Et ce qui est encore plus bizarre, c'est que le chêne est l'arbre sacré de la tradition celte, gauloise, druidique, et que le mot druide vient de deux racines : *dru*, la force et *vid*, la sagesse. Et regardez maintenant David. Superposez-les. Voyez comme ils partagent les mêmes lettres.

J'ai pris son petit crayon à papier vert et noté les deux noms, l'un à côté de l'autre. DRVIDE-DAVID.

– Effectivement, c'est étonnant. À part le e muet de la fin, il n'y a que le A et le R de différents...

– Et ils se ressemblent dans le glyphe. N'est-ce pas? Et comment s'appelait le fils du roi David, qu'il eut avec Bethsabée?

– Salomon.

– Exactement, Salomon, salmon, le saumon, l'autre grand symbole de la royauté celtique et des druides. Il apporte sagesse et connaissance. Le saumon, celui qui remonte à la source pour y mourir.

– Incroyable! Vous pensez que c'est le fruit du hasard?

Viktor a éclaté d'un rire énorme, comme s'il riait d'un enfant.

– Non. Il n'y a pas de hasard pour ces choses-là... Non vraiment pas! Je me rappelle une discussion entre deux loubavitchs, l'un, le plus jeune, disait à voix basse : « Notre peuple, ou une de nos tribus, serait issu des Celtes! » Et l'autre de répondre : « Tu viens de découvrir un terrible secret : que

Lyon est entre Paris et Marseille… » Pour revenir à Abraham,
qui était sous le chêne, il est béni par Melchisédech.

– Jamais entendu parler.

– Melchisédech veut dire, en hébreu, roi de justice. Dans
un passage de la Bible, il est dit : « Et Melchisédech, roi de
Salem, fit apporter du pain et du vin, et il était prêtre du Dieu
Très-Haut. Et il bénit Abram, disant : Béni soit Abram du
Dieu Très-Haut, possesseur des Cieux et de la Terre, et béni
soit le Dieu Très-Haut, qui a livré tes ennemis entre tes mains.
Et Abram lui donna la dîme de tout ce qu'il avait pris. » Et
c'est tout ce qui a été écrit à son sujet.

– C'est tout ?

– Oui. Je suis toujours très ému quand je cite ce passage
de la Bible. Pour moi, c'est l'un des passages les plus émou-
vants de l'histoire de notre humanité. Melchisédech fut le
premier à apporter le pain et le vin et à dire qu'il n'y a qu'un
seul Dieu, le Très-Haut. Et tout le monde l'a oublié, ou en
tout cas beaucoup d'entre nous sur Terre. Quelle tristesse.
Nul ne fut plus grand que lui. Il était déjà là pour parler de
l'Unique. Il est apparu et il a disparu on ne sait où. Était-ce
un homme ? Une vision ?

Sa pensée semblait comme en suspens, puis il a repris
soudain :

– Vous savez, je ne suis pas là pour vous imposer quoi que
ce soit. Je ne vous impose pas une doctrine, ni une religion, ni
une façon de prier ou de manger, ni une technique de médita-
tion. Faites ce que vous voulez. Vous pouvez, ou pas, choisir
pour vous-même. Je vous montre une voie, je vous donne des
conseils comme un guide de montagne qui vous dirait : il y a
un sentier qui part sur la gauche, un autre sur la droite, mais il

existe aussi, si vous voulez, un autre chemin, au centre, qu'on ne voit pas et qui est plus dangereux. Je suis là pour apporter le questionnement et la contradiction.

– Je comprends.

– Il y a eu dans l'histoire de ce monde un personnage énigmatique que les trois religions du Livre ont tout fait pour oublier et qui a apporté la contradiction. Elles l'ont fait passer pour un fou, une tête brûlée, pourtant il a essayé de faire l'unité. Il s'appelait Al Hakim bi-Amrillah, « le monarque par l'ordre de Dieu ». Il était le grand sultan fatimide en 996 après Jésus-Christ. Il régnait sur tout le Moyen-Orient et vivait au Caire. Il a construit un observatoire, le Mokattam, pour fixer les étoiles toutes les nuits. Il a aboli l'esclavage, décrété l'interdiction de la polygamie et ordonné la séparation des affaires de l'État de celles de la foi. Il croyait en la métempsychose, la transmigration des âmes. Certains pensaient que le dixième verset de la sourate de la fumée prophétisait son apparition. Mais personne ne croyait en lui. Sauf un. Un homme le reconnut comme la nouvelle incarnation du Christ sur Terre, Al Dareze. Pourtant, son propre peuple se ligua contre lui, emmené par sa sœur Sitt-Al-Mulk. Car il ne pouvait, après Mahomet, plus y avoir de prophètes, mais uniquement des visions.

– Que des visions ? Qu'est-ce que ça veut dire ?

– Ah... Là... On arrive à un point central, crucial pour moi. Mahomet reçut la visite de Djibril qui lui révéla le Livre saint, le Coran. Le même ange Gabriel qui visita six siècles avant lui la Vierge Marie. Peut-être qu'Abraham eut la vision de Melchisédech, puisqu'on peut traduire Melki, le roi, par Melek, l'ange... L'ange ou le roi de justice.

– Paul a eu une vision sur le chemin de Damas… qui changea sa destinée…

Je me souvenais de ce que m'avait dit le père de Madeleine.

– Exactement! Sans parler des visions d'Élie ou d'Ézéchiel, de saint Martin à Amiens qui coupa de son épée la moitié de son manteau pour la donner à un pauvre mourant de froid et qui eut la vision du Christ. Dans toutes les traditions, on trouve ces visions.

– Des visions…

– Oui, des visions! Qu'est-ce que ça veut dire tout ça?

– Je ne sais pas.

– Nos religions du Livre – les autres aussi d'ailleurs – reposent sur des hommes ayant eu des visions! C'est incroyable et pourtant…

– C'est vrai quand on y pense, c'est un peu fou.

– Pour revenir à Al Hakim, il déclara que les hommes n'avaient pas compris les paroles de Jésus, Sidna Aïssa, puisqu'ils se battaient encore pour les lieux saints. Et que les lieux saints par essence n'appartenaient à personne, sinon à Dieu. Il fit raser le tombeau du Christ en 1009, construit par l'empereur Constantin, car nul corps ne s'y trouvait. Il déclara alors : « Que sa longueur et sa largeur ne fassent qu'un, que ses plafonds rejoignent son sol. » Il donna également l'ordre de raser le tombeau de saint Georges à Ramallah car nul corps ne s'y trouvait non plus, et pour cause vu que saint Georges est une vision. Il fit détruire la mosquée d'Amr-Ibn-al-As à Alexandrie. Il mit une clochette au cou des juifs et fit porter une grosse croix aux chrétiens. Son peuple devait travailler la nuit et dormir le jour. Il voulait l'éprouver. Il lui faisait vivre tout et son contraire. Il tua tous les chiens du royaume.

– Pourquoi tuer tous les chiens ?

– Il trouvait que les chiens étaient le symbole même de l'asservissement.

– D'accord, mais c'est violent !

– Puis vint l'ismaélien Hamza, un personnage mystérieux, caché, le vrai guide. Vous avez vu ? Il y a toujours un personnage qui en cache un autre. Ses adeptes l'appelèrent le pilier du temps, qui sonne comme un Templier à l'envers, vous ne trouvez pas ?

– Si, c'est étonnant, pilier du temps et Templier.

– Certains fidèles continuèrent à vénérer Al Hakim bien après sa mort. On dit de lui qu'il pouvait voir une fourmi noire sur une pierre noire dans la nuit la plus noire. Il aimait dire : « Étonnez-moi et je vous pardonnerai. »

– C'est une belle idée.

– Al Hakim fut assassiné un soir qu'il partait au Mokattam sur son âne regarder les étoiles, sûrement par l'entourage de sa sœur, mais personne ne retrouva jamais son corps.

– Comme le Christ ?

– Comme le Christ ou comme d'autres, d'ailleurs. Ceux qui vénèrent Hamza, encore aujourd'hui, sont les Druzes au Liban et au sud de la Syrie.

– Les Druzes, oui j'en ai déjà entendu parler.

– C'est une communauté et une des religions les plus hermétiques qui soit. Ils étudient tous les textes sacrés, les enseignements de Pythagore et de l'Égypte ancienne. C'est un dérivé mystique de l'islam. Ils se disent religion de l'unité divine. J'aime beaucoup les Druzes. Et vous devriez vous y intéresser. Vous êtes libre à déjeuner ?

34.

On est allés au Taghit et on a mangé un couscous-méchoui, coloré d'épices.

Viktor m'a parlé un peu de son enfance à Alet-les-Bains dans le Razès, *raz* voulant dire secret en hébreu. Et Alet bien sûr, lui faisait penser à l'*Aleph*. Lieu appelé par les Romains *Electus*, lieu d'élection, lieu choisi. Curieusement, il existait dans ce tout petit village de cinq cents âmes une cathédrale de la Vierge Marie aujourd'hui détruite et une synagogue! Petit, sur la balançoire, Viktor volait sous l'étoile de David. La synagogue jouxtait son jardin merveilleux rempli d'arbres fruitiers et d'odeurs de crème catalane que lui préparait sa grand-mère. On aurait pu appeler cet endroit délicieux un paradis. Paradis prend toujours un « s », m'avait-il fait remarquer, sûrement pour nous indiquer qu'il en existe plusieurs. Le Pardès de la kabbale juive veut dire littéralement : le verger où l'étudiant de la Torah peut toucher la béatitude. Celui-là, véritablement, en était un.

— À Alet, il y a d'extraordinaires sources, m'a dit Viktor, exploitées depuis les Romains et même bien avant encore. Certaines ont été mises en bouteilles, mais ce n'est qu'une toute petite partie. Le reste est interdit d'accès. On a obstrué les passages. L'accès aux plus incroyables sources d'eau qu'il y ait en Europe. Essayez de vous représenter la chose, ces sources, c'est une réserve d'eau de soixante-dix milliards de mètres cubes, l'équivalent du lac Léman. C'est difficile d'imaginer qu'il y ait ça sous terre et qu'on ne puisse plus y avoir accès. Et surtout pourquoi ?

Puis il m'a parlé de la kabbale juive qui était née à Troyes, en France, aux portes de la forêt d'Orient – et non pas à Cordoue ou en Israël comme beaucoup pouvaient le penser –, de l'esprit lumineux de Rachi au XIᵉ siècle, qui avait bouleversé la pensée de nos moines au Moyen Âge.

Viktor s'est allumé une cigarette.

– Vous en voulez une ?

J'ai pris une des cigarettes qu'il me tendait en souriant.

– Un ami poète m'en envoie tous les mois de La Havane et moi je lui envoie du papier, des stylos, du savon et du parfum.

– C'est sympa.

– Regardez… C'est ce que le socialisme a fait de mieux… Une blonde cubaine avec le bout sucré. « Soyons réalistes, exigeons l'impossible » camarade ! Fumons sucré !

J'ai tiré une taffe.

– Avouez que c'est bon. Il faut dire que question enfumage, les Cubains se posent en maîtres incontestés.

C'était comme une magnifique pause. Comme le silence habité avant l'assaut final. Il a bu une petite lampée d'un château Puech-Haut Pic Saint-Loup. Ses yeux pétillaient de mille feux, il était comme mû par une force intérieure. Il a parlé du vin, du tanin qu'on peut aussi écrire avec deux « n », de Tanéo le dieu du chêne, du vin gardé dans des fûts de chêne, et de

Tannaïm, le nom des docteurs de la loi. Il y trouvait non pas une curiosité linguistique, mais un lien essentiel à la compréhension des mystères. Puis il a marqué un long silence où il a semblé déguster sa petite cubaine. Il la tétait littéralement. C'est alors qu'il a lâché sa plus belle flèche.

— Que pensez-vous de *La Joconde*?

— Holala… j'ai fait en me marrant.

— Pourquoi vous faites : « Holala »?

— Pourquoi *La Joconde*?

— Pourquoi pas?

— Qu'est-ce qu'elle vient faire là?

— Elle est centrale dans ma quête, c'est une pièce essentielle, comme la dame au jeu d'échecs. Parlez-moi d'elle!

— Vous voulez que je vous parle de *La Joconde*?

— Oui s'il vous plaît, ça m'intéresse au plus haut point.

— Eh bien, je ne sais pas, j'ai rien à dire d'intéressant là-dessus… J'ai lu quelques trucs dans des livres… Mais tout ce que je vais vous dire, vous le savez déjà!

— Allez-y, ce n'est pas grave. J'ai l'habitude. Ça me permettra de refaire un point et d'ordonner à nouveau mes pensées, comme un tapis épais qu'on sort de temps en temps et qu'on frappe pour enlever la poussière. J'ai besoin de prendre l'air. Allez-y, je vous écoute…

Je me sentais comme un élève interrogé au tableau, ayant peur d'être hors sujet. J'ai respiré profondément.

— D'abord Léonard de Vinci. Un génie. Qu'est-ce que vous voulez que je vous dise d'autre? On ne sait pas si c'était un homme ou une femme…

— Léonard de Vinci, une femme?

Viktor avait souri.

– Non, la Joconde…

– Excusez-moi de vous avoir interrompu. Mais comme la question de la sexualité de Léonard est aujourd'hui encore largement débattue, je n'ai pas pu m'en empêcher.

– On ne sait pas si la Joconde était enceinte, on se pose mille questions sur son sourire, on l'appelle Mona Lisa, du nom du modèle, je crois…

– Lisa Gherardini.

– C'est le tableau le plus connu au monde et il est au musée du Louvre, et j'ai lu dans un article de je ne sais plus quel journal qu'il y aurait deux initiales dans la pupille de ses yeux. Franchement, c'est d'une banalité crasse.

– Pas tant que ça! C'est intéressant le coup des initiales, non? B et S dans l'œil droit et LV dans l'œil gauche.

Il savait déjà tout.

– Oui, on dit aussi que les petites craquelures de la peinture avec un peu d'imagination peuvent dessiner n'importe quelle lettre…

– Ce n'est pas totalement faux…

J'avais fait mon malin. Viktor m'avait regardé de ses yeux brûlants.

– C'est tout?

– Oui, je ne sais pas trop quoi dire d'autre. Léonard de Vinci est enterré en France, je crois…

– Au château d'Amboise. Ce qui est bizarre pour un Italien. Non?

– Oui.

Je n'avais que ça à dire.

– François Ier l'ayant accueilli au château du Clos Lucé. *La Joconde*, c'est une énigme, vous êtes d'accord?

– Oui, c'est une énigme.

– Plus de sept millions de personnes viennent voir le tableau chaque année. Pourquoi ? Parce qu'il est plus beau qu'un autre ? Je ne crois pas... C'est plutôt qu'il est porteur d'un secret, d'un mystère, de quelque chose qui nous dépasse, d'une clef de l'inconscient.

Qu'est-ce qu'il était encore en train de préparer ? Il m'avait attiré sur son terrain et je me sentais nu comme un ver luisant sous les étoiles.

– Alors quelle énigme ?

– Eh bien justement, on ne sait pas si la Joconde est un homme ou une femme...

– On s'en fout de tout ça. Disons qu'il est androgyne et passons à autre chose.

– D'accord. D'accord, je suis d'accord.

J'ai écrasé ma petite cubaine au goût sucré et j'ai fini mon thé à la menthe.

– Léonard de Vinci, qui a été un grand initié, cachait ses secrets dans sa peinture, comme le firent aussi Poussin dans son tableau *Les Bergers d'Arcadie* ou Jules Verne d'une autre manière dans ses livres, dans les gravures de la première édition de *Voyage au centre de la Terre* par exemple, ou dans les noms des lieux et des personnages de *Clovis Dardentor*, voyez-vous ? Les peintres, eux, cartographiaient dans leurs tableaux, ils créaient des pictogrammes, travaillaient sur la géométrie sacrée, la symbolique, ils y cachaient des trésors, pour ne pas dire des tombeaux ou des entrées secrètes... Ce ne sont pas des tableaux, voyez ça plutôt comme une cartographie à l'huile, où chaque détail a son importance.

– OK. C'est intéressant.

SFUMATO

— Les rois leur passaient commande et eux devenaient les maîtres du jeu secret. Si vous trouvez l'angle d'attaque, le point central, la pointe du compas ou la pierre de voûte, vous pourrez découvrir l'endroit caché et une autre histoire vous sera racontée. Regardez *La Vierge aux rochers* de Vinci par exemple, ou *La Sainte Famille* de Raphaël commandé par le pape Léon X et envoyé comme cadeau à François Ier en 1518... Ou *La Vierge à l'Enfant avec sainte Anne* de Vinci. Il y a plusieurs choses à remarquer : par exemple dans ce dernier tableau, sainte Anne, la mère de la Vierge, est morte avant la naissance du Christ et pourtant elle est représentée avec la Vierge et l'Enfant Jésus, avec un visage qui m'en rappelle un autre... Regardez aussi *Saint Jean-Baptiste*, c'est toujours lui qui tient une croix, comme c'est curieux. Ou dans *La Sainte Famille* et *La Vierge aux rochers*, la présence de deux enfants... Ces deux derniers tableaux se répondent, se complètent pour raconter la même histoire. On ira voir ça tous les deux de plus près... Mais le tableau que j'aimerais que nous étudiions plus en profondeur, c'est *La Joconde*. À vrai dire, ce sont surtout les arrière-plans qui ont toujours attiré mon attention...

— Plus que le personnage?

— Il y a plusieurs plans de lecture. N'avez-vous pas remarqué que le paysage côté droit et côté gauche derrière la tête de la Joconde ne correspondent absolument pas... La ligne d'horizon est complètement décalée.

— Non, je ne l'avais pas remarqué. Mais je regarderai.

— Nous irons au Louvre ensemble. Vous verrez que les deux paysages n'ont rien à voir l'un avec l'autre. Et ce n'est pas un hasard, ni une faute du peintre. C'est un indice, une ouverture, un questionnement sur un autre univers. Ce n'est pas au même niveau, les plans aquatiques ne correspondent pas, il y a deux paysages. D'un côté, un chemin tortueux et de l'autre un pont de pierre avec arcades. Mais rien ne va ensemble. Qu'a-t-il voulu nous dire par là ?

— Je ne sais pas.

— Qu'il y a deux lieux différents derrière un même personnage ? Ce qui d'un point de vue réaliste n'est pas possible. Ou qu'il y a deux mondes, celui-ci et un autre ? Ou que derrière le personnage de la Joconde, au visage androgyne, se cache non pas une identité mais deux, un homme et une femme réunis ensemble dans un même endroit ?

— Intéressant. Mais quels personnages ?

— Voilà la bonne question. Quels personnages ?

— Et dans quel endroit ?

— Exactement. Dans quel endroit ?

— Les deux paysages sont séparés par une ligne imaginaire…

— Je pense au méridien de Paris, à la ligne qui sépare la France en deux parties…

Il a regardé autour de nous, s'arrêtant sur la table voisine où déjeunait un couple d'amoureux.

— Je peux vous reprendre une petite cubaine ? je lui ai demandé.

— Allez-y mon garçon, allez-y, ne vous gênez pas ! Elles sont faites pour être désirées, fumées, écrasées… Puis refumées.

Il a allumé ma cigarette avec un vieux briquet Dupont en or et en a sorti une pour lui-même. J'ai tiré une petite taffe comme si j'étais sur le Malecon devant mon mojito, observé et malmené par Ernest Hemingway en personne. Puis il a posé le briquet sur la table et j'ai remarqué une feuille de chêne gravée dans l'or fin. Il a enchaîné :

– Quand je regarde le visage de la Joconde, je pense à Janus.

– Qui est Janus ?

– C'est le dieu du commencement, des choix, des décisions. C'est le gardien des ouvertures et des portes, le maître des deux voies, or et argent. Vous savez, ce personnage à deux visages, l'un jeune et l'autre vieux, le passé et l'avenir dont il détient les deux clefs. Ou plutôt, un visage regarde derrière lui et l'autre devant. Janus bi-front. Le mois de janvier lui est attribué. Janus est le solide gardien de la porte du chêne. Vous me suivez toujours ?

– J'essaye…

J'étais un peu perdu.

– C'est pour ça que vous avez fait graver une feuille de chêne sur votre briquet ?

J'avais demandé ça pour tenter de faire une pause.

– C'est un cadeau de mes frères.

– Il est très beau.

Il a soufflé la fumée chaude au loin. La pause était terminée.

– J'avoue que j'ai été pendant des années possédé par les fonds de ce tableau. Une véritable obsession. Une passion dévorante. Ce chemin sur la gauche ressemblant à un Z, ou à un S si on le regarde dans un miroir. Et surtout ce pont à arcades au premier plan qui se termine au niveau de l'omoplate du personnage comme s'il rentrait directement dans sa colonne vertébrale. On voit d'où il part, du cadre droit du tableau, mais on ne sait pas où il arrive et c'est là ce qui crée le trouble : je ne pense pas qu'il rejoigne le chemin. Le pont, c'est le symbole du passage dans l'au-delà et le passage serait caché par la Joconde, voyez-vous, c'est ça que je crois. Au bout du pont, il y a la clef, l'entrée, l'endroit caché. Et ce plan aquatique en haut à droite qui semble lui rentrer dans l'oreille comme la voix de Gabriel dans l'oreille de Marie…

– Ça veut dire quoi, d'après vous ?

– Il est peut-être là pour figurer une source sortant d'un rocher…

Il a tiré une dernière fois sur sa cigarette avant de l'écraser.

– Il y a donc trois éléments dans ce puzzle : le côté droit du paysage, le côté gauche et la Joconde elle-même, son visage, ses habits, son voile, ses mains. Et un quatrième, invisible : qu'y a-t-il derrière son dos ? Que cache-t-elle ?

– Vous connaissez ce tableau par cœur ?

– Oui… Par cœur. C'est le mot.

35.

J'attendais maintenant chaque jour avec impatience les rencontres avec Viktor au café. Je m'habituais doucement à son flot de paroles passionné, comme on découvrirait les sonorités d'une nouvelle langue. Des liens se tissaient entre toutes ces histoires, plus curieuses les unes que les autres. J'avais attrapé une sorte de fièvre qui ressemblait à la fièvre de l'or, je cassais du caillou, triais sur ma moquette, lavais mes idées, affinais tant que je pouvais et tournais les histoires dans tous les sens. J'avais trouvé chez mes voisins bouquinistes certains des livres dont Viktor m'avait parlé que je dévorais avec avidité. Les idées s'enchaînaient, prenaient place, je commençais à y voir plus clair, à me repérer dans ce brouillard.

Et puis Viktor m'a invité à l'accompagner au Louvre. C'est là, en face de *La Joconde*, qu'il m'a parlé du *sfumato*, une technique qui permet d'obtenir des contours imprécis, une superposition de très fines pellicules de peinture qui donne un aspect brumeux dans les arrière-plans et fait ressortir le sujet car la lumière ne semble alors parvenir qu'au travers de ces différentes couches vaporeuses.

– C'est cet écran de fumée qui crée le mystère, m'a dit Viktor. Léonard de Vinci nous enfume en cachant l'énigme derrière plusieurs rideaux transparents.

Je n'étais pas encore au bout de mes surprises.

Viktor m'a emmené voir *Les Bergers d'Arcadie* de Poussin. Trois bergers et une femme sont devant un tombeau de pierre dans la campagne. Derrière le tombeau, quelques arbres. Au lointain se dessinent les cimes rocheuses de deux montagnes. Deux des bergers montrent chacun un point précis sur la pierre qui porte l'inscription « *Et in Arcadia ego* ».

– Cette phrase latine ne comporte pas de verbe et c'est probablement une anagramme, m'a indiqué Viktor.

Puis on est allés s'asseoir sur un petit banc au milieu d'une galerie où était exposé le tableau *Saint Jean-Baptiste*. Viktor parlait à voix basse en regardant le chef-d'œuvre.

– *La Joconde* a été peinte sur deux périodes, commencée en 1503-1506, terminée certainement pour les derniers détails entre 1516 et 1519, l'année de la mort de Léonard. Quand vous regardez le visage de *Saint Jean-Baptiste* commencé avant 1513 et terminé également vers 1516-1519, qu'est-ce que vous remarquez ?

J'ai essayé de me concentrer sur la figure du jeune homme qui montrait de sa main droite un crucifix dans l'obscurité, la main gauche posée sur son cœur.

– Que ce visage ressemble étrangement à… la Joconde. Non ?

– Exactement. Son modèle, élève et amant, et peintre lui-même, s'appelait Salai, le petit diable, de son vrai nom Gian Giacomo Caprotti. Si on regarde plus précisément le portrait de saint Jean-Baptiste, on s'aperçoit que la forme du nez, l'écart entre les yeux et le sourire sont très proches de ceux de la Joconde, et même de ceux de sainte Anne. Il y a une sorte de grâce dans le visage, androgyne lui aussi, dans ce sourire mystérieux. Et que montre-t-il avec ce doigt tendu vers le haut ?

— Vous pensez qu'il montre un point précis ?

— Je pense qu'il montre un point zéro, le centre, ou qu'il donne une mesure entre son index et son pouce. Léonard mesurait tout. Remarquez que saint Jean-Baptiste ne regarde absolument pas le point qu'il désigne. Il y a un décalage entre la verticale du crucifix et l'endroit qu'il désigne sous la barre horizontale. Mais peut-être que l'endroit caché est sur son cœur où il pose bizarrement le bout de ses deux doigts de la main gauche, qui tient le crucifix… Le bout de ses doigts forme une petite ouverture, une fente.

— Oui c'est vrai, c'est curieux.

— Mais regardez cet autre tableau de l'atelier de Léonard, réalisé entre 1510 et 1515, avec le même sujet que le précédent, saint Jean-Baptiste, mais représenté ici avec les attributs de Bacchus. Que voyez-vous ?

— Qu'il désigne une autre direction.

— Exactement, il désigne une autre direction, latérale celle-ci. Il regarde le peintre ou celui qui regarde le tableau dans les yeux sans regarder ce qu'il montre, cela crée une zone de mystère dans le coin droit du tableau qui est noyé dans l'obscurité la plus dense. En revanche, contrairement au *Saint Jean-Baptiste*, l'arrière-plan à gauche du tableau est très lumineux. On remarque une petite montagne avec une forme très particulière, on aperçoit aussi une rivière et sur une hauteur derrière le personnage, quelques arbres. Bacchus tient un bâton et de sa main gauche, il désigne le bas du bâton, ou nous montre un point précis sur l'axe, sûrement une distance. Retournons voir maintenant *Les Bergers d'Arcadie*, peint un siècle plus tard.

En face du tableau, il m'a demandé :

– Qu'est-ce que vous remarquez ?

– Qu'il y a beaucoup de points communs.

– Lesquels ?

– Les personnages centraux montrent chacun un point précis et la montagne derrière eux ressemble étrangement à l'autre. Et il y a dans les deux tableaux un massif d'arbres sur-élevé et un arbre seul devant la montagne.

– Donc tout porte à croire qu'à un siècle de distance, les deux peintres parlent, en se servant des mêmes symboles, exactement du même endroit.

– Oui, je pense que vous avez raison.

– *La Joconde* et *Saint Jean-Baptiste* furent les derniers tableaux de Léonard de Vinci. On pourrait dire qu'ils sont tes-tamentaires. D'ailleurs Léonard laissera en héritage *La Joconde* à Salai. Ce qui est plutôt bizarre quand on vous dit partout que c'est Franscesco del Giocondo qui avait passé commande en 1503 du portrait de sa femme Lisa Gherardini… Léonard a franchi les Alpes en 1516 sur son âne avec trois tableaux, *Saint Jean-Baptiste*, *La Joconde* et *La Vierge à l'Enfant avec sainte Anne*. La commande de *La Joconde* date de 1503 ! Il passe les Alpes en 1516… et finit le tableau en 1519, l'année de sa mort.

– Oui, c'est curieux. Il l'a gardé pour lui.

– Se sachant malade, s'il avait des secrets à livrer, c'était le dernier moment pour les consigner derrière ses fameux petits écrans de fumée et les transmettre pour les initiés. Si ce tableau était une commande, pourquoi l'a-t-il emmené avec lui et pourquoi François Ier en a-t-il fait l'acquisition, après la mort du peintre ? Tout cela à mes yeux reste on ne peut plus mystérieux.

– Vous avez raison.

– Une autre théorie dit que si la Joconde a les sourcils épilés, cela signifiait à l'époque que c'était une prostituée. Alors que le modèle présumé était une honorable mère de famille et qu'elle venait d'accoucher de son troisième enfant.

– Oui, c'est surprenant.

Viktor a semblé alors plonger dans ses pensées. Puis comme pour épaissir encore le mystère qu'il me faisait partager, il m'a déclaré :

– Mais revenons un instant sur les craquelures dans l'œil dont vous m'aviez parlé… Les lettres L et V et B et S. L et V pour Léonard et Vinci probablement et S pour Salai, peut-être. Mais B je ne vois pas. À moins que B et S ne soient les initiales de l'endroit qui se cache derrière son dos. On retrouve aussi sur son front un voile, un voile fin comme les femmes enceintes en portaient à l'époque. Ce peut être aussi l'image d'une femme enceinte, l'image de la maternité.

36.

Je n'arrêtais pas de repenser à tout ce que m'avait dit Viktor. J'avais commencé à noter deux trois trucs puis à noircir des pages entières de noms, de lieux, de détails, de réflexions sur les différents tableaux, en écrivant de plus en plus petit comme par crainte d'être lu un jour. J'avais trouvé une planque pour mon Moleskine : un couvercle rond obstruait un petit trou, dans le socle de ma douche...

Quelques jours plus tard, Viktor m'avait donné rendez-vous à l'Observatoire. Là, il m'a fait un cours magistral sur le méridien de Paris, la ligne partant de Dunkerque et passant par Paris, Bourges, Carcassonne...

Il me fascinait, le champ de ses connaissances me paraissait infini.

– L'observatoire de Paris a été fondé le 21 juin 1667, jour du solstice d'été, pour déterminer le midi vrai. C'est Louis XIV, le Roi-Soleil le bien nommé, qui a fait construire l'édifice. L'astronome Cassini a dirigé l'institution. La famille Cassini, sur quatre générations, dessinera par la suite la célèbre carte, dite « carte de Cassini ».

Et il a sorti d'une sacoche une carte de France et m'a montré tous les points, toutes les villes traversées par le méridien.

Après un moment de réflexion, où il a semblé hésiter, il m'a dit :

– Voilà l'axe le plus intéressant qui soit, à 2° 20′ 13″ à l'est du méridien zéro de Greenwich. En fait, pour être tout à fait clair, il y a deux méridiens, celui de l'observatoire de Paris à 2° 20′ 13″ et le méridien de Saint-Sulpice à 2° 20′ 03″. Le transept de l'église Saint-Sulpice abrite un instrument de mesure, un gnomon, qui a été mis en place par les astronomes de l'observatoire de Paris au XVIIIe siècle pour déterminer l'équinoxe de mars et donner précisément la date de la Pâque chrétienne. Le méridien de Paris, c'est la ligne templière, la ligne rouge, le roux sillon. On pourrait également l'appeler la Rose-line en référence à sainte Roseline célébrée le 17 janvier, ainsi que saint Antoine l'Ermite et saint Genou. Cette ligne à 2° 20′ 13″, c'est l'axe vertical. Ce que je vous propose, Raphaël, c'est de vous mettre en quête, de mener une enquête sur les merveilles que recèle cet axe. Donc vous pourrez fouiller dans les bordures et les taillis en suivant ce roux sillon. En le parcourant, vous verrez, tout est signifiant.

Tenez, regardez où est enterré Jules Verne et vous commencerez par avoir une grosse surprise.

Le soir même, j'ai passé plusieurs heures sur mon ordinateur avec Google Earth à descendre de Dunkerque jusqu'au Sud de la France en me fixant sur 2° 20′ 13″, le problème étant de trouver la bonne distance avec le paysage… L'impression de survoler le pays, tel un aigle planant. Puis le lendemain, je suis allé m'acheter l'*Atlas routier et touristique* de Michelin au 1 : 200 000 – 1 cm = 2 km. En m'arrêtant des heures sur des endroits à chercher, j'ai peu à peu réussi à déceler la ligne du méridien. J'avais aussi acheté une carte de France sur laquelle j'ai essayé de tracer une ligne avec un feutre après avoir tracé une première ligne fine avec un crayon à papier. La difficulté pour le premier tracé : trouver une règle suffisamment grande, un crayon à papier suffisamment gras mais pas trop, pour que la ligne soit fine mais tout de même visible. Bien placer la carte à plat et la bloquer le plus possible. Au début, les plis constituaient de sévères obstacles, des tranchées pouvant créer de terribles décalages. Ayant gommé, sali ma carte, je suis retourné m'en acheter trois autres. J'ai réussi à affiner mes repères avec une loupe. Ma ligne découpait la France en deux parties bien distinctes. C'était comme un fil à plomb. Je marquais les villes et au fur et à mesure, je recherchais des informations sur chacune d'entre elles : son histoire, le nom de ses monuments, de ses églises, ses blasons, ses symboles, et je notais tout ce qui me semblait intéressant dans mon petit carnet.

Au bout de plusieurs jours de recherches, j'étais stupéfait de découvrir des noms très ressemblants, de trouver des personnages récurrents… Une histoire passionnante se dessinait.

37

J'étais très excité à l'idée de retrouver Viktor et de lui livrer le résultat de mes investigations, consignées dans mon petit carnet noir.

– En France, le méridien commence exactement à Saint-Pol-sur-Mer, avec son beau lion d'or en blason.

– Vous avez vu, jeune homme, pour que ce soit clair, d'entrée de jeu, le pôle ! Tout un programme, l'axe autour duquel tourne le monde… Et le Lion est un des symboles du Christ et le gardien du Temple.

– Puis juste collée à cette petite ville, Dunkerque, avec comme armoiries un lion toujours et son dauphin, ce qui est déjà curieux.

– Le dauphin ayant été le symbole d'Apollon et du Christ. C'est important l'héraldique, c'est une science. Apollon porte la racine de a-pol, l'idée du pôle, également.

– Ah oui bien joué, je n'y avais pas pensé, A-Pol-lon. Après Dunkerque où j'ai remarqué qu'il existait une Vierge noire dans la chapelle Notre-Dame des Dunes, en descendant on arrive à Arques la bien nommée, et son blason : une crosse et deux clefs d'or sur un fond rouge sang.

– Le rouge qu'on appelle de gueule, en héraldique, et le vert, sinople.

– En descendant, nous trouvons l'abbaye de Belval. Puis Saint-Pol-sur-Ternoise, son château avec un blason coupé en deux sur la verticale et un épi de blé en or. Puis Saint-Michel-sur-Ternoise et Doullens, avec sa citadelle en forme d'étoile vue du ciel, pile sur la ligne, construite en 1530 par François Ier…

– Tiens, tiens, le revoilà celui-là…

– Et son église Notre-Dame, anciennement église Saint-Martin, nous allons y revenir car Saint-Martin joue dans cette histoire un rôle primordial!

– Très bien. Mais là vous venez de passer sur une chose très intéressante, ce sont les dates…

– Oui?

– Qu'est-ce que vous remarquez?

– Je ne sais pas…

– L'observatoire de Paris, vous vous rappelez, a été fondé par Louis XIV en 1667.

– Oui.

– Et François Ier, c'est quand?

– Marignan, c'est 1515…

– Donc…

– Donc la ligne du méridien existait déjà bien avant, dessinée par les bâtiments et les constructions.

– C'est ça! Vous voyez que ce n'est pas qu'une ligne abstraite et symbolique. Elle est véritablement un axe.

– On peut même penser que cet axe avait été repéré dès le néolithique… puisque nous rencontrons beaucoup d'édifices de cette époque sur cette même ligne.

– Très bien. Ça c'est une très bonne observation.

– Merci. Après Doullens, nous trouvons Le Rosel et nous arrivons tout naturellement à Amiens. C'est là que se situe la magnifique tombe de Jules Verne sculptée par Albert Roze, au cimetière de la Madeleine, que vous m'aviez demandé de chercher.

– Est-ce un hasard d'après vous?

– Le cimetière de la Madeleine? Je ne sais pas. La statue représente Jules Verne sortant du tombeau la tête recouverte de son linceul, il soulève de son dos la pierre tombale, dont l'angle est brisé, et tend sa main vers la lumière.

– Jules Verne a-t-il voulu encore codifier sa dernière demeure? Tout porte à le croire. Symbole de la résurrection, de la quête de l'artiste vers la lumière ou enseignement secret?

– Peut-être un peu tout ça à la fois, non?

– Oui assurément. Est-ce Lazare sortant du tombeau ou le Christ lui-même? Lazare, soit dit en passant, est celui qui revient du monde des morts le premier et ça, il ne faut jamais l'oublier, et c'est le frère de Marie-Madeleine et de Marthe, premiers évangélisateurs de la Gaule!

– Oui. Et à Amiens, Mérovée est élu roi des Francs!

– Voilà, le début de la légende est en marche!

– Mais c'est aussi à Amiens que l'on trouve une autre légende merveilleuse, celle de saint Martin donc, jeune soldat romain qui coupa son manteau avec son épée et en donna la moitié à un pauvre boiteux mourant de froid. Il eut la vision du Christ.

– Il n'en a donné que la moitié car celle qu'il a gardée était la propriété de l'armée romaine. À l'endroit de cette vision, aujourd'hui se trouve le palais de justice construit à l'emplacement d'une abbaye qui se nommait, et je ne l'invente pas,

Saint-Martin-aux-Jumeaux. Et il y avait à cet endroit un labyrinthe, un octogone construit dans un carré, les quatre angles désignaient les points cardinaux. Mais pas d'entrée pour ce labyrinthe ! C'est très curieux.

– Le méridien coupe donc la France en deux parties égales et saint Martin coupe sa pelisse en deux. Y a-t-il un rapport ?

– Ce serait à vous de me le dire, Raphaël, si vous avez cherché tout le long de la ligne. Non ?

– Oui c'est vrai que saint Martin n'arrête pas d'apparaître sur cet axe.

– Bon. Avez-vous remarqué que saint Martin est toujours représenté avec une épée ? L'épée est un symbole très important de l'axe polaire. Le nom de Martin et celui de Marc viendraient étymologiquement du dieu Mars. Mais continuez !

– Nous descendons et nous retombons, et c'est normal, sur Saint-Martin-du-Tertre, avec son blason : un lion d'or et un clou de la Passion.

– Le clou est aussi un des symboles de Clovis, qui comme chacun sait fut le premier roi franc à se convertir au christianisme. Il aurait eu une illumination en visitant le tombeau de saint Martin, la boucle est bouclée.

– Puis nous arrivons à Domont, son église Sainte-Marie-Madeleine et son mégalithe, la pierre des Druides, puis Montmorency et sa collégiale Saint-Martin, de nouveau, puis nous croisons l'île Saint-Denis, Saint-Denis et la nécropole, dans la basilique, des rois et des reines de France : Dagobert Ier, saint Louis, François Ier, Louis XIII, Louis XIV, Louis XV, Louis XVI…

– Enfin presque tous les rois et reines et serviteurs du royaume de France depuis les Mérovingiens, rien que ça ! Mais auparavant, il y avait dans cette bonne ville de Saint-Denis un cercle de pierres où étaient déjà consacrés les rois gaulois. Il y eut aussi à cet endroit le plus beau temple du monde, selon Constantin qui y fut adoubé. Je vous rappelle que Constantin fut le premier empereur romain à devenir chrétien.

– Et détail amusant, aujourd'hui, je l'ai écrit parce que c'était rigolo : la fête des Rosières qui récompense les jeunes filles vertueuses !

– Pas mal.

– Puis nous arrivons à Saint-Ouen, avec le palais de Dagobert, puis Paris, la Ville Lumière.

– Paris, Polaris, polaire !

– Saint-Sulpice et l'observatoire de Paris.

– Le méridien passe aussi par le Grand Orient, la cour Napoléon du Louvre, le Palais Royal et traverse le jardin du Luxembourg.

– Puis nous sortons de Paris où nous aurions pu rester très longtemps. L'Haÿ-les-Roses et son blason de huit roses rouges, où des fouilles ont mis à jour un site datant du néolithique et où on peut trouver un musée de la Rose ! Puis nous croisons Saint-Vrain et son prieuré et l'obélisque de Cassini. Puis Yèvre-le-Châtel et son château fort construit sur un oppidum gaulois. Puis Saint-Martin-d'Abbat, à nouveau, et Saint-Benoît-sur-Loire.

– Quel chapitre ! L'omphalos des Gaules, le *locus consecratus* des peuples celtes !

– Et son blason parsemé de cinq roses sur une croix, deux lys d'or et deux crosses d'or, on y est toujours ! À noter que dans l'abbaye de Fleury se trouve le gisant de Philippe Ier, roi de France, toujours sur la ligne, dans la lignée des rois de

France! Vous savez pourquoi il n'est pas enterré à Saint-Denis?

– Oui, parce qu'il trouvait qu'il avait beaucoup péché et qu'il ne méritait pas d'être enterré à Saint-Denis avec ses ancêtres.

Viktor m'épatait. Il avait vraiment réponse à tout. Il a ajouté :

– Il serait bon là de parler de cette croix de roses et de Christian Rosenkreutz qui créa l'ordre de la Rose-Croix. Son tombeau n'a toujours pas été découvert. Il se trouverait sur cet axe. On dit que Rosenkreutz n'aurait pas bougé d'un pas sur cette ligne ou qu'il y aurait disparu. À moins qu'il n'ait jamais existé, mais continuons!

– Nous passons à côté du château de Sully-sur-Loire avec ses armoiries, un lion entouré d'étoiles de David. Puis nous arrivons à Sainte-Montaine, qui fait penser à Sainte-Montagne. Dans la chapelle Sainte-Montaine dite de la Belle Fontaine, il y eut un miracle, un panier d'osier rempli d'eau qui ne se déversait pas! Puis nous tombons sur le petit village de La Rose. Puis la Chapelle-Saint-Ursin avec ses trois roses rouges en ligne.

– La Chapelle-Saint-Ursin, bien sûr en référence à l'ours polaire… D'ailleurs l'oursin fossile était pour les anciens le symbole du centre du monde. Tout y est puisque nous arrivons à Bourges.

– Les Bituriges qui se définissaient comme les rois du monde…

– S'il vous plaît! Vous pouvez le redire?

– Les rois du monde… Et le tombeau de l'alchimiste Jacques Cœur et l'endroit de la première communauté chrétienne, et c'est aussi la première cathédrale romane construite en France, la cathédrale que l'on voit aujourd'hui a été édifiée au même emplacement.

– À l'intérieur se trouve le gisant du duc de Berry en marbre blanc et à ses pieds un ours enchaîné de fleurs de lys. Tout un programme.

– Absolument. Puis nous passons par Corquoy et son église Saint-Martin, encore lui, puis Reigny, sur le côté.

– Reigny porte les racines RGN, le règne! Nous sommes sur la bonne voie, la voie royale, jeune homme.

– Et son église Saint-Martin à nouveau! Culan et son château du XIIe siècle et son lion d'or et ses étoiles de David en or, les mêmes qu'à Sully-sur-Loire. Puis Saint-Palais, Treignat.

– La voie royale!

– Son lion à tête rouge et le soldat romain tenant une lance!

– Toujours Saint-Martin. C'est hallucinant.

– Vous avez raison, c'est hallucinant! Puis Saint-Priest, Saint-Silvain-Bellegarde, Saint-Pardoux-d'Arnet, Saint-Maurice-près-Crocq, Saint-Agnant-près-Crocq, Saint-Oradoux-de-Chirouze, Saint-Pardoux-le-Neuf, Saint-Martial-le-Vieux, Saint-Exupéry-les-Roches, Saint-Étienne-la-Geneste, Sainte-Marie-Lapanouze.

– Quelle série de saints sur une ligne de slalom!

– Ensuite nous tombons sur Liginiac, la ligne, sa tour et sa lune d'argent, symbole alchimique, son étoile d'or et son damier templier. Puis Mauriac, qui porte en son cœur l'auri, l'or et sa basilique Notre-Dame des Miracles.

– Et sa Vierge noire!

– Oui.

– Qui est Notre-Dame?

– Pardon?

– Qui est Notre-Dame pour vous ?

– La Vierge Marie, la mère de Jésus, non ?

– Alors pourquoi n'ont-ils pas appelé cet endroit cathédrale de la Vierge Marie comme anciennement à Alet-les-Bains ?

– Je ne sais pas…

– C'est que ça ne doit pas être elle… Non ?

– Peut-être, si vous le dites.

– Notre-Dame peut être vue selon les traditions comme la Déesse mère, l'Isis, la Vierge noire, la Vierge Marie ou Marie-Madeleine.

– Marie-Madeleine ?

– Oui, Marie-Madeleine, Marie de Magdala ou Marie de Béthanie, qui a été témoin de la résurrection du Christ. Mais continuez la descente, je vous en prie !

– Puis retour à Saint-Martin-Cantalès et son église romane Saint-Martin.

– C'est parfait, la ligne est toujours bien tracée.

– Puis Ayrens, au croisement avec le 45ᵉ parallèle et son château de Clavières.

– De style troubadour.

– Saint-Antoine, Roziès. Rignac.

– Là, nous sommes toujours sur la lignée royale.

– Puis Belcastel, le beau château.

– Ou plutôt le château de Bel et son église consacrée à Marie-Madeleine ! Le dieu Bel ou Belen est assimilé à Apollon.

– Puis Naucelle.

– Dit Nova Cella.

– Saint-Martial. Ambialet sur le côté.

– C'est un endroit magnifique, magique. Une boucle du Tarn qui forme une île naturelle extraordinaire.

– Un lion de gueule et deux châteaux d'argent, son prieuré est lié à la famille Trencavel.

– Très intéressante, la famille Trencavel. Elle tenait les vicomtés d'Albi, de Carcassonne, de Nîmes, Béziers et du Razès, ce qui veut dire secret en hébreu. Elle a toujours protégé les Cathares. Cathares qui ont deux étymologies *Kataros*, la pureté en grec et *Kether*, la couronne en hébreu. J'aime bien l'idée qu'ils auraient été possesseur de la couronne davidique, donc de la lignée du Christ. C'est peut-être pour ça qu'ils ont été massacrés jusqu'au dernier par Rome. La lignée des Trencavel – dont j'aime la sonorité hébraïque – s'est éteinte lors des septième et huitième croisades.

– Puis nous arrivons à Montredon-Labessonnié.

– Et son château Castelfranc, le château des Francs qui est le plus vieil observatoire astronomique français.

– C'est ça! Puis nous traversons la Montagne noire, en un endroit appelé « la terre de Dieu » !

– On pourrait s'y arrêter longuement…

Ce qui était fou, c'est que Viktor connaissait le moindre village, la moindre église et les légendes de chaque endroit. Il avait dû passer des milliers d'heures à descendre le long de ce méridien.

– Puis la ville fortifiée de Carcassonne et sa légende qui dit qu'un trésor juif, venant du Temple de Salomon, serait caché dans ses murailles, rapporté par Alaric après le pillage de Rome. Puis Saint-Polycarpe et son église de la purification, Belcastel-et-Buc, à nouveau, son château et ses deux lions de gueule, Peyrolles et son menhir de la pierre droite.

– La pierre dressée des Pontils indique un axe. Une mire semble exister réellement dans les environs immédiats de la pierre dressée. Une ligne de visée permettrait d'observer le lever du soleil, le 17 janvier.

— La pierre dressée se trouve à 2° 20' 77".

— Ah, très bien ! Vous regarderez précisément les arrière-plans de *La Vierge aux Rochers* et vous me direz ce que vous en pensez.

— Je note.

— Puis la ligne passe à l'est de Rennes-le-Château, et Rennes-les-Bains puis Sougraigne et son curieux blason : « De sinople aux trois billettes d'or posées en bande et rangées en barre ». Ça ressemble à la description d'un trésor ça, non ?

— Le règne à nouveau. Et des barres d'or !

— Ensuite elle traverse la Sals, passe entre la Fontaine des amours et la Fontaine salée.

— À noter que la Sals prend sa source à la Fontaine salée.

— Puis elle coupe la Blanque, et passe exactement par le village de Bugarach.

— Bugarach, l'endroit des bougres qui porte la pierre et l'araignée en son cœur, le pic de Thauze, la montagne creuse, dont des hurluberlus avaient décrété que ce serait le seul endroit protégé le 21 décembre 2012 lors de la fin du monde annoncée par les Mayas… Cet endroit est tout à fait particulier. Jules Verne en a beaucoup parlé dans son roman *Clovis Dardentor*, qui n'est pas son meilleur roman, loin de là. Je pense qu'il l'a écrit uniquement pour codifier des lieux. Nous y trouvons un capitaine Bugarach, très intéressant quand on sait où se situe la ferme du capitaine… Et ce n'est pas la seule information qu'il donne, croyez-moi !

— D'accord. C'est vrai que Jules Verne est au commencement et à la fin de l'histoire.

– Sur un même axe! C'est un magnifique gouvernail.

– Puis nous finissons par le col de Saint-Louis.

– On commence par le couronnement de Mérovée à Amiens et on finit par saint Louis!

– Je comprends mieux à présent la division des décors derrière la Joconde, le secret est sur la ligne, le long de sa colonne vertébrale.

– Vous avez bien travaillé, jeune homme. Mais maintenant ce qu'il va falloir absolument définir, c'est ce qu'on cherche! Même si ce qui compte, après tout, c'est le cheminement. Il est intéressant d'observer que certains chercheurs, à force d'éveil et de travail, de milliers d'heures sans sommeil, font des découvertes fondamentales concernant certains lieux mais échouent car ils ne se situent pas dans la bonne géographie. J'ai ainsi pu voir des géométries complexes qui, calquées sur d'autres plans, d'autres longitudes, mais en conservant la même latitude, auraient parfaitement pu convenir. Comprenez-vous? Ce n'est ni la bonne carte, ni la bonne échelle… Il leur manque quelques degrés… Et pourtant… Ils continuent de chercher. Il faut également prêter attention à une chose cruciale : les énigmes ne parlent pas toutes d'un même lieu ni d'une même chose, et c'est ce principe qui explose toutes les certitudes.

– Donc vous connaissez certains endroits vous-même? Vous avez trouvé?

– Peut-être, mon jeune ami! Peut-être. Je suis vieux vous savez.

– Mais ça n'a rien à voir. Vous ne répondez pas à ma question.

– Si, ça fait cinquante ans que je cherche, cinquante ans que je me balade dans les livres et les légendes, dans les études et sur le terrain. C'est très important de se confronter aux éléments. La carte n'est pas le paysage. J'aime me mettre dans la peau de celui qui doit cacher un trésor. Vous devez aller sur le terrain.

– Oui.

– C'est important Raphaël. Vous ne pouvez pas vous contenter d'un simple oui de politesse. Pour vous répondre, certains endroits sont pour moi comme de vieilles maîtresses m'ayant accompagné une grande partie de ma vie. Des lieux obsessionnels.

– Vous y êtes allé?

– Peut-être que j'ai rôdé autour. Mais vous savez, il y a des passages protégés depuis des millénaires, il faut savoir se perdre pour les trouver, il faut remonter les cours d'eau jusqu'à la source parfois. Il y a des endroits qu'on ne peut approcher que seul, dépouillé de tout, mais on est alors pris d'une peur irréversible, incontrôlable. *Terribilis est locus iste.* Il se peut qu'il y ait des gaz et une raréfaction de l'oxygène qui peut devenir rapidement mortelle. Je vous parle d'un endroit qui peut être un tombeau, l'endroit des trésors ou un lieu de passage vers un monde agartthéen, il se peut d'ailleurs que ces trois choses n'en soient qu'une, comme je vous l'ai déjà dit, et même une quatrième...

– Une quatrième?

– Il se peut à l'intérieur de la Terre, dans les profondeurs vertes, que la notion du temps ne soit plus la même, ainsi trois jours de l'autre côté peuvent correspondre à trente ans. Ainsi ceux qui vous verraient partir ne vous verraient jamais revenir. Pour votre entourage, vos amis, vos proches, vous seriez perdu à jamais. Et pourtant, imaginez si vous restiez ne serait-ce qu'une semaine dans ce paradis perdu?

– Je comprends. Mais comment avez-vous trouvé ?

– Un jour, je suis retourné me balader sur les sentiers escarpés, semblables au cap Ténare. Je cherchais une confirmation d'un détail à l'arrière d'un tableau. L'endroit d'une source et la forme d'un rocher derrière une croix.

– Un de ceux qu'on a étudiés ensemble ?

– Non, un autre qu'on ne peut pas trouver dans un musée. J'étais là pour faire une sorte de vérification de mes lignes tirées sur le papier et je me suis perdu. C'est alors que j'ai trouvé un endroit magnétique autour duquel j'ai ensuite tourné pendant des années. J'étais au centre d'un zodiaque géant.

– C'est où ?

Viktor éclata de rire, en répétant fortement :

– C'est où ? C'est où ?

38.

J'ai reçu un appel de Simon. Il était excité comme tout, il criait de joie dans le téléphone.

– Tu ne vas pas y croire, tu ne vas pas y croire.

– Qu'est-ce qui se passe encore ?

– Hier, j'étais miné, abattu, désespéré, je suis allé traîner au supermarché comme une âme en peine et j'ai acheté une boîte de couscous. Pourquoi un couscous, je ne sais pas ! J'en avais jamais acheté un en boîte, une fois j'ai acheté de la choucroute garnie, mais jamais de couscous ! Je ne sais pas ce qui m'a pris, j'ai dû repenser avec nostalgie à Esther en passant devant le rayon surgelé, je ne sais pas… Mais je suis allé droit sur les conserves et j'ai pris la première boîte de couscous qui me tendait la main. Je me suis ramené la boîte chez ma mère et je vois sur le papier tout autour qu'y avait un jeu concours, il suffisait de gratter. Alors je gratte le truc sans conviction et tu n'y croiras jamais, mais j'ai gagné un voyage, une semaine pour deux à la Martinique.

– C'est génial… On part quand ?

Et là, j'ai entendu un gros blanc.

– Allô… T'es là ?

– J'ai téléphoné à Sandy et je pars avec elle…

J'avais senti une gêne dans sa voix.

– Elle a accepté de partir avec toi après tout ce qui s'est passé, la salope!

J'avais envie d'être méchant.

– Ne parle pas comme ça, s'il te plaît, je l'aime cette fille et je vais la récupérer, j'ai compris des choses, il faut que je sois patient avec elle. Patient. Elle a accepté à deux conditions.

– Parce qu'elle t'a posé des conditions? Vas-y que je me marre.

– Te marre pas, c'est pas drôle… Elle ne veut pas voyager à côté de moi dans l'avion et elle veut qu'on fasse chambre à part là-bas.

– Et t'as accepté?

– Oui, j'ai accepté.

– Mais t'es un malade, un grand malade!

– Fais-moi confiance, je vais la récupérer.

– Qu'est-ce que tu veux que je te dise? Moi je m'en fous du voyage, mais t'es tombé sur la tête mon pote, elle a fait de toi un petit chien, mais tu te rends compte de ce qu'elle te demande?

– Oui je m'en rends compte, mais je suis amoureux.

– Mais être amoureux, ce n'est pas se traîner par terre. Oh Simon, relève-toi!

– C'est ce que j'essaye de faire. Et ce n'est pas évident.

– Non, tu t'enterres et moi ça me fait grave chier pour toi.

– Arrête.

– Tu sais dire que ça, arrête, non j'arrêterai pas.

– Mais tu ne comprends pas que c'est inespéré et que c'est ma dernière chance avec elle, après tout ce qui s'est passé.

– Oui oui…

– Oh tu m'écoutes ?
– Oui...
– Non tu ne m'écoutes pas... À quoi tu penses ?
– À *La Joconde.*
– Tu te fous de ma gueule ?

39

Simon était parti faire son beau voyage récupérateur et je n'avais aucune nouvelle de lui.

Un matin, Viktor m'a dit d'entrée de jeu :

– On va tout reprendre depuis le début.

Ce qui m'a fait rire.

– Depuis le début de quoi ? j'ai demandé.

– Des temps. Pendant des siècles, on a cru que l'apparition de l'homme avait eu lieu 5 000 ans avant Jésus-Christ, tout ça en relation avec la Bible bien évidemment. Connaissez-vous Jacques Boucher de Perthes ?

– Non. 'C'est un peu pénible avec vous, j'ai toujours l'impression d'être un ignare de la pire espèce.

En fait, avec Viktor j'avais toujours l'impression d'avancer et de reculer en même temps, une sorte de salsa intellectuelle.

– Mais non… Tranquillisez-vous, qui connaît aujourd'hui Boucher de Perthes ? De son vrai nom Jacques Boucher de Crèvecœur de Perthes. Il découvre vers 1850 des silex taillés dans la baie de Somme, et des ossements de mammouths et de rhinocéros nain.

– Intéressant.

– Intéressant, mais tout le monde s'en fout! Personne ne croit à sa découverte. Les scientifiques de l'époque examinent les hachettes taillées et lui disent que ce sont de simples pierres qui ont roulé dans la rivière. Boucher de Perthes emploiera toute la fin de sa vie à démontrer qu'il existait un homme antédiluvien. Les Anglais lui donneront raison quelques mois avant sa mort. Pourquoi je vous raconte tout ça?

– Non, c'est intéressant.

– Je vous raconte ça parce que les hommes se contentent d'images et ne vont jamais chercher plus loin que celles qu'on leur a données tout petits dans les tablettes de chocolat et dans les livres d'histoire. Ainsi nous nous représentons par exemple les différentes époques grâce aux livres scolaires ou aux films que nous avons vus, qui bien souvent n'ont rien à voir avec la vérité historique. Mais seulement avec l'idée d'un chef costumier farfelu et la vision artistique d'un metteur en scène *border line*. Il faut ouvrir notre cerveau à d'autres images, d'autres réalités, trouver de nouvelles portes, de nouveaux horizons. Seriez-vous libre ce soir?

– Oui. Pourquoi?

– Je vais vous emmener quelque part. Dans un endroit que j'aime beaucoup et qui me fait voyager à la vitesse de la lumière, à 300 000 années d'ici.

On est arrivés de nuit. Viktor, avec sa canne, marchait vite comme habité par une énergie merveilleuse, il volait sur le bitume.

– Vous boitez? je lui ai demandé.

– Celui qui boite vit entre la Terre et le ciel, a répondu Viktor, énigmatique.

– Je n'arrive pas à vous situer…

– Je suis là pour soupeser, opposer les contraires, faire naître la contradiction comme je vous l'ai déjà dit. Je ne suis pas sous les commandements de nos religieux et des religions de ce monde, la vérité est au-dessus des religions. Si le Christ revenait sur Terre, serions-nous prêts à le suivre même s'il était né dans le camp d'en face, dans une autre religion que la nôtre ? Et à votre avis de quel côté serait-il ? Dans le camp des riches et des puissants ou dans celui des pauvres ? Je ne suis pas sous la loi de nos politiques ou de nos militaires et encore moins sous les ordres des puissants tireurs de ficelles, je ne suis pas une marionnette qu'on manipule, je ne réponds pas à leurs ordres, je ne crois pas à leur justice, j'obéis à d'autres lois, à d'autres règles…

Tout ceci me paraissait bien mystérieux. Que voulait-il dire par d'autres règles ?

Rendez-vous avait été pris à 22 heures devant une petite porte dérobée du musée de l'Homme. Un conservateur du musée, un homme d'une soixantaine d'années, nous attendait. Il a salué Viktor avec respect et Viktor m'a présenté.

– Voilà mon jeune ami.

Il avait dit ça comme s'il lui avait déjà parlé de moi.

Nous sommes montés dans les étages, jusqu'aux réserves situées dans les combles au-dessus du musée.

– Que voulez-vous voir ?

– Tout, a répondu Viktor, l'air gourmand.

– Tout ? Vous restez là un mois ?

– Non, malheureusement non, mais toute la nuit s'il le faut.

– Je vous laisse seuls, alors.

Nous avons déambulé dans des pièces immenses où étaient entreposés une multitude d'objets, morceaux de crânes, mâchoires, ossements, silex taillés, bifaces, pointes de flèches, masques de guerriers, totems, queues de lion, dents de mammouth, pierres gravées, instruments en os... un immense foutoir archéologique.

— Comment imaginez-vous l'homme antédiluvien, c'est-à-dire, au minimum, l'homme d'il y a 11 000 ans? m'a demandé Viktor. L'homme d'avant le Déluge dont parlent absolument toutes les traditions, qu'elles soient bibliques, tirées des Védas hindouistes ou des légendes chinoises. Comment l'imaginez-vous?

— Comme tout le monde.

— C'est-à-dire?

— Comme vous me le disiez ce matin, je me le représente comme sur les images qu'on m'a données à voir dans les livres scolaires ou les films que j'ai regardés au cinéma...

— Oui?

— Il est recouvert de peaux de bêtes avec une grosse massue ou, au mieux, une hache de pierre.

— Vous voyez comme l'image a tué l'imagination? Comment la représentation a masqué la vérité, c'est terrible! Nous avons retrouvé de nombreux cas d'hommes antédiluviens ou préhistoriques qui portaient non pas des peaux de bêtes comme on le croit communément, lourdes et puantes et qui devaient pourrir après la moindre pluie, mais des plumes d'oiseaux cousues sur des peaux. Ainsi ils avaient remarqué avant nous que les gouttes d'eau glissaient sur les fanes et restaient donc au sec. Si les plumes étaient colorées comme je le pense, un monde merveilleux, un champ poétique s'ouvre dès lors à nos yeux. Des hommes de la préhistoire recouverts de plumes d'oiseaux de toutes les couleurs!

– Un peu comme les représentations des Aztèques et des Indiens mayas couverts de plumes flamboyantes?

– Exactement, comme les Indiens mayas. Et comment imaginez-vous les Atlantes?

– Couverts de plumes, eux aussi!

Les yeux de Viktor venaient de s'illuminer.

– Je vais vous montrer quelque chose d'encore plus extra-ordinaire.

Il paraissait connaître chaque recoin de cet endroit. Et il est parti chercher dans une grande caisse protégée un cylindre de pierre d'environ quarante centimètres de longueur et d'un diamètre de la taille d'une boîte de camembert.

– C'est une pierre noire extraite de la veine précise d'une roche qui a été retrouvée dans les sables du désert maurita-nien. Il en existe une trentaine dans le monde.

Il a posé le cylindre de pierre sur deux petits bouts de bois.

– Alors à votre avis, qu'est-ce que c'est?

– Je ne vois pas… Un pilon pour moudre le grain… Un rouleau à pâtisserie… Je ne sais pas.

– Et si je vous donne ce petit morceau de bois d'ébène.

– Oui…

– Tapez doucement dessus pour voir!

J'ai commencé par donner des petits coups sur la pierre. Il y avait toute la gamme des notes de musique dans un son d'une richesse extraordinaire. Incroyable. Le son était presque métallique, aquatique, cristallin.

– C'est un instrument de musique qui date de 300 000 ans. Voilà qui change les données de nos origines, non?… Et qui a pu découper ce bloc comme avec un rayon laser?

Il avait posé devant moi un bloc de pierre, un carré presque parfait.

– Cela vient du Pérou. Même avec les analyses les plus poussées, on ne trouve sur cette pierre aucune marque laissée par des objets contondants ou métalliques. Qui a pu découper cette pierre ainsi sans mettre un seul coup de burin? Par quel moyen technique, oublié de tous?

– Je ne sais pas.

– Moi non plus. La construction du premier temple a été faite sans instruments métalliques. À l'époque du Déluge et de la montée des eaux, comme il est dit dans la Bible, une grande partie des êtres humains furent engloutis. Certains se réfugièrent dans les montagnes, mais d'autres se réfugièrent à l'intérieur de la Terre dans les grottes et dans les gouffres et vécurent là des milliers d'années, emportant avec eux des connaissances dont nous ignorons tout. Selon une littérature abondante, il existerait plusieurs entrées pour le royaume de l'Agarttha, siège de la Grande Tradition : au Tibet, près de la ville de Shigatsé, dans le désert de Gobi et en Afghanistan… Les deux premiers sont sous l'emprise des Chinois et le troisième est l'objet de la convoitise de toutes les autres puissances depuis des siècles, ceci expliquant cela, mais pour moi, il existe au moins deux autres entrées.

– Où?

Tout d'un coup, la voix de Viktor s'est faite plus sourde et plus douce mais extrêmement intense, secrète.

– Jérusalem. Il existe en dessous du mur des Lamentations et de l'endroit de la Shekhinah, c'est-à-dire de la présence de Dieu, des souterrains qui descendent à des centaines de mètres sous la terre. Certains passages ont été obstrués. Pas étonnant que juifs et musulmans se battent pour cette entrée et pour les sources qui s'y trouvent. J'aimerais tellement qu'Israël devienne au plus profond d'elle-même une terre d'unité. Et que sur son drapeau bleu ciel et blanc apparaissent l'étoile, la croix et le croissant. Il faut savoir que de chaque côté du mur qui les sépare, Palestiniens et Israéliens au-delà d'Abraham, à vingt-six générations, c'est-à-dire en l'an 1000, ont un ancêtre commun. Comme nous deux, ici, dans cette pièce. Une même mémoire coule dans nos veines.

– C'est complètement fou... Et la cinquième entrée?

– Toujours pressé, jeune homme! Je vais vous laisser la découvrir par vous-même... Tout ce que je peux vous dire, c'est que plusieurs fois le roi du monde est remonté à la surface, a donné son enseignement puis est retourné dans son royaume. Il apparaît puis disparaît à nouveau. On ne retrouve pas son corps.

– Comme Melchisédech, Jésus ou Al Hakim?

– Oui par exemple. Et nous pensons que le centre agart-théen a changé de place à travers le temps pour des raisons qu'il serait trop long ici d'expliquer.

Il avait dit « nous pensons », qui pouvait bien se cacher derrière ce nous? Je n'ai pas osé le lui demander. Mais ce « nous » impliquait qu'il n'était pas seul, et lui évitait ainsi de passer pour un vieux fou.

40.

Nous avons marché le long des quais de la Seine. Viktor semblait serein et heureux de cette visite, plus encore que moi.

– C'est merveilleux n'est-ce pas ?

– Oui.

Et j'ai osé lui demander :

– Pourquoi vous faites tout ça pour moi ?

– Parce que vous êtes jeune et que je suis vieux et fatigué.

– Vous n'avez pas l'air fatigué.

– Je le suis pourtant. Je le sens. Et puis vous êtes un écrivain, un poète, vous saurez quoi en faire, je vous donne de la matière, à vous de la transformer… Vous savez, cette question m'a obsédé toute ma vie, alors oui, c'est formidable d'accumuler des connaissances et d'avoir ouvert des portes, mais comment ne pas garder ça uniquement pour soi-même ? Comment transmettre tout ça ? C'est ma grande obsession, transmettre. Avez-vous remarqué que dans le mot apprendre il y a « prendre », et que dans le verbe prendre, il y a « rendre » ?

– Non.

– Il faut que je rende au monde ce que le monde invisible m'a donné. Comprenez-vous ?

L'eau noire brillait de milles flammèches.

– Qu'est-ce que c'est beau, Paris!

Nous nous sommes arrêtés pour nous griller une petite cubaine. Deux petites fumées bleu argent montaient au ciel. J'avais envie de lui parler, de lui demander des explications. De comprendre.

– Mais pourquoi me transmettre tout ça à moi, Viktor? Je n'ai pas fait d'études, je viens de banlieue, j'ai fait tout un tas de conneries et je continue d'en faire, je suis loin de vivre comme un moine, je n'ai pas une grande culture générale, je suis un petit peu long à la détente, comme vous avez pu le remarquer, on s'est rencontrés dans un café…

– Rien à voir, tout ce que vous me dites n'a rien à voir.

– Et vous, tout ce que vous me dites, je n'en ai jamais entendu parler, je n'en avais aucune idée et je suis complètement largué à vrai dire.

– Pas tant que ça.

– Si, complètement. Alors pourquoi?

– Le hasard est une loi qui voyage *incognito*, mon jeune ami.

– C'est très beau mais ça n'explique pas tout.

– Mais vous êtes incroyable comme garçon, pourquoi voulez-vous des explications à tout? Il n'y a pas de hasard sans cause.

Il m'avait dit ça lentement, très calmement, j'ai continué :

– Je suis totalement à côté de mes pompes. Je vois que vous attendez des choses de moi et je ne sais pas si je suis capable de les assumer, vous comprenez? Vous vous trompez de personne! Si je vous raconte ma vie, vous allez tomber à la renverse.

– En êtes-vous si sûr?

– Certain.

– Ah bon. Enfin une certitude.

J'avais envie d'être dur. Enfin je menais une discussion.

– Oui. C'est gentil tout ce que vous faites pour moi, c'est génial même, vous avez changé ma façon de percevoir le monde, mais je ne suis pas la bonne personne. J'ai une vie dissolue, embrouillée. Je ne sais pas trop quoi vous dire. Je fume de l'herbe et du shit, je suis heureux quand je suis défoncé, je suis plutôt un branleur, je ne pense qu'aux femmes et à les baiser, je ne gagne pas une thune, je suis dans le noir total. Je fais du théâtre à deux balles, j'écris dans des petits carnets qui dorment dans des tiroirs…

– C'est intéressant.

– Non, je vous jure, ce n'est pas intéressant. C'est triste à en pleurer.

Il est resté silencieux un long moment. Puis, soudain presque gêné, il m'a dit :

– Pourquoi vous ? Parce que dès tout petit, vous vous êtes intéressé à ce qu'il pouvait y avoir de l'autre côté, que vous avez essayé de comprendre l'invisible et que vous vous êtes posé certaines questions, même si vous les avez oubliées ou enfouies à l'intérieur de vous. Elles existent. Transpirent en vous. Qu'est-ce que le royaume des morts ? Où vont les gens qui sont partis ? Sont-ils vraiment morts ou vivent-ils dans une autre dimension parallèle à la nôtre ? Peut-on communiquer avec eux ? Et si oui, où sont-ils ? Peut-on les retrouver sans mourir ? Vous voyez, ce genre de questions obsédantes… Alors quand on appelle, il faut bien que quelqu'un réponde !

– Comment vous savez ça ? je lui ai demandé un peu surpris.

– Je le sais, c'est tout.

– Ah bon. Et vous savez quoi d'autre… Parce que c'est un petit peu général ce que vous me dites, c'est psychologique, comme une bonne tireuse de cartes pourrait le faire. Beaucoup de gens s'intéressent à ce genre de choses.

– Vous croyez?

– J'en suis sûr.

Il a pris un temps infini et m'a fixé droit dans les yeux sans ciller. Je n'avais jamais remarqué ces yeux-là. Ils me transperçaient à en faire disparaître son visage.

– Vous en êtes si sûr? Votre mère est morte en accouchant. Vous êtes né dans les larmes. Comme Benjamin, Ben-Oni, fils de ma douleur.

– Comment vous savez ça? Je ne vous en ai jamais parlé… Ni à personne.

– Je le sais.

– Mais comment?

– Vous voulez encore et toujours des explications. Mais il n'y a que des visions, vous vous rappelez.

– Mais ce n'est pas possible. Vous avez fait une enquête sur moi?

Viktor a éclaté d'un rire puissant à la Falstaff.

– Une enquête? Pour quoi faire?

– Vous connaissez des gens de ma famille? Dites-le-moi, s'il vous plaît.

– Je lis en vous. Et vous avez tellement appelé, tellement parlé à l'intérieur de vous-même, comme une longue, longue prière, qu'on peut encore l'entendre aujourd'hui. C'est pour ça que vous fumez, pour vous échapper, c'est pour ça que vous cherchez en chaque femme une trace, quelque chose. Vous avez été privé de l'amour maternel, vous n'avez pas de référent.

Qu'est-ce que l'amour? Votre obsession! Alors vous cherchez un peu partout. Vous écrivez sur l'amour, le désir, la passion, le manque. Vous faites l'acteur, vous brillez dans la lumière. Et vous allez mettre en scène et retourner dans l'ombre, et continuer à écrire.

– Qui êtes-vous?

– Ne le savez-vous pas? Pendant des années on vous a caché la vérité et tout autour de vous ne régnait que la loi du silence. Et vous avez voulu percer ce secret. Comprendre. C'est pour ça qu'aujourd'hui vous allez m'aider et continuer à percer les mystères. Vous en êtes capable jeune homme, c'est votre vie. On vous a tellement menti qu'aujourd'hui vous décelez le moindre mensonge. Vous ne le savez pas. Mais vous êtes accompagné, soyez-en sûr.

– Par qui?

Et Viktor a éclaté de rire à nouveau. J'étais presque furieux.

– La seule chose que je puisse encore vous dire, c'est que dans la tradition soufie vous seriez un *fard* parmi les *Afrad*.

– Un quoi?

– Un solitaire parmi les solitaires.

41.

Cette nuit-là, je n'ai pas pu dormir. L'immeuble était étrangement calme. Je suis resté entre mon lit et la fenêtre à fumer du pollen afghan. Je sentais sur mes doigts cette odeur si particulière. Envie soudain d'aller là-bas et de marcher dans le désert, shooter dans la rocaille, respirer le vent, découvrir ces trous, ces grottes, ces passages. Et j'ai repensé à la pastèque, à Boucher de Perthes, ses silex taillés et son rhinocéros nain, à l'Agarttha et à ses entrées dont la cinquième n'avait pas été dévoilée, à Melchisédech, ce roi du monde qui avait béni Abraham, à Al Hakim détruisant un tombeau vide et aux Druzes, à Hamza, à saint Georges ne reposant dans nul tombeau, à l'hexagone, à la feuille de chêne gravée, au roux sillon, à Viktor, disparaissant au coin de la rue en boitant avec sa canne au pommeau d'or, à *La Joconde*, à saint Jean-Baptiste, à *Bacchus*, au cylindre de pierre vieux de 300 000 ans, aux hommes de la préhistoire couverts de plumes colorées et au labyrinthe sous Jérusalem, à la croix d'or entre les seins de Nathalie et à la rose tatouée sur son cœur. Et ma tête tournait, tournait.

Viktor m'obsédait et je me repassais en boucle chacune de ses paroles, chacun de ses regards comme pour y trouver un signe, une clef, une accroche de quelque chose. C'était lui, l'énigme.

D'abord pourquoi aurait-il fait une enquête sur moi ? Je n'étais même pas sûr qu'il connaisse mon nom de famille. D'ailleurs, je ne connaissais même pas le sien ! Je ne connaissais que son prénom. Et s'il avait connu quelqu'un de ma famille, pourquoi me l'aurait-il caché ? Était-ce un hasard, s'il était là tous les matins à la même heure que moi au café ? C'est moi qui étais venu vers lui, ou plutôt c'est lui qui m'avait aimanté. Qu'il pense que je sois solitaire, d'accord ! Mais comment pouvait-il savoir que ma mère était morte en accouchant ? La connaissait-il ? Ma mère était institutrice et elle était morte à 25 ans. Quel âge pouvait-il bien avoir alors ? À cette époque-là, il vivait aux États-Unis, était batteur de jazz ou travaillait à la Maison Blanche, ou était-il espion au Moyen-Orient ? Et s'il m'avait enfumé sur toute la ligne ?

En fait, plus qu'il ne m'intriguait, après cette conversation surréaliste avec lui, il commençait à m'effrayer. Comment pouvait-il lire en moi comme dans un livre ouvert ? Cela me paraissait impossible et pour dire la vérité, insupportable.

Je sentais mon cœur se serrer, une impression incroyable de solitude. Il me semblait que ma vie était coupée en deux grandes parties. Ma vie de tous les jours et ses turpitudes : les rapports pour le moins conflictuels avec mes voisins en hôpital psychiatrique de jour, les SDF de Ledru-Rollin, mon histoire stupéfiante avec Sophie, le souvenir mordant de Madeleine, mon ami Simon, ses amours et son canapé en cuir blanc, son frère Pascal qui n'avait qu'une idée en tête, s'échapper d'une manière ou d'une autre de ce monde qui n'était pas le vrai en se dissolvant dans une petite cuillère. Et ma rencontre merveilleuse mais pour le moins énigmatique avec Viktor qui m'ouvrait la porte d'un univers jusqu'alors inconnu, fantastique et effrayant.

La nuit pesait sur mes épaules et sur ma nuque, oppressait ma poitrine et rendait mon souffle court. Je tournais en rond comme un papillon autour d'une flamme, prêt à me griller les ailes. Comment était-il au courant de tout ça, ma mère et les conditions dramatiques de ma naissance, le fait qu'on me l'ait caché pendant des années? Je n'avais qu'une envie, qu'une idée en tête, le retrouver le lendemain matin au café et lui poser réellement la question, les yeux dans les yeux. J'avais repris du poil de la bête, m'étais éloigné de la flamme, quitte à aller m'exploser contre la vitre.

Le soleil s'était levé et je tremblais comme une feuille.

Mon corps à côté de mon corps.

Mais ce matin-là, il n'est pas venu, ni les jours suivants d'ailleurs. Je regardais la pluie tomber. Régénératrice. Et j'ai pensé à cette phrase : « Je ne suis pas né de la dernière pluie. » De quelle pluie étais-je né? J'étais seul et malheureux. Je suis allé voir le patron du bar, un gros bonhomme.

— Vous n'avez pas vu Viktor?

— Qui?

— Le président.

— Non, je ne l'ai pas vu.

— C'est qui?…

— Comment ça, c'est qui? Je ne le sais pas plus que vous, vous avez parlé avec lui, non?

— Il vient dans votre bar depuis longtemps?

— Depuis que sa nièce a eu un accident de voiture. Vous ne la connaissez pas?

– Non.

– Elle vient de temps en temps, enfin elle venait. Elle ne vient plus depuis l'accident.

– Vous savez où elle habite?

– Non.

– Vous n'auriez pas son nom ou son numéro de téléphone par hasard?

– Non, je suis désolé. Sauf s'ils sont serruriers ou plombiers, en général je n'ai pas les numéros de téléphone de mes clients.

Viktor s'était volatilisé dans l'inconnu. Aucun moyen de le retrouver.

42.

Simon était revenu des Antilles complètement détruit. Il était rentré de vacances comme j'imagine qu'on rentre du front. Le regard vide des combats perdus, la perte de toute espérance dans le genre humain, la perte de la foi, la vision de corps disloqués. On est allés manger un frites kebab sauce blanche harissa à Étienne Marcel, une sorte de pèlerinage. Il a pris du temps avant de parler, revivant les séquences les unes après les autres.

— Tu te rends compte, j'arrive dans l'avion et Sandy était là cinq places devant moi, même pas elle s'est retournée, moi je la regardais dormir. À l'hôtel, on a fait chambre séparée. Tous les jours, je la voyais prendre le soleil sur la plage et aller se baigner, nager le dos crawlé dans l'eau translucide, un vrai paradis et un enfer pour moi. Alors au bout du troisième jour, je suis allé la voir et je lui ai demandé si ça allait bien pour elle et je lui ai dit, le con : « On m'a parlé d'un petit restaurant, le meilleur de toute la côte, si tu veux on peut y aller ce soir, y a les meilleures langoustes de tout le pays… » Elle n'avait pas l'air chaude, alors je lui ai dit que j'avais compris, tout compris ce qu'elle voulait, qu'on pouvait rester amis. Et le soir on a bouffé des langoustes grillées tous les deux devant le coucher de soleil. C'était véritablement magnifique. Un ciel de feu. On a bu une tripotée de Ti punchs, on a enchaîné sur des mojitos, en souvenir de notre première rencontre, et j'ai rebouffé toute la menthe, ce qui l'a fait rire, j'y mettais tous mes espoirs, à chaque gorgée qu'elle buvait. Qu'elle se souvienne un peu de nous deux, de cette première nuit où j'avais vu ses larmes couler sur son visage. On s'est retrouvés dans sa chambre, on a fait un câlin, mais elle n'a pas voulu que je la pénètre…

— Merci pour les détails dont je me fous éperdument.

— Non, mais je te raconte tout pour que tu me dises si je suis devenu fou ou si j'ai déconné.

— T'es devenu fou.

— Attends. On a fini les vacances enlacés tous les deux au bord de l'eau. On s'embrassait, je lui faisais des massages à l'huile de Tiaré, en lui écartant doucement les fesses, oh la vision. Elle me laissait la caresser avec mes doigts et lui donner du plaisir. La totale, mais sans jamais la pénétrer.

— OK. J'avais compris. Merci.

— Au retour dans l'avion, j'étais heureux comme tout, je voyais par le hublot le soleil se coucher, tout était rose, un vrai truc, et elle, elle dormait tout contre moi. L'amour de ma vie dormait contre moi en souriant. T'imagines ?

— J'ai du mal…

— J'ai remonté un peu sa couverture pour recouvrir ses épaules et je me suis endormi à mon tour. Arrivé à l'aéroport, je vais pour prendre le taxi avec elle et tu ne sais pas ce qu'elle me sort ?

— Non.

— Elle me dit : « Je ne veux pas que tu montes avec moi dans le taxi, prends-en un autre s'il te plaît… » « Pourquoi, j'ai dit, on ne rentre pas à la maison? » Elle m'a dit : « Tu n'as pas compris Simon que c'était fini et qu'on ne vivra plus jamais ensemble? » Alors j'ai eu envie de la frapper, j'aurais pu la défoncer sur place, lui faire bouffer ses dents mais au lieu de ça, je suis monté dans mon taxi et me voilà là devant toi comme un pauvre con. Alors j'ai déconné ou je suis devenu fou?

– T'es devenu fou. Et t'as un peu déconné quand même.

– Dis-moi quand?

– On aurait mieux fait d'y aller tous les deux.

– Où ça?

– Aux Antilles!

– T'as raison. Je suis un con.

– Non, t'es pas con, t'es amoureux.

– Je ne le suis plus, c'est terminé.

– Bon.

– Je suis guéri.

– C'est bien.

– Mais pourquoi les femmes sont comme ça avec nous?

Et j'ai vu ses yeux se remplir de larmes.

– Si on allait se faire un bowling à Montparnasse?

– Faut que je passe voir Pascal, ça fait quinze jours que je n'ai pas pris de ses nouvelles.

– T'es sûr que c'est le bon moment?

– Je ne sais pas.

– Attends demain… Ton frère, ce n'est pas le champion pour te remonter le moral.

– Ouais mais quand je le vois, ça m'apprend quelque chose.

– Quoi?

– Que je ne suis pas si malheureux que ça. Et qu'il a besoin de moi plus que tout au monde. Il n'a que moi et pour lui, je n'ai pas le droit de me foutre en l'air.

Là, Simon venait de me coller au mur.

Simon se préparait son propre *speed ball trash*. Son test, son finale, son apothéose. On est montés dans sa voiture et on s'est fait son *sol invictus*. On est partis de la Défense et on a tracé à fond, on a descendu les Champs jusqu'à la Concorde, on a pris les quais, on a foncé jusqu'à Bastille et on a fini à Nation tout ça sans s'arrêter au moindre feu. On a tourné tout autour de la place de la Nation et on a fait le chemin inverse. On est passés telle une balle dans un canon, la musique à fond. *Better Dayz*. On a tracé comme un rasoir sur la peau, une ligne de sang bien nette. C'était pire ou mieux que n'importe quel shoot. Du vrai n'importe quoi !

43

J'étais très triste de ne pas voir Viktor au café. Cela faisait déjà plusieurs jours que je l'attendais tous les matins. Tout me semblait lourd et pesant. Je n'avais personne à qui parler de mes nouvelles obsessions. J'avais bien essayé à un moment de parler avec Simon mais il m'avait dit :

– C'est quoi toutes ces conneries que tu me racontes ? Les plumes bleues des hommes de Néandertal et les instruments de musique de 300 000 ans ?

– Ce ne sont pas des conneries.

– C'est un mec d'une secte et toi tu plonges.

– Je ne plonge pas. Arrête de déconner.

– Enfin ce que tu me racontes, c'est comme les trucs des extraterrestres ou ce genre de conneries pour baba cool attardé.

– Si tu veux.

– Fais gaffe ! Je te le dis ! Fais gaffe !

– Je fais gaffe, t'inquiète !

– Oui je m'inquiète ! Je ne peux pas m'occuper de mon frère chez les toxicos et de mon meilleur ami chez les Krishnas, ça va faire un peu trop pour ma gueule.

– Ça n'a rien à voir.

– Oh, Raphaël !

– Non, je t'assure, tout va bien.

– T'es sûr?

– Y a pas de problème.

Un soir, en regardant la télé, le présentateur météo a commenté : « Pluie sur l'Hexagone. » J'ai dit à Simon :

– Symboliquement, c'est quand même bizarre, non? L'hexagone étant la géométrie de l'étoile de David ou du sceau de Salomon!

– Mais où tu vas chercher toutes ces conneries?

– J'y peux rien si l'hexagone, c'est l'étoile de David.

– Tu ne trouves pas que c'est un peu tiré par les cheveux.

– Ce n'est pas tiré par les cheveux! C'est vrai!

– Oui mais ça ne veut rien dire!

– Ben si, ça veut dire ce que ça veut dire… d'une manière symbolique.

– D'une manière symbolique, mais comment tu parles toi? T'as avalé un de tes livres ou quoi?

– Symbolique, c'est pas compliqué, tu comprends ce que ça veut dire, d'une manière symbolique?

– Tu vas bientôt me sortir que la France est le berceau des juifs?

– Je n'ai pas dit ça mais…

– Mais on dirait que tu le penses… En tout cas si c'était le cas, ça foutrait un bordel monstrueux!

– Ça résoudrait aussi bon nombre de problèmes.

– Je ne crois pas moi…

– Imagine quelqu'un qui découvrirait par exemple les vestiges du Temple de Salomon, l'Arche d'alliance ou, je ne sais pas moi, le tombeau de Lazare ou de Marie-Madeleine!

– Hola, t'as fumé toi!

– Oui j'ai fumé, mais ça n'a rien à voir!

– Que tu crois! T'es perché mon pote! L'autre qui me sort le tombeau de Marie-Madeleine… Oh Raphaël, t'es sûr que tu vas bien?

Il s'est signé. Et a embrassé sa Madone en or qu'il portait autour du cou.

– Mais t'es devenu fou ou quoi? il a insisté.

– Mais arrête!

– Je te jure que tu files un mauvais coton, tu devrais arrêter de lire des conneries, ça te monte à la tête.

– C'est pas que des lectures, je te jure.

Et je n'avais pourtant pas raconté grand-chose. Je préférais dès lors me taire, même avec mon meilleur ami.

– Bon, tu veux qu'on aille en boîte?

– Si tu veux.

– On se fume un autre pétard, on se boit un verre ou deux et on y va!

– Allez go!

Je suis resté toute la soirée à regarder tous ces gens danser sous le *beat*, de véritables anémones de mer prises dans le courant. L'alcool pleuvait de partout et je voyais le corps des femmes ruisselantes, comme au ralenti, se tordre dans tous les sens, les secousses du bassin, les cheveux flottants, des serpents sur le visage, les yeux en dedans, les hommes charmants au sourire carnassier balayant le *dance floor* et Simon qui menait le bal entouré de trois godiches à lécher. Et je me suis dit que je perdais mon temps, que Pascal avait raison, est-ce que c'était la vraie vie tout ça? Et combien se posaient la question ? Mais qu'est-ce qu'on en avait à foutre dans le fond ? La vie allait bien comme ça, au rythme de Neneh Cherry, de nos comptes en banque, du nombre de zéros, de nos plans cul douillets, monstrueux, sentimentaux, du prochain lieu de vacances, de nos factures à payer, jusqu'à la prochaine fête et l'espérance un jour de fumer un shit bleu ciel qui nous collerait dans les nuages, après une victoire du Paris Saint-Germain.

Je me suis rappelé une phrase que Viktor m'avait dite et que j'aimais beaucoup : « Dans la grande roue du monde, deux sortes de gens vivent sans tourments, tous ceux qui connaissent tous les secrets du monde, et ceux qui les ignorent totalement. »

Le problème, c'était d'être comme moi, comme beaucoup, pile entre les deux. Plein de tourments. Dans le brouillard.

Je ne me sentais pas plus intelligent ou plus malin qu'eux en train de danser, de draguer, de s'enfiler des rapidos au Schweppes tonic, je me sentais même un peu plus con d'ailleurs, affalé dans mon canapé. J'avais juste comme un froid qui me courait dans le dos, la musique tambourinait dans ma poitrine, le thorax en grosse caisse, les sourires me dégoûtaient, la danse me faisait gerber et tout commençait à tourner dans ma tête. Je suis sorti prendre l'air comme un marin le large. Une énorme bouffée de nuit étoilée. J'ai levé la tête, aucune étoile. « Rarement une étoile au-dessus de Paris, j'ai pensé. La Ville Lumière sans jamais rien qui brille dans le ciel. Qu'est-ce que je fais là ? »

J'ai marché quelques mètres. J'ai vu une très jolie fille, une Black, assise sur un capot de voiture. Elle pleurait. Elle m'a dit :

– Vous avez du feu ?

J'ai fait oui de la tête. Je me suis approché et je lui ai donné ce qu'elle voulait.

— Merci.

— De rien. Ça va ?

— Oui, ça va… Je vais retourner chez moi…

— Vous voulez que je vous raccompagne ?

Les yeux pleins de larmes, elle a explosé de rire. Sa voix était grave et chaude, rocailleuse.

— Je ne vous parle pas de chez moi ici. Ici, ce n'est pas chez moi. Paris, ce n'est pas chez moi, je vais retourner chez moi dans mon pays, là où les gens sont pauvres, mais gentils.

— Je vous accompagnerais bien là-bas quand même. Quand est-ce qu'on part ?

— Maintenant si vous voulez !

On a marché un peu. Arrivés sur une petite place, au cœur de la nuit violette, sur un petit tapis de prière au milieu du trottoir, contre son taxi, un jeune barbu en djellaba priait. Elle m'a dit :

— C'est beau de le voir prier tout seul.

— Oui c'est beau.

— Il n'est pas seul sur cette place, il est relié à tous ceux qui prient en même temps que lui, à travers le monde. Et tous dans la même direction.

— C'est vrai.

— Il se prépare.

— Pardon ?

— Sidna Aïssa est bientôt de retour.

— Tu penses ?

— Tu sais qui est Sidna Aïssa ? elle m'a demandé.

— Jésus.

– Oui, Sidna Aïssa revient. On l'attend, il est là.

– Tu crois?

– J'en suis sûr. Et tout le monde le suivra. C'est écrit dans le Coran.

– Ce serait bien, mais avant, il va y avoir des drôles de chamboulements.

– Il vient de l'autre monde, celui-ci n'est pas le vrai, celui-ci n'est pas le bon.

J'ai eu tout d'un coup la chair de poule. J'ai repensé à Pascal et à Viktor.

Mon téléphone s'est mis à vibrer. C'était Simon.

– Où t'es? Qu'est-ce tu fous? qu'il hurlait dans mon oreille.

– Je suis parti, j'en avais marre.

– T'aurais pu me le dire, je t'ai cherché partout dans la boîte, je croyais que t'étais aux chiottes. J'ai tourné comme un con, tu ne pouvais pas me prévenir! J'ai attendu quinze minutes devant une porte fermée et je croyais que c'était toi, c'est malin, je t'ai parlé, je t'ai dit : « Ça va, t'as besoin d'un coup de main, gros? Je suis là, dis-moi si ça ne va pas, t'as trop bu? T'as la gerbe? T'as plus de papier cul? Oh, tu me réponds? Tu veux que je t'aide? » Et quand la porte s'est ouverte, c'était pas toi, mais juste un gros type en sueur qui m'a dit : « Ta gueule. »

– Je suis désolé.

– Où t'es, là?

– Je suis avec une jeune femme qui n'allait pas très bien.

– Oh, fallait le dire plus tôt.

– Ce n'est pas ce que tu crois!

– Je ne crois rien, ce que je vois, c'est que tu t'es tiré comme un rat comme d'habitude.

– Pas du tout.

– Et elle est belle ?

– Très belle.

J'ai fait un petit clin d'œil à ma princesse.

– Appelle-moi Diego le con.

– Pourquoi tu dis ça ?

– Je ne te crois pas ! Tu me fais marcher, t'es avec personne, je t'ai vu affalé dans le canapé comme un porc, tu parlais avec personne.

J'ai refait un petit clin d'œil à la fille, genre faites pas attention à ce que je vais dire.

– Oui mais là, j'ai rencontré la femme de ma vie, c'est le véritable coup de foudre comme pour toi avec Sandy, on va se marier.

– T'es con.

– Tiens, je te la passe.

Je lui ai passé la belle inconnue qui a joué le jeu avec une grosse assurance.

– Bonsoir, qu'elle a fait d'entrée.

J'ai senti Simon scotché au téléphone.

– Oui, on va se marier, mais on ne sait pas encore exactement quand, ni où, si on fait le mariage ici ou chez moi au Sénégal sur une belle plage de sable fin, sous un arbre en fleurs.

– Hein ? qu'il a dit réalisant qu'elle était sûrement noire.

– Oui je sais, c'est étonnant, mais vous savez beaucoup de choses sont surprenantes. De combien de temps avons-nous besoin pour savoir si c'est réellement l'amour de notre vie ? Notre moitié ?

Il y a eu un gros silence flottant.

— Par exemple, dans la boîte, j'ai vu où votre ami était assis et comment il semblait ailleurs et je l'ai tellement regardé dans le canapé que je me suis engueulée très violemment avec mon mec, que je suis sortie pour l'attendre et que je l'ai appelé de toute mon âme, et il est arrivé. On se connaît d'avant...

Elle venait de me mettre une droite au menton et j'ai senti mes jambes se dérober.

— Oui, je vous le repasse.

Et là, j'ai entendu la voix de Simon qui me disait :

— Méfie-toi des Africaines, c'est une folle, je te jure. T'as entendu ce qu'elle a dit ?

— Oui...

— Tu files un mauvais coton mon pote, entre tes juifs, ta quête du Graal et les extraterrestres, voilà que tu vas te marier avec une Sénégalaise que t'as croisée une heure en boîte. Une Black ! Méfie-toi, ce sont des magiciennes du cul, tu ne vas pas t'en relever et tu vas te retrouver direct sous l'influence de la forêt sacrée des magiciens béninois.

— T'es con.

J'avais envie de rire. Il a raccroché. Elle m'a regardé.

— Ça a été comme ça ?

— Au-delà de mes espérances.

On a marché dans la nuit, longuement. L'impression de marcher sur la lune, en apesanteur. Le jour s'est levé sur la nuit blanche. J'ai raccompagné Amita jusqu'en bas de chez elle. Je l'ai serrée très fort dans mes bras. Elle m'a dit :

— Je te ferais bien monter, mais y a mes frères et sœurs qui dorment et mon père est plutôt anti-Blanc et très *muslim*. Et il doit m'attendre dans la cuisine, c'est l'heure de la prière.

— D'accord. C'est dommage.

– Qu'est-ce qui est dommage?

– Je serais bien resté à dormir toute la journée avec toi, juste à parler avec toi, te regarder dormir tout contre moi. Te regarder prier, sentir l'odeur de tes cheveux, me coller à ta bouche. Te raconter des histoires…

– Quelles sortes d'histoires?

– Des histoires incroyables.

– Si c'est incroyable, moi, je vais y croire.

Et elle s'est mise à rire. Toutes mes phrases étaient confuses, comment lui dire?

– Appelle-moi vite.

– Seras-tu capable de m'attendre?

Et elle m'a donné son numéro.

44.

Je l'ai tout de suite vu de dos. Viktor était là, assis à la même place au bar, devant ses journaux. Je suis allé lui dire bonjour. Il s'est retourné vers moi, son visage était entièrement tuméfié, des traces violettes et jaunes sous les yeux, et il avait une énorme croûte sur le nez. J'étais effondré.

— Qu'est-ce qui vous est arrivé?

— L'autre soir en vous quittant, j'ai été agressé par trois jeunes voyous. J'ai essayé de me défendre avec ma canne et ils m'ont jeté par terre et roué de coups pour me prendre 50 euros.

— J'aurais dû rester avec vous… C'est pas possible.

— Ne vous inquiétez pas, tout va bien.

Mais je sentais à sa voix que ça n'allait pas du tout.

— Je suis venu pour vous voir.

— Vous n'auriez pas dû. Vous devriez vous reposer.

— Je vais avoir tout le temps qu'il faut pour me reposer. Ne vous inquiétez pas pour moi.

— Vous voulez que je vous appelle un taxi?

— Pour quoi faire?

— Pour rentrer chez vous.

— Je ne veux pas rentrer chez moi. Il fallait que je vous voie.

Il a commandé un petit café avec une goutte de lait froid, puis il a pris son temps avant de parler, comme d'habitude, en mettant ses mains à plat sur la table.

— Vous vous souvenez que je vous ai parlé de Melchisédech, le roi de justice qui a béni Abraham, le père des deux grandes tribus.

— Bien sûr que je m'en souviens.

— Un jour, un moine jésuite qui dirigeait une grande revue chrétienne m'a dit dans sa cellule que Melchisédech avait été la première apparition et même incarnation du Christ sur Terre. Melchisédech a disparu comme il était venu. Nul ne fut plus grand que lui. Il fut roi de Salem, de la paix, roi de Jérusalem.

— Oui.

— Je voulais vous parler de la deuxième incarnation du Christ sur Terre à moins que ce ne fût la troisième, je voulais vous parler de Jésus, Ieshoua, Sidna Aïssa. Sachez-le, il y a au moins quatre niveaux de lecture très distincts concernant cet avatar, ce maître, ce prophète, ce Messie, ce fils de Dieu dont Mahomet disait qu'il était celui dont il se sentait le plus proche. Le premier courant, c'est le courant surnaturel et magique, c'est l'Église catholique ! Même si ça peut vous paraître bizarre que je l'appelle courant surnaturel. Mais c'est la vérité, Jésus naît d'une vierge, d'ailleurs à sa naissance, trois mages, les Rois magiciens venus de l'horizon lointain, sont là au-dessus de son berceau. On pourrait même croire que ce sont des mages de l'Agarttha, lieu de la tradition primordiale dont le symbole est une étoile, car les Rois mages sont guidés par l'étoile. Melchior, comme son nom l'indique, est le roi de lumière, Gaspard est le grand prêtre et Balthazar, le prophète.

Ils apportent l'or, l'encens et la myrrhe. L'Épiphanie dont la fête de lumière est le 6 janvier annonce la manifestation du Christ dans le monde, sa naissance.

– Donc Noël devrait avoir lieu un 6 janvier?

– Exactement. D'ailleurs l'Église arménienne le fête ce jour-là! Puis Jésus est élevé par Joseph le charpentier, qui en hébreu aurait pu se traduire à une nuance près par : « Joseph le magicien ». On aurait donc pu dire Jésus, fils de Joseph le magicien et magicien lui-même… Ses miracles ou actes magiques sont nombreux. Il rend la vue aux aveugles, fait marcher les paralytiques, soigne les lépreux, rend la parole aux muets, soigne les épileptiques, multiplie les pains par deux fois, et on aurait pu dire les rêves. Je trouve très beau que Jésus multiplie les rêves! Il organise des pêches miraculeuses, apaise la tempête, chasse les démons, fait plusieurs exorcismes, tout comme saint Martin d'ailleurs, change l'eau en vin, marche sur l'eau, ressuscite Lazare d'entre les morts, puis meurt sur la Croix où il porte tous les péchés du monde et ressuscite au bout de trois jours, on ne retrouve pas son corps dans le tombeau. Il réapparaît devant Marie-Madeleine, puis devant ses apôtres qui ne le reconnaissent pas! Ça, ça m'a longtemps perturbé, qu'est-ce que ça veut dire qu'ils ne le reconnaissent pas? Ils le reconnaîtront à sa façon de rompre le pain. Il restera pendant quarante jours avec eux puis disparaîtra à nouveau en montant au ciel. On ne retrouvera ni son corps, ni son tombeau. Et personne ne sait ce qui s'est passé à part qu'il est monté au ciel. Le courant catholique, l'Église romaine, ne cherche pas trop à découvrir qui était le véritable Jésus, l'homme. Ils feront tout pour protéger le secret. Dans les Évangiles, on décrit sa vie de sa naissance à Bethléem jusqu'à son entrée au Temple à 12 ans, puis plus rien jusqu'à 30 ans où il rencontre les apôtres, puis on le suit de nouveau jusqu'à sa mort à 33 ans. Il y a donc dix-huit ans d'impasse et de silence où rien n'est dit sur sa vie, pas une phrase, pas un mot. Et lui-même n'aura jamais rien écrit, à part un signe sur le sable.

– Oui.

– Ça, c'est la version surnaturelle.

– Très bien.

– Le deuxième niveau de lecture, c'est le courant naturaliste. Jésus était un homme avec un père et une mère. Il était le fils de Juda de Gamala, chef de la révolution zélote qui voulait bouter les Romains hors de la Judée et Jésus serait né en moins six avant notre ère, lors du recensement. Il était descendant du roi David, d'ailleurs les chrétiens reconnaissent aussi Jésus comme descendant de David et de Salomon selon les Écritures. Et c'est parce qu'il était le futur roi des Juifs qu'il a été confié à Joseph et qu'on l'a caché, pour le sauver! Jésus est le Maître, c'est ce qui est dit dans les Évangiles, il est le Rav, donc marié par obligation, et il a eu au moins un enfant sinon il ne pourrait pas être rabbin. Il avait des frères, peut-être un jumeau, Jacques ou Thomas selon certaines traditions.

– Quelles traditions?

– Des traditions maçonniques. *Taoma* veut dire jumeau en araméen et *didyme* jumeau en grec, donc le Thomas Didyme des Évangiles veut dire le jumeau du jumeau, le jumeau de qui? Et Jacques est appelé second Christ et souvent dans les Évangiles les autres apôtres confondent les deux. On peut même se demander si les Romains n'ont pas demandé à Judas d'embrasser Jésus pour le reconnaître. Et Judas a-t-il embrassé le bon au jardin des Oliviers ? Savaient-ils qui il était ? Bizarre quand on sait que Jésus soulevait les foules, les Romains eux ne savaient pas le reconnaître, pourquoi ? Et le Coran dit que ce n'était pas Jésus, Sidna Aïssa, qui était sur la Croix.

— D'accord.

— Maintenant la troisième version, celle de certains juifs érudits pour ne pas dire kabbalistes. Avez-vous vu ce film extraordinaire, *Barabbas*, avec Anthony Quinn ?

— Oui, mais il y a longtemps.

— Barabbas est avec Jésus devant la foule et Pilate demande au peuple juif : qui voulez-vous sauver ? Jésus ou Barabbas ? Et le peuple répond d'une seule voix : Barabbas. Et Barabbas, ce chef zélote, révolutionnaire, est sauvé. Sauf que Barabbas, vous savez ce que cela veut dire en hébreu ?

— Non bien sûr.

— *Bar*, c'est le fils et *Abba*, le père. Le peuple juif sauve le fils du père qui s'appelait aussi Ieshoua, Jésus. « Nous on l'a sauvé, maintenant qu'ils se débrouillent avec l'autre », m'avait dit un jour un loubavitch. Mais *Bar aba* peut aussi vouloir dire le fils caché. Il faudra, Raphaël, que vous appreniez l'hébreu, sinon vous allez être limité dans vos recherches.

— Le fils caché de qui ?

— Du descendant du roi David, de la tribu de Juda. Juda de Gamala, le chef de la révolution zélote ! En suivant cette interprétation, le fils caché serait donc le jumeau. Là, on peut regarder autrement *La Vierge aux rochers* de Léonard de Vinci ou *La Sainte Famille* de Raphaël, appelée aussi *La Grande Sainte Famille de François Ier*. On comprend pourquoi ce dernier, toutes les nuits, allait retrouver par un souterrain Léonard de Vinci. L'histoire secrète devait lui être enseignée.

Et le quatrième courant est le courant mythiste, on a collé à l'histoire de cet homme extraordinaire, le Christ, l'oint de Dieu, toutes les légendes du Moyen-Orient et même celles de l'Inde. Savez-vous que Krishna est né de la vierge Dévaki, d'un cheveu de Vishnu, et qu'il a été caché par Nanda comme Jésus le fut par Joseph, le roi Kamsa, tout comme Hérode, voulant tuer tous les nouveau-nés ? Krishna est de descendance royale. Krishna est le dieu des bergers, c'est étonnant, non ? Puis il eut des disciples qui suivirent son enseignement le long du Gange et deux femmes dont une considérée comme prostituée, la même chose que pour Marie-Madeleine et sa sœur Marthe, les deux sœurs de Lazare. Krishna fut crucifié par des flèches contre un eucalyptus, on raconte qu'une flèche l'a touché au talon d'Achille, son seul point faible, et qu'il y eut l'obscurité, la tempête et la neige. Enfin son corps fut brûlé et il s'est envolé avec ses deux épouses vers le ciel où on les vit monter dans la lumière.

– C'est incroyable.

– Pour tout vous dire, Vishnu, appelé aussi Nârâyana, marche aussi sur l'eau ! En fait, on s'aperçoit d'une chose, c'est qu'il y a seulement trois points où les différentes religions et traditions ne sont pas d'accord sur la vie de Jésus, seulement trois points de désaccord profond.

– Lesquels ?

– Sur sa naissance, sa vie et sa mort…

– Et vous, quelle version vous préférez ?

– Je les aime toutes, même si j'ai une petite préférence pour la version surnaturelle, les prodiges et les miracles. Mais j'aime aussi beaucoup la seconde. La seule chose que je peux vous dire, c'est qu'il n'y a pas un jour ou une nuit où je ne pense pas au Christ, c'est mon maître intérieur et il guide chacun de mes pas. Vous connaissez les différentes versions à présent. Vous pouvez faire un choix ou les englober toutes.

– Oui. Et c'est stupéfiant.

– Et il y en a une cinquième.

– Une cinquième version ?

– Oui.

– Laquelle ?

– À vous de la découvrir. Quand l'élève est prêt, le maître apparaît… Je vais vous raconter une dernière chose avant de partir, passionnante à mes yeux. Il y a une histoire extraordinaire qu'on peut lire dans *La Légende dorée* de Jacques de Voragine, un moine dominicain, archevêque de Gênes au XIIIe siècle, qui dit que Marie-Madeleine, sa sœur Marthe, Lazare leur frère, le premier ressuscité d'entre les morts, Cédonius l'aveugle de naissance que Jésus avait guéri, saint Maximin et Sarah furent mis sur un bateau sans vivres et sans rames et qu'ils arrivèrent aux Saintes-Maries-de-la-Mer, anciennement Ratis, dans les Bouches-du-Rhône qu'on appelait aussi les bouches de l'enfer. Ils furent les premiers à évangéliser la Gaule. La Gaule est devenue dès lors la fille aînée de l'Église. Personne à Rome n'a contredit cette histoire. Ils acceptent donc que l'entourage du Christ ait débarqué en France. On connaît juste la légende de Marie-Madeleine passant des années seule dans une grotte à la Sainte-Baume ou celle de Marthe qui chasse la Tarasque, un animal marin terrifiant, dans le Rhône, du côté de Tarascon et de Beaucaire aujourd'hui. Là où se trouve l'incroyable château ésotérique du roi René. La Gaule, avec un G, tout comme la Galilée, est une terre gardienne comme vous le savez. Curieusement, cette terre a accueilli tous les disgraciés : Hérode Antipas, fils du roi Hérode le Grand, qui a fait décapiter saint Jean-Baptiste, a fini sa vie en Gaule, Hérode Archélaüs, un autre fils du roi Hérode le Grand, est exilé à Vienne, en Gaule également ! Pilate est mort en Gaule d'après la légende, et sa femme chrétienne Claudia Procula se serait réfugiée dans le Narbonnais. C'est-à-dire en gros que les rois juifs se réfugient en Gaule et que de l'autre côté, la famille de Lazare également de descendance royale vient aussi en Gaule !

– Quand est-ce que vous vous êtes rendu compte de tout ça ?

– J'ai tourné et retourné l'histoire dans ma tête des milliers de fois. Pourquoi viennent-ils tous en Gaule et pas ailleurs ? Pourquoi la kabbale est née en France, pourquoi sa géométrie est-elle l'hexagone ? Une grande partie des trésors du Temple de Salomon sont aussi sur notre territoire. Ça me réveillait la nuit, ça me travaillait des jours durant comme une obsession terrible. Et je priais pour vivre dans la paix, l'amour et la lumière. Jésus est-il mort sur la Croix ou a-t-il survécu ? Est-il ce corps souffrant sur la Croix ou un corps de lumière ? Et s'il est mort sur la Croix, a-t-on emmené son cadavre pour le cacher et l'enterrer dans un endroit secret et sacré ou est-il monté au ciel ? Est-ce lui qui a été crucifié ou son frère jumeau s'il en avait un ? Ou est-ce Simon de Cyrène, ce saint noir qui portait sa Croix dans les Évangiles ? Thomas, lui, est mort transpercé par une lance en Inde, mais Jacques a-t-il fait le chemin avec Marie-Madeleine ? Et si Ieshoua a été sauvé comme le pensent certains juifs, est-il parti avec la Sainte Famille en Gaule pour échapper au monde romain et rejoindre les terres sacrées du Razès ? Et sinon, a-t-il eu

SFUMATO

une descendance qui serait restée en Gaule, et qui protégée pendant des siècles serait le Saint Graal, le sang royal de sa descendance? Les Cathares, détenteurs de la couronne Kether, et les Templiers étaient-ils les protecteurs ou connaissaient-ils la vérité pour avoir tous été exterminés par Rome, jusqu'au dernier? Est-ce que ce sont les Templiers qui ont ramené la dépouille du Seigneur en Oc, quand ils sont partis à Jérusalem dans les écuries de Salomon? Cette terre d'Oc est-elle la terre gardienne d'un autre monde, d'une autre réalité? Existe-t-il un passage avec le monde agartthéen? Certaines traditions racontent que les premiers rois de France étaient les descendants du Christ. Pourquoi Dagobert était-il appelé le Salomon des Francs? Et si on décompose son nom, *Dag* veut dire poisson en hébreu et *Ber*, la source, le puits. Le poisson est le symbole du Christ, en cas de déluge, seul le poisson survivra et brillera dans l'obscurité. Et pourquoi Charlemagne se déclarait-il le nouveau David? Et tous les rois de France et de Navarre se disaient être de descendance divine par essence et étaient intronisés un 25 décembre?

— Je ne sais pas si je vais pouvoir tout retenir.

— Et je finirai par un de mes petits plaisirs, les lettres. Clovis porte la racine en son cœur, LV. Saint Louis de même, LV. LV comme la tribu des Lévi, une des douze tribus d'Israël, descendant de Jacob.

— D'accord.

— Cette tribu est dédiée au Temple de Jérusalem et particularité notoire, elle ne possède pas de terres en Israël. Et pour cause, ses terres sont ailleurs. Sa terre c'est le Temple. Les douze tribus sont représentées par le pectoral de douze pierres précieuses du grand prêtre. La pierre précieuse qui représente la tribu des Lévi est l'émeraude. Et pour finir : que voyez-vous au centre de la croix ?

– Comment ça ? Du mot croix ?

– Oui.

– La lettre O.

– Oui, le symbole solaire, et en trois lettres ?

– Roi.

– Exactement, roi, le mot roi est au centre du mot croix. On peut décomposer : C, le roi, X, inconnu et multiplicateur de pains, de rêves. Promettez-moi une chose, Raphaël... Allez à Chartres le 21 juin et parcourez le labyrinthe dans la cathédrale... Puis après avoir été au centre des pétales de pierre, ou au cœur de la fleur, de la rose, sur le clou vibrant, sortez. Asseyez-vous sous un arbre, fermez les yeux et attendez.

– D'accord.

– Vous me promettez que vous le ferez ?

– Je vous le promets.

– Cherchez jeune homme. Mettez-vous dans la peau des voyageurs célestes depuis des millénaires. Mettez-vous dans la peau de celui qui veut cacher un trésor spirituel, protéger un tombeau de l'être aimé, adoré. Le tombeau ou le passage ou le tumulus ne peut être au niveau de la mer et des rivières. Il est forcément sur une hauteur pour éviter d'être envahi par les eaux. Il ne peut être repéré, ni du ciel, ni du sol, on ne peut le découvrir qu'au dernier moment. Le chemin est périlleux et semé d'embûches... Les anciens ont cherché des repères frappants, ils remontaient les rivières et suivaient les étoiles et la course du soleil. J'aimerais tellement vous dire les choses, mais elles m'échappent à présent... Il existe un endroit oublié de tous près d'une rivière, une source... Trouvez-la... Et après, écrivez s'il vous plaît, écrivez et codifiez vos recherches… Pour permettre aux autres de chercher à leur tour.

– Oui.

– Et faites avec *La Joconde* ce que j'ai fait avec Amour.

Et Viktor a eu un sourire triste, il m'a serré la main et est sorti du bar. Il ne me restait que son parfum dans la paume, comme une huile sainte.

45

Simon a déboulé dans l'appart de la Main d'Or la gueule défaite, j'ai cru qu'un drame venait d'arriver, j'ai tout de suite pensé à son frère. Il m'a dit dans un souffle :

– Elle a quelqu'un…

– Qui ?

– Je ne sais pas, je ne le connais pas.

– Non, mais qui a quelqu'un ?

– Sandy.

– Quoi Sandy ?

– Elle a quelqu'un, t'es con ou tu fais semblant de ne rien comprendre ?

– Qu'est-ce que t'en as à faire qu'elle soit avec quelqu'un vu que vous n'êtes plus ensemble.

– Tu comprends rien !

– Laisse-la vivre, arrête de la faire chier et oublie-la !

– Tu crois que je peux l'oublier comme ça, toi ? Alors qu'elle baise avec ce type dans mon canapé !

– Ah j'avais oublié le beau canapé en cuir blanc, je suis désolé !

– Je vais le défoncer !

– Le canapé ?

– Non, le mec, je vais le monter en l'air, ce fils de pute.

– Mais il y est pour rien lui, laisse-le tranquille, il sait même pas que t'existes !

– Je vais le défoncer, je te dis !

Et il avait sorti de son dos, bloqué par sa ceinture, un calibre 9 mm Parabellum.

– Oh Simon, qu'est-ce que tu fais avec ça ?

– Je vais lui faire passer l'envie de baiser à ce bâtard !

– Donne-moi ça !

– Non, laisse-moi.

– Oh Simon, t'es devenu fou ou quoi ?

– Laisse-moi tranquille, je te dis.

– Donne-moi ça. Donne-moi ce flingue. Où t'as eu ça ?

– Qu'est-ce que ça peut te foutre ?

– Quand on a un calibre, c'est qu'on est prêt un jour ou l'autre à s'en servir. Regarde-moi, je te laisserai pas sortir d'ici avec ça. Tu m'as compris. Donne-moi ça !

Et je lui ai arraché ce flingue pourri des mains. Il ne manquait plus que ça ! Et Simon, après avoir mis un grand coup de poing dans le mur, a dévalé les escaliers en hurlant.

Je faisais le grand écart. Je partais souvent me promener sur les quais de la Seine en scooter. Je repensais à toutes mes conversations avec Viktor, dans le noir parisien où la vue du ciel était mauve et les sons lointains. Je partais des heures dans mes pensées, ressassant inlassablement ses dernières paroles, nos discussions à l'observatoire de Paris, nos lents cheminements au Louvre, entre les groupes de Japonais et de Chinois suivant un petit drapeau au pas de course et s'enfilant toutes les galeries, quelques secondes par tableau connu, une bonne minute devant *La Joconde*. La réalité de la rue reprenait le dessus, j'entendais les bus démarrer et les accélérations des motos dans le petit matin pluvieux. Et je tombais avec les premiers camions-poubelle, me répétant sans cesse le nom des villes parcourues imaginairement, descendant le long de ce fil à plomb dans les profondeurs du mystère, parcourant encore mes cartes les yeux fermés.

Je me posais sans cesse la même question : « Pourquoi autant de livres sur un même sujet, qui parlent à chaque fois du même endroit, d'un tout petit périmètre, sans que jamais personne ne trouve quoi que ce soit de probant ? » Il n'y avait dans tous ces livres que des hypothèses, des supputations, des réflexions, quelques signes particuliers, des similitudes, des extrapolations, parfois intéressantes c'est vrai, mais sans que jamais personne ne se décide à aller chercher ailleurs. Quel était donc ce point d'attraction ?

Je repensais à cette phrase des Védas : « Quand tu as trouvé quelque chose, quelque part, change de place. » Et je repérais dans beaucoup d'endroits des points communs comme si chaque endroit portait les mêmes signes, les mêmes racines, la même architecture, presque mathématique. La nature elle-même paraissait correspondre à une géométrie complexe. Oui, il y avait une correspondance. Tout était lié d'une manière plus ou moins souterraine. Les noms se répondaient, se ressemblaient, se retrouvaient un peu partout en une énorme toile d'araignée. Mais plusieurs zones se dessinaient, qui commençaient à m'attirer plus particulièrement.

Un matin, j'étais resté des heures immobile, les yeux ouverts à attendre que quelque chose se passe. J'étais pris d'une certaine forme de mélancolie.

Et je me suis rappelé cette phrase : « Faites avec *La Joconde* ce que j'ai fait avec Amour. »

46.

Je suis parti comme un fou à la Fnac m'acheter deux diction-
naires, un en latin, l'autre en hébreu. Et je me suis mis au
travail.

Dans un premier temps, mon petit dico latin à côté de
moi, j'ai essayé de décomposer le mot « Joconde » comme
Viktor l'aurait fait. J'entendais presque le son de sa voix dans
ma tête.

Traduction de *Jucundo* en latin : « réjouir, charmer ».
Traduction de *Condo* : « mettre ensemble, réunir, rassembler,
bâtir ». Mais aussi : « cacher, renfermer, recouvrir, dissimuler ».

Ça commençait très fort. Ces mots collés les uns aux autres
racontaient déjà une histoire incroyable. J'ai relu une nouvelle
fois cette dernière entrée du dictionnaire, en détachant bien la
puissance de chaque mot : « mettre ensemble, réunir, rassembler, bâtir, cacher, renfermer, recouvrir, dissimuler ! » Bâtir un
endroit, un tombeau qui les dissimulait ? Je me rappelais qu'en
latin le I et le J pouvaient être la même lettre. J'ai cherché et
j'ai trouvé. *Io* : « interjection exprimant joie ou douleur. Ah ! »

Puis j'ai continué mes recherches en gardant les deux premières consonnes. *Jaceo* : « être étendu, couché, s'étendre,
être situé ».

J'ai essayé de traduire, de faire une phrase. De coller ensemble les pièces du puzzle. Et j'ai écrit dans mon Moleskine : « Ah, quelle joie ou quelle douleur ! Ils sont cachés, on les a mis ensemble, ils sont réunis, ils sont couchés, étendus, on les a recouverts, renfermés, on a bâti quelque chose pour eux pour les dissimuler et c'est situé quelque part dans un lieu caché... »

Puis j'ai continué à jongler avec les lettres, à les changer de place à la manière des kabbalistes – Léonard de Vinci, comme tous les érudits de son temps, avait été initié à la kabbale –, jusqu'à arriver à *Judico*, qui emploie les trois consonnes de *Jocondo* dans le désordre, *Judico* qui veut dire « rendre justice, décider, résoudre ». Rendre justice ? Il fallait donc que la vérité éclate.

Résoudre ? Qu'est-ce qu'on résout ? Un problème ? Une énigme ? Tout était signifiant.

Léonard de Vinci était ambidextre et utilisait l'écriture spéculaire, c'est-à-dire qu'il écrivait en miroir, à l'envers. J'ai essayé et j'ai cherché des définitions dans tous les sens en jouant avec les consonnes et les voyelles. Et j'ai trouvé des mots. *Conjungo* par exemple partage énormément de lettres avec *Jocondo* et veut dire : « unir par mariage, alliance, réunir ». Toutes les définitions commençaient à me parler et me rappelaient les discussions qu'on avait eues avec Viktor sur le célèbre tableau.

Edoceo : « instruire jusqu'au bout, enseigner complètement, informer dans les détails ».

Je suis resté des heures devant ces définitions à soupeser le moindre mot, la moindre sonorité.

Puis j'ai pensé : dans Joconde... on peut retrouver et entendre Oc. L'endroit où le soleil se couche.

« Faites avec *La Joconde* ce que j'ai fait avec Amour. »

J'ai gardé uniquement les consonnes, comme Viktor l'avait fait avec Amour, MR. Donc pour Joconde, dans l'ordre : JC et ND.

J'en suis resté interdit. Je regardais ces initiales qui me sautaient au visage. Elles s'inscrivaient en lettres de feu.

C'était presque trop simple, comme un jeu d'enfant. Les initiales les plus connues au monde. JC, les initiales de Jésus-Christ, et ND, celles de Notre-Dame. Notre-Dame n'était-elle pas, comme me l'avait suggéré Viktor, Marie-Madeleine ? J'étais stupéfait et j'ai repensé à ce que Viktor m'avait dit, que le voile sur le visage de la Joconde pouvait laisser supposer qu'elle était enceinte et ses sourcils épilés que c'était une prostituée.

C'était là, le plus simplement possible, sous mes yeux.

La Joconde était une prostituée tout comme Marie-Madeleine selon les Évangiles. Et le voile indiquait qu'elle était enceinte ! Et je me rappelais les explications de Viktor : si Jésus était rabbin, il était obligatoirement marié et avait au moins un enfant. Le sang royal. La descendance du Christ. Le tableau cachait le lieu du tombeau, l'endroit où ils étaient réunis tous les deux.

Si c'était l'œuvre du hasard, il faisait bien les choses.

« Il n'existe pas de hasard sans cause », m'avait dit Viktor.

Sfumato. Les écrans de fumée, les fines couches de brouillard se dissipaient les unes après les autres. Le secret ne se révélait pas uniquement dans la peinture, dans ses couleurs, dans le visage de la Joconde, dans ses gestes précis, dans l'arrière-plan du tableau, dans sa géométrie sacrée, dans ses symboles profonds, mais aussi dans le nom du personnage lui-même, et de la manière la plus simple et la plus naturelle qui soit.

« Imaginez plutôt ce tableau comme une carte aux trésors et analysez chaque détail. Chaque petit détail peut avoir son importance, la forme d'une pierre, le nombre de pierres, le crénelé d'une montagne, la forme d'un rocher, un arbre et quel arbre ? D'où vient la lumière, le nombre de nuages, la signature, les mains, les couleurs, la forme du lit de la rivière, regardez la boucle... Les anciens construisaient dans les boucles des rivières, ils avaient remarqué que l'eau qui détruit tout perce tout, va tout droit, quand l'eau contourne, c'est que l'endroit est fortement magnétique, indestructible, alors ils construisaient ou ils cachaient à ces endroits fortement telluriques, c'est pour ça qu'on y trouve la plupart des chapelles romanes, elles-mêmes construites sur d'anciens temples, eux-mêmes érigés sur des cercles de pierres ou des endroits sacrés, et étudiez la toponymie, servez-vous des lettres et de l'alphabet. »

Je repensais au tableau de *Saint Jean-Baptiste* qui pouvait lui aussi donner un autre indice. Son doigt désignait un point légèrement décalé par rapport à la ligne verticale du crucifix. Cette ligne verticale ne représentait-elle pas le méridien et la transversale, une latitude ? Peut-être que la juxtaposition des deux tableaux pouvait donner une autre clef.

Et si *La Joconde* et *Saint Jean-Baptiste* indiquaient l'endroit d'un tombeau, un autre tableau que j'avais étudié avec Viktor, *La Sainte Famille*, témoignait, lui, d'une descendance de sang royal. Les rois mérovingiens et tous leurs successeurs étaient enterrés sur une même ligne, sur ce méridien magique. Ils étaient d'une même lignée sur la même ligne. J'ai senti comme une présence au-dessus de mon épaule, je me suis retourné prestement, personne. J'avais l'impression de toucher à quelque chose qui me dépassait. Je n'osais penser plus loin. En fait, j'étais terrifié. Alors je me suis mis à tourner dans ma chambre et à me dire : « C'est des conneries tout ça, c'est des conneries, arrête tes conneries Raphaël. C'est rien tout ça, ce ne sont que des mots. »

Il fallait absolument que j'en parle à Viktor, il fallait qu'il me conseille. J'avais besoin d'aide.

47

Mais le lendemain matin, quand je me suis pointé au café, Viktor n'est pas venu. Et une semaine plus tard, une femme d'une quarantaine d'années a poussé la porte en boitant, elle se tenait à une béquille et marchait avec beaucoup de difficultés, elle est venue directement à moi.

– Vous êtes Raphaël ?

– Oui.

– Je suis la nièce de Viktor.

– Enchanté.

– Je suis désolée, mais Viktor ne viendra plus.

– Vous savez où je peux le trouver ?

– Je suis désolée, mais Viktor ne pourra plus venir…

– Mais ce n'est pas grave, je peux me déplacer et aller le voir…

– Ce n'est plus possible… Vous ne comprenez pas…

Sa voix était très douce.

– Viktor est mort, il a été enterré il y a trois jours en Normandie, auprès de sa mère.

– Ce n'est pas vrai !

– Il vous aimait beaucoup. Il m'a laissé ça pour vous.

Et elle m'a tendu un petit sac en cuir que j'avais déjà vu quelques fois. Elle m'a aussi donné une petite enveloppe et elle est ressortie du bar en boitant. Je n'avais même pas pensé à lui demander où il était enterré et quel était son nom de famille. Au bout de trente secondes, je suis sorti du bar, j'ai regardé loin devant, à droite, à gauche et j'ai couru, couru comme un oiseau affolé pour rechercher cette femme, j'ai couru sans m'arrêter. Je n'ai jamais pu la retrouver. Viktor avait disparu de ma vie sur un sourire triste.

J'étais terrassé. En rentrant chez moi, j'ai posé la sacoche contre le mur. Je n'osais ouvrir l'enveloppe et lire la lettre. C'était comme une sorte de fruit défendu. J'attendais un signe, quelque chose pour pouvoir l'ouvrir. Alors, pour la première fois depuis longtemps, je me suis mis à prier, essayant de bien dire tous les mots de la prière et de ne pas me tromper. J'ai recommencé plusieurs fois. Je me rappelais une chose que Viktor m'avait dite : « Notre Père qui êtes aux cieux, cieux en ancien français ne veut pas dire ciel mais centre… » Tout le sens de la prière en était changé.

Je me suis senti seul comme jamais je ne l'avais été. Je me sentais abandonné. Avec qui pourrais-je parler de tout ça à présent ? Je me morfondais sur mon sort… Quand j'ai ouvert l'enveloppe d'un geste sec.

« Mon cher Raphaël,
Quel plaisir immense de vous avoir rencontré. Savoir que vous allez continuer à chercher remplit mon cœur de joie. Vous êtes un *fard*, un solitaire. Les *Afrad* ne sont pas soumis au pouvoir temporel. Je n'ai fait que révéler ce qui existait en vous, avant

et après. Nous sommes comme une petite armée sans nous connaître les uns les autres. Les routes du désert peuvent parfois être monotones mais quelle beauté sous le ciel, le soir venu. La plus incroyable des lumières vertes translucides vient de l'obscurité la plus incroyablement obscure. À vous de vous mettre en quête, de mener l'enquête. Nous sommes liés par une même fonction. Trouvez, puis écrivez et codifiez pour laisser les autres chercher. J'ai touché du doigt bon nombre de trésors et de lieux magiques qui apportent la paix, l'amour et la lumière et j'ai aussi approché des "lieux terribles" où nulle flamme ne peut brûler. Sachez que je suis libre et heureux. Ne vous inquiétez de rien. Je suis juste là à côté et devant et derrière vous.

Votre frère et ami Viktor »

J'ai regardé au dehors. J'ai aperçu un vieil homme seul qui fumait une cigarette. Il regardait vers ma fenêtre. J'aurais juré qu'il me fixait.

48.

– C'est un des plus beaux jours de ma vie, a hurlé Simon dans le téléphone.

J'avais mis quelques secondes à faire l'effort de décrocher, j'ai tenté de masquer mon émotion.

– Qu'est-ce qu'y se passe? Sandy t'a appelé?

– Non. Ça fait une semaine que Pascal est dans un centre. Bon, y a quand même une mauvaise nouvelle, il a chopé l'hépatite C, mais la bonne, c'est qu'il n'a pas plus que ça, si tu vois ce que je veux dire. J'étais tellement flippé... Il est suivi médicalement et ça fait une semaine qu'il dort là-bas.

– C'est une bonne nouvelle. Je suis heureux pour lui.

– Il aimerait bien qu'on aille le voir.

Le lendemain, on est passés au centre en banlieue, une maison en pierre du Vexin sur trois étages avec un petit jardin anglais tout dégarni, tout ça en centre-ville. Une trentaine d'âmes damnées par la shooteuse y vivaient en permanence à grands coups de méthadone et de parties de ping-pong. Pascal, après une période de sevrage, s'ennuyait ferme, on sentait qu'il se refaisait une santé pour mieux recommencer. Un peu à la manière des pensionnaires de Fleury-Mérogis, les mecs se mettaient à la fonte et ressortaient tout gonflés, encore mieux préparés au combat. Une fois dehors, ça leur laissait six mois de sursis. L'endroit était pile entre une maison de correction et un hospice, les murs étaient jaune pisse et ça faisait froid dans le dos. Au premier étage, il y avait les chambres ou plutôt les cellules.

— Regarde, t'as un salon télé, un baby-foot et une table de ping-pong. C'est super, a fait Simon.

— T'as déjà vu un toxicomane jouer au ping-pong ? a demandé Pascal.

— Euh ouais, ça ne doit pas être terrible, j'ai dit.

— Vous n'allez pas me laisser là ?

— Tu vas voir, y vont t'aider. Y a que des gens comme toi, ici.

— Mais vous ne comprenez pas que je ne veux pas être avec des gens comme moi.

— Écoute, tu restes là encore deux semaines, et après on fera le point, lui a dit Simon qu'on sentait heureux de savoir son frère enfin suivi.

— Mais comment veux-tu que je tienne deux semaines de plus chez les fous ? Vous voulez que je crève ? Parce que si je reste ici, je vais crever.

— Tu vas te refaire une santé et nous on est là, jamais loin, t'inquiète ! Si t'as le moindre problème, on débarque. T'as le numéro sur le bras.

— Maman est au courant ?

— Tout le monde est au courant. T'inquiète !

— Tout le monde est au courant que je suis une grosse merde ?

— Tu vois, c'est un bon début, tu deviens lucide.

— T'es pas une grosse merde, t'es malade et nous on va s'occuper de toi, je lui ai dit. Et tout le monde ici va s'occuper de toi. Je suis sûr qu'il y a des petites infirmières, ou des petites pensionnaires comme toi, vachement mignonnes.

– Y a plein de gros cons aussi !

– C'est possible.

J'ai revu Amita. On a mangé au Del Papa. Et c'est la première femme à avoir passé la nuit au passage de la Main d'Or. La voir monter les marches dissipait ma peur.

Elle m'a demandé ce que c'était que cette sacoche contre le mur. J'ai juste dit :

– C'est une sacoche.

Elle dansait nue devant la fenêtre. Les vibrations de la Terre dans ce corps, les secousses du monde. La beauté à l'état pur. La pureté. Et ses ouvertures lumineuses. J'aurais pu sentir et voir les religieuses d'un autre temps, elles-mêmes recouvertes d'un voile sur les cheveux, tournoyer autour d'elle comme des oiseaux lumineux.

À 5 heures du matin, je l'ai entendue se lever aux premières lueurs du jour. La voir prier toute seule, ses gestes, sa grâce… Elle s'était recouverte d'un voile blanc immaculé. Un petit ruban vert émeraude entourait son poignet, sur sa peau noire et dorée, magnifique, comme le détail d'un tableau de maître. Un moment suspendu. Les bribes de ses prières étaient un baume caressant mon cœur. La regarder me regarder avec le sourire me rendait simplement heureux. J'étais léger.

La sacoche était toujours fermée contre le mur. Alors je l'ai rangée dans le sac avec ma collection de timbres. Avec la volonté de l'oublier.

Simon avait reçu un coup de fil du centre. Pascal s'était fait la malle et avait disparu dans la jungle épaisse sans laisser de trace. C'était *Au cœur des ténèbres* de Joseph Conrad. Il avait dû remonter la rivière jusqu'à la source. Il était devenu le héros de son héroïne. Il s'était lui-même caramélisé et dilué dans sa petite cuillère. Il était devenu lui-même chimique et était parti en petite fumée, acide et rauque.

On l'a cherché en vain un peu partout. On a tout fait, tous les endroits où il avait l'habitude d'aller, tous les endroits de deals et de camés où on l'avait retrouvé explosé, souriant aux anges ou narguant les démons. Fontaine des Innocents, les Halles, porte Saint-Denis, Jaurès, Crimée, Stalingrad, Place des Fêtes, Barbès, la Goutte d'Or. Le Monopoly de la came. Personne ne l'avait vu traîner dans le coin.

On est tombés sur un mec qui nous a dit :

– Vous le cherchez? Ça tombe bien moi aussi, il me doit de la thune ce gros bâtard, trouvez-le avant moi, parce que si je le trouve avant vous, ce fils de pute, je le défonce!

Simon lui a mis un énorme coup de boule dans la gueule et le mec s'est tortillé au sol comme un ver de terre qu'on aurait coupé en deux. Et Simon a hurlé :

– La prochaine fois que tu croises mon frère, le touche pas d'un cheveu où je te fracasse! T'as compris ce que je t'ai dit!

Et il lui a remis un coup de pompe dans la tête.

On a remonté les boulevards au ralenti, guettant le chat noir. On s'est fait tous les extérieurs et les squares. On a appelé tous les hostos de Paris et de la région, on a appelé les flics, les pompiers, on a appelé la morgue. On est rentrés dans tous les squats et les lieux de déglingue, la nuit des morts-vivants. On cherchait un petit agneau décharné au trou du cul du loup. Il avait bel et bien disparu des radars. Une semaine à se morfondre avant qu'enfin ce petit con n'appelle un soir.

— Je suis là, les gars. Venez me chercher.

— T'es où ?

— En banlieue…

— Super. Quelle banlieue ? Sud ? Nord ? Ouest ?

— Tu sais c'est pas facile de se repérer en banlieue. Tout se ressemble. Y a des immeubles tout gris, tout moches.

— T'as pas le nom d'une ville ?

— Quoi ?

— T'as pas le nom d'une ville ?

— Je suis près d'un centre commercial… Y a un truc où ils vendent des chaussures en gros et un Kiloutou !

— Un Kiloutou ?

— Quoi ?

— Un Kiloutou ?

— Oui un Kiloutou !

— T'as pas le nom d'une rue ?

— Quoi ?

— Le nom d'une rue ?

— Si… Attends je me déplace… T'attends ?

— Oui j'attends…

— Je fais comme la chasse au trésor. Je cours !

Il avait l'air d'aller plutôt bien. Il avait envie de courir.

— Avenue de la République !

— Où ça ?

— Je sais pas… Y a rien de marqué d'autre sur le panneau… Avenue de la République, c'est tout.

— Demande à quelqu'un où t'es !

– Y a personne! On dirait que je suis sur la lune! Je te jure y a personne! C'est le désert! Attends, y a une bagnole qui s'avance vers moi, je vais demander… Merde…

– Quoi?

– C'est une bagnole de flics.

Il a raccroché et on ne l'a retrouvé que deux semaines plus tard. Une ombre. Sous sa peau verte se dessinait une tête de mort avec deux orbites noires où disparaissaient ses yeux. Même « quoi », il n'arrivait plus à le dire.

49.

Un soir, je suis rentré, c'était l'hiver. Une échelle au cinquième étage partait sur le toit. Je me suis dit : « C'est curieux, ils ne font pas la réfection du toit en plein hiver quand même. » Il avait plu toute la journée et il faisait un froid de canard.

J'ai grimpé sur l'échelle, jusqu'à découvrir le toit pentu. À cinq mètres de moi, Gilbert, mon voisin infernal, torse nu, en pyjama, avait les deux pieds nus dans la gouttière et regardait en bas, à deux doigts de se jeter dans le vide. J'ai commencé à marcher à quatre pattes vers lui et à lui parler doucement comme si je parlais à un petit chat. Il a tourné ses yeux bleus délavés vers moi. Ça m'a rappelé la première fois où je l'avais vu à la fenêtre. Il paraissait tellement triste qu'on ne voyait plus la folie dans son regard mais une profonde solitude. Il m'a juste dit :

— Les gens sont vraiment tout petits.

— Viens, ne reste pas là Gilbert, remonte, c'est dangereux ce que tu fais.

Mais il n'a pas bougé et a continué de parler.

— Les gens ne le savent pas, mais ils sont tout petits, pas plus gros que des fourmis ou des vers grouillant sur une tranche de jambon, regarde-les bouger dans tous les sens !

Ils ne savent même plus ce qu'ils font! Mais ils continuent de bouger.

– Oui, bon, Gilbert, remonte et viens me voir.

Il continuait de parler sans s'arrêter :

– Tu le sais que si tu laisses une tranche de jambon au soleil, le soir, tu peux voir à l'œil nu ta tranche de jambon bouger. C'est les petits vers qui s'agitent et qui ne demandent qu'à sortir.

– Oui, Gilbert.

– Tu aimes le jambon?

– S'il te plaît, Gilbert…

– Et après, les petits vers de jambon deviennent des mouches et elles s'envolent. Elles deviennent libres d'aller partout, de se poser partout et de voler dans le ciel et parfois elles retournent sur la tranche de jambon en pèlerinage… Il faut savoir remonter à la source comme les saumons qui reviennent pondre au même endroit où ils sont nés et qui se disloquent et se barrent en petits morceaux.

Je commençais à avoir très peur pour lui.

– Il paraît que dans la fusée Apollo, y avait des mouches et qu'il y a des mouches partout même dans le désert et au-dessus des océans, même sur la lune et dans les montagnes, y paraît qu'y a une mouche qu'est sortie de la fusée pour coloniser l'espace… Regarde comme ils sont tout petits les passants… On est tous des passants, ça veut dire qu'on est de passage…

– C'est vrai.

– Jésus pourrait revenir sur Terre que personne ne s'en rendrait compte, il pourrait faire des miracles au coin de la rue et rendre la vue aux aveugles qu'on ne verrait rien, qu'on n'y croirait pas. Moi j'aime beaucoup Jésus.

– Tu as raison Gilbert. Tu as tellement raison, si tu savais, allez viens, on va se boire un coup tous les deux…

– Tu n'as jamais voulu venir chez moi boire un coup…

– Non, c'est vrai, mais là aujourd'hui, je veux bien si tu m'invites…

– D'accord. On va se boire un coup.

– Si tu veux.

Il a tendu la main vers moi pour que je la prenne et le tire de là. Et j'ai eu ce flash dans la tête, si je lui donne la main et qu'il la prend, vu la pente, s'il saute, je tombe avec lui.

J'ai réussi à le remonter avec des mots très doux…

– Qu'est-ce que tu as comme bière dans ton frigo ? Ou si tu veux, je peux aller chercher une bonne bouteille de vin avec du saucisson et des pistaches…

– C'est gentil. Je savais pas que t'étais gentil.

Et j'ai réussi à le faire redescendre de l'échelle, à ranger l'échelle et à le faire rentrer chez lui où j'ai accepté de prendre un verre. Je ne pourrais pas décrire précisément son appartement mais c'était une caverne de journaux, de verres sales, de cadavres de centaines de bouteilles. Il m'a tendu un verre opaque, fumé comme un vase étrusque. Alors j'ai bu la bière qu'il me tendait au goulot.

– Ta femme n'est pas là ?

– Non, elle est malade.

Je n'ai pas osé lui demander ce qu'elle avait.

– Et elle va rentrer ?

– Je ne sais pas.

– Elle est où ?

– Je ne sais pas.

– Elle est à l'hôpital ?

– Je ne sais pas. Mon beau-père ne veut pas me dire où elle est.

– Et tes amis?

– Quels amis? Je n'ai pas d'amis.

– Ceux qui venaient chez toi.

– Ce ne sont pas mes amis, c'est à cause d'eux tout ça, si je ne vois plus Agnès.

– Mais elle va bien?

– Je ne sais pas.

– Tu veux qu'on l'appelle?

– Je n'ai pas de téléphone.

– Oui mais moi j'en ai un, je peux l'appeler.

– Je n'ai pas son numéro.

– Alors là, je peux rien faire pour toi.

– Le père d'Agnès m'a demandé de partir, de faire mes valises et de m'en aller d'ici… Et je ne sais pas où je vais bien pouvoir aller…

J'ai eu tout d'un coup de la peine pour lui, même s'il m'avait cassé les couilles, avait fracassé ma porte à la masse de chaudronnier, pourri mes nuits avec Johnny et fait un troisième œil à Jim Morrison. Il était seul et je l'imaginais déjà marchant sous la pluie et dans la neige, il n'avait pas les armes pour dormir dehors sous des cartons. Il se ferait dévorer par les chiens.

– Tu n'as pas de famille?

– Si, un peu.

– Et ils sont où?

– Dans le Sud.

Le soir même, Johnny était revenu d'un long voyage et j'y ai eu le droit toute la nuit. Je n'ai pas osé taper sur le mur et demander à Gilbert de baisser le son. Alors j'ai pris mon scooter et je suis sorti faire un tour. J'ai pris par le port de l'Arsenal, j'ai traversé à pied la voie rapide et je me suis retrouvé au bord de la Seine, là où les bateaux-mouches tournent et éclairent les berges de leurs rampes lumineuses et puissantes.

J'étais aveuglé par les lumières. J'ai essayé d'appeler Simon. Sur répondeur, pas là. Miguel, pas là. Amita, sur répondeur.

Ce soir-là, sous la pluie fine et dans le froid, j'étais aussi seul que Gilbert. J'ai pensé à Viktor et j'ai pleuré.

50

On a décidé avec Simon d'emmener Pascal à la montagne. Simon voulait absolument le faire skier, souvenir un peu confus de leur petite enfance quand Simon et Pascal partaient chaque année en colonie de vacances. Il était sûr que ça pourrait l'aider et le faire décrocher de la came.

Pascal a dormi pendant les six cents kilomètres, atomisé par l'héro. Déjà, lui faire essayer une paire de chaussures et des petits skis a été un véritable tour de force. Toutes les chaussures lui faisaient mal aux chevilles. À chaque crochet, il gémissait, une véritable torture. Un hérétique sous l'Inquisition. Rien que de marcher avec ses groles dans le magasin avec ses skis sur l'épaule, il s'est cassé la gueule trois fois. Les chaussures paraissaient beaucoup trop lourdes pour lui. Dans sa combi, on aurait cru un scaphandrier, il flottait là-dedans. Mais le bouquet, c'est quand on est partis skier le premier matin. Pascal ne voulait pas venir. Il faisait trop froid pour lui.

Alors Simon s'est énervé et on l'a foutu de force dans les œufs! Tout en haut des pistes, il ne lui restait plus qu'à redescendre, donc à skier. À skier? Pascal faisait deux mètres et chutait. Il voulait mourir. Un junky dans la poudreuse, ça vaut son pesant de cacahuètes. Il n'arrêtait pas de se plaindre, puis de geindre, puis de pleurer. Il n'arrêtait pas de répéter :

— À quoi ça sert ? À quoi ça sert ?

— À rien, lui répondait Simon. Le ski, ça sert à rien ! C'est pour ça qu'on paye si cher.

Pascal voulait qu'on le laisse là, tout en haut des pistes, c'était horrible. On essayait de le tenir et dès qu'on le lâchait une seconde, il se laissait tomber sur le côté.

— Laissez-moi là…

— Allez, fais-moi plaisir Pascal, glisse ! T'as des super-skis !

— J'en ai rien à foutre de mes skis, ils glissent trop…

— Mais non, ils glissent pas trop, ils glissent normal, a gueulé Simon.

Pascal sur une petite descente a dû chuter une bonne cinquantaine de fois. J'essayais de le coincer devant moi, mais dès qu'on faisait dix mètres de suite, il tombait, il glissait et on le retrouvait la tête dans la neige fraîche. Il devenait tout bleu, il bavait, il tremblait, l'enfer. Simon hurlait :

— Tu sais skier, t'as même eu ton chamois de bronze ! Tu te rappelles ? Avant que tu tombes dans la dope. La blanche ici c'est pas la même, tu vas en bouffer. Alors tu ne vas pas me la jouer à moi ! Descends ou je te fous un coup de bâton !

— Je peux plus, pleurait Pascal.

— Je ne vais pas te le répéter une troisième fois, debout sinon je te frappe.

— Vas-y mets-moi un coup de bâton ! J'en ai plus rien à foutre.

Il n'en pouvait plus, il était allé au bout de ses forces et bien au-delà. Relever ne serait-ce que sa main dans sa moufle devenait une souffrance. On l'a soulevé, ses jambes ne le portaient plus.

– Je veux rentrer à la maison, s'il te plaît, qu'il implorait, de la morve en stalactite.

– Glisse! Glisse! Appuie sur tes bâtons!

– Quoi?

– Appuie sur tes bâtons! Et après on ira se boire un chocolat chaud.

– J'en ai rien à foutre de ton chocolat, je préfère rester crever ici.

On a mis deux heures juste pour se faire le premier mur et il nous restait des kilomètres de pistes à faire.

– Je te jure que je vais te faire décrocher de cette merde et te faire reprendre goût à la vie.

– Quoi?

– Au retour, je te place dans un autre centre ou sur un bateau et tu vas passer le cap Horn.

– C'est maintenant que je passe le cap Horn… Je suis en enfer, Simon.

Et de dire le prénom de son frère, il s'est mis à pleurer.

– Regarde Pascal, là y a pas de bosses, je lui ai dit, c'est tout droit, y a pas de difficultés, je te suis, je suis derrière toi, y a pas de problèmes, t'entends, y a pas de problèmes, si t'as le moindre problème, je m'arrête, OK? Je te suis. Juste essaye d'être fort dans tes jambes!

– Mes jambes, c'est pas des jambes, c'est du coton…

Pascal a commencé à descendre doucement, il a fait au moins vingt-cinq mètres sans problème.

– Eh ben voilà! C'est bien, c'est très bien, c'est super-bien! Ralentis un peu! Ralentis! Oh ralentis! Putain y va se prendre un sapin!

Pascal a commencé à prendre de la vitesse et de plus en plus, mais le problème c'est qu'il allait tout droit et que tout droit, y avait la forêt. Aucun style, aucune nuance. Tout droit. Un simili-schuss vers la forêt fratricide.

– Tourne! Tourne tes épaules à gauche! j'ai hurlé en essayant de le rattraper.

Il allait tout droit comme aimanté par le plus gros des sapins, roi des sapins.

– Oh! Arrête-toi! Oh!

Il a continué d'aller tout droit, il a frôlé le sapin, il a tourné ses épaules au dernier moment mais je ne sais toujours pas comment il a fait pour l'éviter, sûrement la bonne fée des junkies.

Et il a dévalé toute la pente, jusqu'à un mur terrible où il a continué d'aller tout droit, prenant de la vitesse d'une façon incroyable, il a pris une bosse, a décollé et s'est explosé littéralement dans la poudreuse. Un vol plané digne d'un saut à ski. Il a fait le saut de sa vie, le saut de l'ange, complètement désarticulé plein ciel comme une poupée qui viendrait de se faire tirer au ball-trap. La terrible chute était digne d'un *comic strip*, tête la première, puis le cul, les skis, un ski qui s'envole, un bâton, une tête et à nouveau son cul par-dessus bord, une terrible lessiveuse, puis Pascal, le roi du close-up, sous nos yeux a disparu dans le grand blanc, sans trucage.

– Oh quelle gamelle!

– Il a dû se faire mal.

– Manquait plus que ça!

On a essayé d'aller droit sur lui et on a entendu un long gémissement, puis des pleurs. On s'est rapprochés tout doucement et on a déchaussé nos skis pour lui venir en aide.

– Ça va, Pascal ?

Pascal, le visage plein de neige, a relevé la tête. Il ne pleurait pas, il riait aux larmes.

Quand je suis rentré, c'était la catastrophe. J'avais eu un dégât des eaux terrible dans mon studio. Un véritable déluge, l'eau était montée et s'était infiltrée dans le sol, détruisant en partie le plafond de ma voisine du quatrième, madame Labessie. Tout s'était effondré d'un coup. J'avais eu de terribles fuites. Les assurances – j'avais les mêmes que madame Labessie – avaient tout de suite remarqué que je n'étais pas aux normes avec la tuyauterie, l'électricité, que je n'avais pas de factures pour les travaux que j'avais faits avec Miguel et que j'étais en tort sur toute la ligne. J'ai préféré revendre le chantier à la verrue marron qui me l'avait vendu. Il a pris en charge tous les travaux et m'a racheté le studio de la Main d'Or une bouchée de pain mouillé. Je me retrouvais à la rue avec mes trois sacs.

Et Simon m'a accueilli chez lui, rue Bleue, sa nouvelle adresse.

Le printemps est passé. Et puis c'est arrivé. Le temps s'était incrusté dans les interstices. On était le 20 juin, veille du solstice d'été.

51.

Je me suis dit : « Si tu fais le labyrinthe de Chartres, tu pourras l'ouvrir. » Ouvrir la sacoche, le sac en cuir de Viktor que j'avais caché rue Bleue sous mes albums de timbres, avec le flingue. Je suis parti seul à Chartres par le train. Par la vitre, je regardais la campagne, une impression de solitude terrible à voir la nature renaître en défilant.

J'avais lu que l'évêque dégageait seulement ce jour-là toutes les chaises de la cathédrale pour le pèlerinage à l'intérieur du labyrinthe. Un labyrinthe construit vers 1200. Chaque dalle représentait une étape sur le chemin de Jérusalem. Jusqu'à une fleur de pierre à six grands pétales et au centre une sorte de clou. Un endroit tellurique magique, un des endroits les plus merveilleux au monde. Une colonne avec les anges, un passage. Une charge émotionnelle et physique extraordinaire.

Il y avait au moins six cents personnes sur le parvis. Et déjà beaucoup de monde à l'intérieur de la cathédrale. J'ai enlevé mes chaussures et mes chaussettes et je me suis mis sur la première pierre, douce et tiède. Une personne était juste devant. Puis à la seconde pierre, quelqu'un est venu se placer sur la dalle juste derrière, j'avais des gens devant moi alignés, je voyais des hommes et des femmes à contresens et chacun priait dans sa langue, chantait, psalmodiait, se recueillait, regardait tout autour de lui ou baissait la tête en observant ses pieds. Pour le labyrinthe, on se retrouve assez rapidement vers le centre, et on reste assez longtemps côté gauche à aller et venir. Il y avait là toutes les traditions, couleurs, religions, croyances, médiums, grands prêtres, hindous, guérisseurs. Un homme avec une barbe et de longs cheveux blancs ressemblant à un druide était là, il devait bien faire deux mètres. À chaque pierre, il tournait autour de son bâton, ses disciples étaient restés à l'extérieur du cercle et le regardaient avec bienveillance. J'entendais des prières en français, en hébreu, en sanskrit. Il y avait deux femmes avec des têtes de sorcières. J'ai mis plus de trois heures sous les chants et les prières pour accéder au centre. En attendant, j'ai eu des flashs qui venaient par à-coups sur ma vie, j'ai pensé aux gens que j'aimais, j'ai repensé à Viktor. J'ai regardé attentivement tous les vitraux sur le chemin qui nous entouraient. L'un d'entre eux était la représentation de Melchisédech, paraît-il. J'ai senti une énergie incroyable monter dans mes mains et dans mes bras comme si je me rechargeais d'une puissance venant de la Terre. J'ai senti une force et une lumière extraordinaire venir sur moi. Puis je me suis retrouvé au centre sur le premier des six pétales. Une personne était au milieu en train de prier. Elle est sortie du centre, une autre personne est venue, j'étais sur le deuxième pétale, la femme levait les bras vers le ciel. Elle est sortie, j'ai vu qu'il y avait un gros clou au cœur de la pierre centrale, au centre de la fleur. On m'avait dit qu'il pouvait se mettre à vibrer et que le soleil à midi pénétrait par un des vitraux et que l'éclat de lumière venait enrober le clou. Qui avait bien pu construire une chose pareille? Cet endroit existait déjà au temps des druides et Chartres formait sur la Terre, avec d'autres cathédrales, la représentation du signe de la Vierge dans le ciel. On m'avait dit qu'il existait deux Vierges noires, une dans la crypte et une autre, celle du pilier, vénérée par les pèlerins. Je me suis retrouvé au cœur, c'était pour moi comme un saut dans l'inconnu. Et j'ai senti sous mes pieds une vibration et sur mon crâne une force incroyable comme si j'étais dans un tube avec une sorte de picotement équivalent à ce qu'on ressent parfois quand on ouvre un four à micro-ondes. C'était vertigineux, je sentais tourner autour de moi dans deux sens contraires, lunaire et solaire, les cercles de gens priant et chantant dans toutes les langues toutes les louanges, l'impression qu'il n'y avait plus de toit au-dessus de ma tête, et que dans ce tube les anges dansaient dans les cercles jusqu'au ciel sans limite. Quand je suis sorti du centre de la fleur, je ne sais pas par où, j'ai senti des larmes couler sur mon visage, pourtant je n'avais aucune pensée triste mais les larmes sont venues par flots entiers, me submergeant complètement. J'ai remis mes chaussettes et mes chaussures et je suis sorti.

À côté de la cathédrale, je me suis assis sous un chêne, j'ai décroisé mes jambes et mes bras, j'ai fermé les yeux et je me suis endormi.

De retour rue Bleue, j'étais seul, Simon dînait chez ses parents. J'ai ressorti la sacoche de Viktor et je suis resté là, à tourner autour, j'avais même peur de la toucher. Je l'ai posée sur la table et enfin je l'ai ouverte. Il y avait des documents et cinq cartes postales de tableaux dont un, *La Madone au fuseau*, que je ne connaissais pas. Un carnet, quelques pages écrites à la main, d'une écriture à la plume fine et déliée. Une petite trousse en cuir travaillé avec un beau compas sûrement très ancien, une équerre et son petit crayon à papier vert. Et son briquet Dupont en or que j'avais vu maintes fois posé sur la table du café.

J'ai pris le briquet en or dans mes mains et j'ai aperçu une petite gravure au dos de la feuille de chêne stylisée. Des lettres : « A. BYRD 17 janvier ».

« A. Byrd. » Je me suis mis à relire mes carnets depuis le début. Viktor m'en avait parlé de ce Byrd. Je m'en souvenais très bien. Mais en même temps, cette date du 17 janvier n'avait rien à voir avec ce nom-là. J'ai retourné plusieurs fois le briquet dans tous les sens. C'étaient ses frères qui le lui avaient offert, m'avait-il dit. Feuille de chêne, 17 janvier et Amiral Byrd : non, décidément, il n'y avait *a priori* aucun rapport entre les trois.

J'ai regardé attentivement le petit carnet de Viktor. C'étaient des notes sur *La Madone au fuseau*. « Un tableau peint entre 1501 et 1507, attribué à Salai, mais certainement l'œuvre de Vinci vu le modèle et les fonds du tableau. » Une description en était faite :

> « Une Madone qui a l'air de vouloir filer de la laine. L'Enfant a posé son pied sur la corbeille qui contient le fil, s'est emparé du fuseau et regarde attentivement ses quatre bras, qui ont la forme d'une croix. Et comme s'il était désireux de cette croix, il la tient bien fermement dans sa main, s'en rit et refuse de le rendre à sa mère, qui semble vouloir le reprendre. »

Une autre petite note suivait :

« Cette version sûrement peinte par le maître a aujourd'hui disparu. Il existe deux autres versions de la même époque mais, dans ces autres versions, il n'y a pas de corbeille et de fils de laine. Seulement l'Enfant Jésus qui tient un fuseau, symbole de la Croix et de sa future Passion. L'Enfant Jésus semble détourner son regard de sa mère qui l'entoure de sa main gauche, et de sa main droite le protège à distance en lui donnant de l'énergie et de l'amour. À noter que la Madone porte elle aussi un voile... Une des versions appartient au duc de Buccleuch, conservée au Drumlanrig Castle en Écosse. Le fond du tableau représente la mer avec une île, et des falaises, des rochers et quatre baies. Il s'éloigne du sujet... Il existe des dizaines de copies de *La Madone au fuseau* un peu partout à travers le monde, dont une qui appartient à un collectionneur privé new-yorkais et que j'ai eu l'honneur de voir au cours d'agapes extraordinaires. Je vous laisse une carte postale. On s'aperçoit de détails stupéfiants.

J'ai tout de suite eu l'impression en examinant le tableau qu'il représentait le même endroit que *La Joconde*. Chose curieuse, les sujets sont également sur une hauteur qui surplombe toute la vallée. Autant dans *La Joconde* les arrière-plans sont floutés, autant là, dans *La Madone au fuseau*, le paysage est réaliste. On peut apercevoir, dans le lointain, une chaîne de montagnes, j'ai toujours pensé aux Pyrénées, il faut regarder précisément derrière la croix, le dessin si particulier des roches. Dans le plan intermédiaire, on trouve le même pont de pierre en arcades mais cette fois-ci inversé comme dans un miroir. On est de l'autre côté. »

52.

J'ai laissé le temps passer, porté par les vagues, un coup en haut, un coup en bas. J'oubliais parfois toute cette histoire. Je voyais de plus en plus Amita. J'ai monté une pièce avec Djay. J'ai retrouvé un petit studio en location à La Fourche. Simon avait recroisé une ex, Laurence, la grande tige tout en lèvres, l'ancien soldat de l'armée israélienne avec qui il s'était battu à coups de poing sur un capot de voiture. Elle a trouvé la solution pour Pascal. On peut dire qu'elle lui a sauvé la vie. Elle lui a trouvé une place dans un kibboutz en Israël, au milieu du désert, dans une orangeraie. Pascal bien sûr ne voulait pas partir là-bas, n'étant pas juif et ne parlant ni l'hébreu, ni l'anglais. L'envoyer marcher et pleurer dans un kibboutz était la dernière solution pour lui. On l'a poussé dans l'avion et Laurence l'a accompagné jusqu'aux portes du désert.

Un jour, je l'ai croisé dans un parking derrière la place de Clichy, il faisait de tout petits pas, je l'ai tout de suite reconnu, c'était Gilbert, mon ancien voisin. Il était en chaussettes toutes trouées. Sale comme je ne peux même pas le décrire. On ne pouvait plus savoir si c'était la crasse ou sa peau brûlée par les plaies. Il portait une longue barbe poivre et sel et ses cheveux étaient tout collés.

On aurait dit une tortue qui portait son cercueil.

Je ne sais même pas s'il m'a reconnu. J'ai eu beau lui parler, il ne répondait plus, ses yeux bleus délavés virevoltant dans le vide. Je n'ai pas pu m'empêcher de penser au *Poverello*.

On est allés tous les deux dans le grand magasin Monoprix de La Fourche. Je lui ai acheté plusieurs paires de chaussettes, un pantalon, des slips, un pull et une grosse doudoune. On est allés se bouffer un Mac Do. Il ne m'a pas adressé le moindre mot. Toujours regardant ailleurs comme un chien blessé. Et j'ai pensé : « Chacun sur sa route. »

On est allés s'acheter de bonnes grosses chaussures chaudes et je l'ai emmené à un accueil pour SDF, à l'église Saint-Michel.

— Il s'appelle Gilbert, j'ai dit, et je lui ai passé un peu d'argent.

Ses yeux continuaient à osciller, cherchant désespérément dans le vide. Et au moment de partir, j'ai entendu cette voix que j'avais entendue des milliers de fois derrière le mur.

— Oh voisin, me laisse pas là…

— Quoi ?

— Me laisse pas là…

— Où tu veux aller ?

— Faut que je descende…

— Que tu descendes où ?

— Dans le Sud.

— Où ça dans le Sud ?

— Dans le Sud.

– Tu connais du monde là-bas ?

– Je veux retrouver ma sœur.

Je l'ai amené à la maison pour qu'il puisse se prendre une bonne douche. Je l'ai un peu attendu sur le lit, en regardant la télé.

– Ça va ?

– Oui…

– Tu descends où dans le Sud ?

Je n'ai pas eu de réponse. Je suis allé me fumer une clope dehors. Puis je l'ai amené chez un Turc que je connaissais rue du Faubourg-Saint-Denis. Il lui a coupé les cheveux, l'a rasé de près, lui a brûlé les poils des oreilles, coupé les poils du nez, lui a passé le fil sur les pommettes, et lui a passé une lotion alcoolisée au citron, tout ça en buvant un petit café serré. Je retrouvais le Gilbert d'avant, tout frais, tout beau. Il s'est regardé dans le miroir. J'ai vu des perles dans ses yeux.

À la nuit tombée, place de Clichy, devant le Wepler, Simon m'a présenté l'amour de sa vie, une Sicilienne, Lisa, une avocate. J'ai tout de suite vu dans sa façon d'être que c'était sérieux. Aucune excitation, juste un calme profond, Simon était devenu un vrai bonhomme. Il m'a dit en souriant :

– Je ne te demande pas ce que tu en penses, ni comment tu la trouves, j'en ai rien à foutre, c'est la femme de ma vie, un point c'est tout.

– Je te crois, je lui ai répondu.

Et je l'ai pris dans mes bras.

– C'est ma poupée porte-clefs, porte-bonheur, il m'a murmuré. Je l'ai enfin trouvée.

Plus tard, je lui ai demandé :

– Tu peux me prêter ta voiture ?

La sienne, il pouvait pas, mais par contre, il m'a passé une antiquité qui dormait depuis des lustres au fond du garage de son père, une Ford Granada 75 métal doré, toit ouvrant noir, une vraie merveille à faire pâlir les flics de Miami. Quand je l'ai vue, j'ai cru qu'il était en train de me chambrer. Il m'a dit :

– Elle roule.

– Ah oui ?

– Tu vas où ?

– Dans le Sud.

– Qu'est-ce tu vas faire dans le Sud ?

– Je vais accompagner mon ancien voisin et après je verrai.

– Tu veux descendre où ?

– Je te raconterai…

– Une femme ?

– Je te raconterai, je te dis…

– Pour descendre dans le Sud, alors que ce n'est pas les vacances, c'est pour une femme ! Allez dis-moi, tu continues à voir la Black du boulevard de Clichy ?

– Oui. Mais c'est pas ça.

– C'est une autre ? Comment tu me fais tes petits secrets de bâtard !

– Laisse tomber !

– Tu ne veux pas me dire ?

– J'ai rien à te raconter, je te jure, je descends dans le Sud accompagner un vieil ami, c'est tout !

53.

Dès le lendemain, je partais dans le Sud-Ouest. J'avais appelé mon pote bouquiniste pour lui dire que je devais m'absenter quelque temps pour raisons familiales et il m'avait dit :
— Pas de problème. Tu reviens quand tu veux.
La pièce était terminée.
Tout semblait réglé. J'étais libre de partir. Simon avait trouvé la femme de sa vie. Pascal regardait les oranges dans le désert. Viendrait un temps où il pourrait même les cueillir. Gilbert était à l'avant de la voiture comme un mannequin en plastique. Je lui avais acheté un pack de 33 Export. Il était tout content de partir. En fait le Sud, c'était le Centre. Sa sœur habitait Meillant.

On a mis une heure pour sortir de Paris. On s'est arrêtés au moins deux heures en tout dans les stations. En fait, je pense que Gilbert avait très peur de retrouver sa sœur qu'il n'avait pas vue depuis dix ans. Il avait besoin de parler un peu et de boire beaucoup. C'est là qu'il m'a dit que les SDF de Ledru-Rollin et lui-même avaient été payés par la verrue marron le temps des visites, puis le temps des travaux quand j'étais

venu pour acheter le 1 passage de la Main d'Or. On voit où
se nichent les salauds.

J'ai roulé toute la nuit sous les trombes d'eau dans le noir.
Puis Gilbert a voulu qu'on s'arrête manger un chawarma à
Bourges. On a pris les petites routes. Et je l'ai déposé chez sa sœur.
Je l'ai regardé pousser le portail et traverser le jardin. Un jeune
chien lui a fait la fête et lui a léché la main. Sa sœur très émue
était sur le perron. Ils se sont serrés longuement et je suis parti.
Grâce à Gilbert, j'étais sur la route.

Et j'ai décidé d'aller voir, de continuer, de descendre dans
le Sud et de suivre le plus possible la ligne parsemée de roses,
le méridien, le roux sillon. Je le suivrais jusqu'au bout.

Viktor m'avait ouvert de nombreuses portes qui donnaient
sur d'autres portes, d'autres mondes de plus en plus mystérieux. J'allais à travers les cercles comme un vagabond céleste.
Des champs poétiques comme de gigantesques champs de
pavots s'ouvraient à perte de vue et je commençais à ressentir
une certaine ivresse et une profonde mélancolie. Je me sentais seul. Jusqu'à présent Viktor m'avait balisé l'itinéraire, je
ne pouvais pas me perdre. Mais j'arrivais à un point où il n'y
avait plus de prises sur la roche. Plus de traces de passage, plus
de signes, plus de voie. J'étais sur le terrain.

J'ai roulé des milliers de kilomètres de Bourges à Bugarach,
dormant dans ma voiture. Et je repensais à la terre d'Oc, l'endroit où le soleil se couche, la terre des tombeaux. Occulte?
Le culte d'Oc? Le culte des morts? L'endroit que je cherchais
n'était-il pas lié à ma propre perte? Je descendais, remontais, prenais des chemins de traverse en spirale, allais voir

les châteaux, les ruines, les tours détruites, les chapelles perdues. Parfois le soir, je m'endormais sur mes cartes. Je balisais, repassais par les mêmes endroits comme une blanchisseuse sur les plis. Certains commençaient à me sembler familiers, m'attiraient même inexorablement.

Et je me suis égaré sur cette petite route du côté de Saint-Illide, la nuit. L'orage déchirait le ciel. Je pensais : « L'air peut être irrespirable et la notion du temps n'est pas la même, trois heures peuvent correspondre à trente ans. Et ceux qui vous ont vu partir ne vous verront pas revenir et pour tout le monde vous aurez disparu à jamais. » Quand le ciel s'est allumé d'un coup, je n'ai même pas eu le temps de compter un que j'étais sous les bombes et ma Granada s'est transformée en cage de Faraday. Tout mon corps s'est mis à trembler. Je ne savais plus si je devais continuer de rouler ou m'arrêter sur le bas-côté. L'effroi venait de me prendre dans ses bras et me glaçait le sang. J'aurais rêvé apercevoir la lumière d'une maison, croiser les feux d'une voiture. Je me suis plaqué sur le bord de la route. J'ai pris le 9 mm dans la boîte à gants. J'ai ouvert la portière, j'ai marché un peu sous la pluie et j'ai hurlé tant que j'ai pu dans les phares. Je suis resté un bon moment sur la route, immobile, regardant le ciel arborescent, pensant : « Ne t'inquiète pas, c'est la nature, tout est naturel », et pourtant… La pluie fouettait mon visage et coulait salée sur mes lèvres. J'ai eu la vision de singes affolés, d'une tribu dispersée sous les éclairs. Et j'ai repensé à Viktor et à notre première rencontre au café. Et si tout cela n'avait été qu'une énorme farce, ou juste un jeu, un grand jeu où je m'étais définitivement perdu ?

J'avais du mal à retrouver une raison, une forme matérielle, quelque chose qui me rattache. Il n'y avait que l'amour. J'ai appelé Amita. Je lui ai dit que j'étais perdu sur la route. Que je traversais une sorte de désert, de dépression cosmique, que je ne savais plus comment retrouver le chemin, qu'il n'y avait plus d'étoiles dans le ciel. Et elle m'a parlé jusqu'au lever du soleil. Je l'entendais prier dans le téléphone. Je lui ai dit que moi aussi je pouvais comprendre, que j'étais aveuglé, que j'avais l'impression de vivre un grand combat intérieur, une guerre contre moi-même.

Alors, je suis redescendu et j'ai traversé le Ségala. Les montagnes noires me parlaient et je suis allé voir le chaos et la terre de Dieu. J'ai sillonné le Razès, cherchant désespérément la ville mythique de Rhedae, scrutant les collines arrondies, imaginant que ça puisse être des tumulus, cherchant les entrées. J'ai parcouru les montagnes trouées, suivi des chemins perdus. Il y avait une évidence dans tout ça. Depuis des dizaines d'années des centaines de milliers de personnes étaient venues là, avaient creusé, détruit, prêtes à tout. Les chercheurs d'or étaient venus se coller comme des mouches sur un ruban. Mais ce n'était qu'un point d'attraction. Le quai pour des départs lointains.

Peut-être n'était-ce que le cheminement qui était intéressant ? Et j'avais déjà bien cheminé. Mais pas encore assez pour rebrousser chemin.

54.

Je ne savais même plus ce que je cherchais. Je regardais le ciel
sans vraiment savoir où je plongeais. Viktor m'avait dit s'être
retrouvé au cœur d'un zodiaque géant. Où se trouvaient les
signes tombés sur Terre ? J'étais plombé, n'envisageant le lendemain qu'avec incertitude.

La beauté des paysages m'enfonçait de plus en plus loin
dans la nature, les sentiers se rétrécissaient pour ne plus exister. Une vision lunaire de rocaille brûlée. J'ai repris mes cartes
et mes carnets et j'ai tracé des lignes. Cela ne ressemblait plus
à rien, des aiguilles de pins sur une feuille en papier. J'ai parcouru mes notes à la recherche d'un détail, d'un fragment,
d'une sonorité perdue. J'ai tout déroulé. L'alphabet m'avait
permis de découvrir ce que je cherchais ou plutôt ce que
Viktor m'avait demandé de chercher.

Mais tout ça pour qui, et pourquoi au fond ? Le méridien
avait dessiné un axe, une colonne vertébrale, une descendance
royale. Et les tableaux étaient des géométries brisées. J'ai sorti
de mon Moleskine les cinq cartes postales que j'ai disposées devant moi comme les pétales d'une fleur. *La Joconde,
La Madone au fuseau, Bacchus, Saint Jean-Baptiste* et *La Vierge
à l'Enfant avec sainte Anne.* Je suis resté longtemps à les

regarder, passant de l'une à l'autre. L'impression curieuse que ces cinq tableaux n'en étaient qu'un seul et se répondaient dans l'espace. Il fallait recoller les morceaux. Les cinq pièces éparses d'un secret partagé. Les visages étrangement étaient les mêmes, comme pour murmurer une histoire mystérieuse soufflée à travers le temps. *La Joconde* et *La Madone au fuseau* n'étaient que les deux faces d'un même miroir se réfléchissant en un jeu spéculaire. Bacchus et Baptiste, identiques, dénudés pour l'éternité, continuaient de nous fixer, pauvres mortels ! Le dieu du vin et de l'ivresse désignait un point irréel, tout comme Baptiste dans l'obscurité. Il me semblait qu'il y avait deux plans en surimpression, un endroit le long de la ligne et une description détaillée de la nature à l'arrière-plan. Sainte Anne et la Madone au fuseau avaient les mêmes traits, une même beauté, et les paysages montagneux dans les brumes bleues au lointain obéissaient à une même construction picturale. L'Enfant Jésus pointait de son index le centre de la croix. Je regardais la forme des cimes crénelées, revenais sur la montagne derrière Bacchus. En fixant la forme du rocher, j'ai été pris de vertige. Tous les tableaux parlaient d'un même lieu.

Revenant à l'Enfant Jésus tenant le fuseau, j'ai remarqué qu'en continuant les deux transversales en bois dans l'espace, elles se rejoignaient en un endroit précis du paysage. Une source.

Je ne pouvais plus bouger, j'étais foudroyé. Et j'ai commencé à rire nerveusement. J'ai repensé à Viktor. Il m'avait tout dit.

Je suis resté là toute la nuit. Et au matin, j'ai tout brûlé.

J'ai roulé, roulé, et je me suis arrêté au bout d'un chemin. J'ai laissé ma voiture et toutes mes affaires et je suis parti à travers la nature escarpée. Un sentier descendait jusqu'à la rivière.

Après une demi-heure de marche, impossible d'aller plus loin. De hauts rochers surplombaient un épais serpent vert, une boucle émeraude. J'ai pensé au ruban sur le poignet d'Amita.

J'ai dû contourner de vieilles ruines abandonnées. Un paysage de guerre. Des âmes rôdaient encore dans ces lieux. L'impression bizarre d'être épié. Et je suis descendu une bonne heure, pour remonter, puis redescendre à travers les ronces. Je me suis retrouvé au bord d'une falaise comme si le temps s'était arrêté. Et j'ai marché sur l'arête, avançant dans le brouillard sur le chemin périlleux. Le vide était là sur ma droite, j'étais du bon côté de la rivière.

Nulle part présence humaine. J'ai pensé : « Personne n'est venu ici depuis des siècles en fait, même pas un chasseur. » À cause du danger, impossible d'arriver là par hasard, impossible de s'y perdre. Il fallait avoir la volonté d'aller là-bas. Marcher encore. Assurer chaque pas comme à la montagne. Comme si j'avais un guide devant moi, un sherpa. J'aurais pu voir ses semelles disparaître dans la brume. Peut-être Viktor. Je suis arrivé au bord du vide, devant moi et sur ma droite. Sur ma gauche, des arbres, un sol bombé. Je suis monté lentement sur quelques mètres. Mon cœur battait terriblement, ma gorge se serrait, l'impression de ne plus pouvoir respirer. Une angoisse terrible. Je me suis avancé.

L'endroit ne pouvait être vu ni d'en bas, de la rivière, ni d'en haut, ni de côté, ni d'en face. Devant moi, il y avait une sorte de cromlech. Une petite cavité cachée dans le surplomb, de deux mètres de profondeur environ. Je me suis agenouillé. Une énorme dalle de pierre reposait sur deux roches granitiques, une construction humaine, creusée à la verticale. L'entrée d'un tumulus sur lequel avaient poussé des arbres. Partant de la cavité sur la droite, un petit chemin taillé dans la pierre. Cinq mètres plus loin, un arrondi dans la roche, un poste d'observation. Je pouvais m'imaginer les guetteurs anciens scrutant l'horizon. Je pouvais les voir, sentir leur tristesse alors qu'ils protégeaient ce tombeau pour les siècles. Je me suis accroupi. De là, j'apercevais la rivière. À une centaine de mètres derrière le vallon, en contrebas, une fente, une ouverture dans la roche, une source. Le lieu de passage.

J'ai attendu la nuit. Les étoiles. Et je me suis mis nu. En boule dans la cavité. J'avais tout lâché. Je ressentais le plus profondément du monde ce qu'était l'amour.

J'ai repensé…

J'ai repensé à ma mère qui dormait quelque part, peut-être de l'autre côté de cette fente. Et j'ai fermé les yeux.

Achevé d'imprimer sur les presses de France Quercy à Mercuès en octobre 2015
Dépôt légal : août 2015 • ISBN 978-2-84742-309-9 • Imprimé en France